RUSSIAN REVIEW

RUSSIAN REVIEW GRAMMAR

by

Marianna Bogojavlensky

Bloomington, Indiana

ISBN 978-0-89357-096-5

Text set by Pamela Worner.

Slavica Publishers
Indiana University
2611 E. 10th St.
Bloomington, IN 47408-2603
USA

[Tel.] 1-812-856-4186
[Toll-free] 1-877-SLAVICA
[Fax] 1-812-856-4187
[Email] slavica@indiana.edu
[www] http://www.slavica.com/

TABLE OF CONTENTS

INTRODUCTORY REMARKS

This text has grown out of the author's experience during many years of college teaching. It is not a book for beginners, nor is it a simplified grammar for second-year students. No attempt is made to duplicate material easily available elsewhere; for example, the verbs of motion are not discussed in detail here due to their excellent treatment in such textbooks as *Russian Verbs of Motion* by Leon Stilman and L. Muravyova's *Verbs of Motion in Russian*. Instead, I have attempted to focus on those linguistic items I believe to be particularly difficult for English-speaking students.

I hope that *A Russian Review Grammar* will be useful to interested students who, having mastered the essentials, are willing and ready to go beyond the grammar traditionally taught in 4 or 5 semesters of college Russian.

This text can be easily adapted to individual needs within the classroom as well as to self-teaching. If desired, every chapter (and, in fact, almost every part of a chapter) can be studied separately. All grammatical items are amply illustrated with examples, after which the same items are presented in short, detached sentences designed to focus the student's attention on specific problems and to provide necessary drill. Accents are marked wherever difficulties can be anticipated.

Different kinds of exercises are used throughout the book to offer plenty of choice and variety. The reading selections always illustrate the particular point of grammar under discussion. The comprehensive review exercises at the end of each chapter call for precision, grammatical discipline, and a thorough knowledge of the material covered.

Special attention has been given to vocabulary building. For this purpose, new lexical items are introduced in every chapter. To facilitate learning and to provide color and vividness, idiomatic colloquial expressions and proverbs have been included. Constructions once introduced are repeated throughout the text for reinforcement.

The grammatical elements presented in this text may seem arbitrary to some readers, but this is the inevitable risk incurred whenever choices are made. I hope, nevertheless, that *A Russian Review Grammar* will prove useful and enjoyable.

CHAPTER 1

THE DATIVE CASE

(Дательный падеж)

Reminder: The Dative Case is used to express the *Indirect Object*.

Question: Кому? - *TO* whom?
Чему? - *TO* what?

A. *Verbs with the Dative*

1. English and Russian have parallel constructions in the use of certain verbs (*to give, to say, to send,* etc.).

Examples:	Примеры:
He gave the book *TO his brother*.	Он дал книгу *брату*.
He said this *TO our teacher*.	Он сказал это *нашему учителю*.
We sent the money *TO your friend*.	Мы послали деньги *вашей подруге*.
etc.	и т.д.

	Noun
давать/дать (кому-нибудь) *-to give TO (someone)*	
дари́ть/подари́ть *-to give as a present TO*	пода́рок, дар
жа́ловаться *-to complain TO*	жа́лоба
лгать/солгать *-to lie TO*	ложь
обеща́ть *-to promise TO*	обеща́ние
объясня́ть/объясни́ть *-to explain TO*	объясне́ние
ода́лживать/одолжи́ть *-to lend TO*	одолже́ние *(favor)* долг *(duty, debt)*
передава́ть/переда́ть *-to pass on TO*	переда́ча
платить/заплатить *-to pay TO*	пла́та
подверга́ть/подве́ргнуть *-to subject TO*	

подчиня́ть(ся)/подчини́ть(ся) — подчине́ние
-to submit TO

позволя́ть/позво́лить — позволе́ние
-to allow TO

пока́зывать/показа́ть
-to show TO

посвяща́ть/посвяти́ть — посвяще́ние
-to dedicate TO

посыла́ть/посла́ть — посы́лка
-to send TO

предлага́ть/предложи́ть — предложе́ние
-to offer, to suggest TO

представля́ть/предста́вить
-to introduce TO

преподава́ть — преподава́ние
-to teach TO

привозить/привезти — приво́з
-to bring TO (by vehicle)

принадлежа́ть — принадле́жность
-to belong TO a <u>person</u>

приноси́ть/принести́
-to bring TO (on foot)

причиня́ть/причини́ть — причи́на
-to cause TO

продавать/продать — прода́жа
-to sell TO

ра́доваться/порадоваться (чему-нибудь) — ра́дость
-to look forward TO

разреша́ть/разреши́ть — разреше́ние
-to allow TO

расска́зывать/рассказа́ть — расска́з
-to tell, relate TO

соотве́тствовать (чему-нибудь) — соотве́тствие
-to correspond TO

уделя́ть/удели́ть внима́ние (кому-, чему-нибудь)
-to give attention TO

уступа́ть/уступи́ть — усту́пка
-to give in, yield, cede TO

Note: Dative constructions with parallels in English:

Сла́ва *Бо́гу*!	-Thank Heaven! (Glory *to God*!)
Он ве́рен *свои́м идеа́лам*.	-He is faithful *to his ideals*.
Он подверга́ется *опа́сности*.	-He is exposed *to danger*.
Надо положить конец *этому*.	-It is necessary to put an end *to this*.
Я *вам* обязан.	-I am obliged *to you*.
Я *вам* благодарен.	-I am grateful *to you*.
и т.д.	etc.

BUT:

Мне сказали/*мне* ска́зано	-I was told
Девушке приказали/ *Ей* прика́зано	-The girl was ordered/ she was ordered
Ему пла́тят хорошо	-He is well paid
Детям запрети́ли/ *Им* запрещено́	-The children were forbidden/They were forbidden
Пациенту позво́лили/ *Ему* позво́лено	-The patient was allowed /He was allowed
Мне сове́товали	-I was advised
Тебе заплатили	-You were paid
Вам дали денег	-You were given money
и т.д.	etc.

Exercise 1:

a) Read aloud the following dialogue several times and examine the constructions with the dative case.

b) Memorize the dialogue or translate it into English and then back again into Russian.

А́ня: Тама́ра Алекса́ндровна, сейчас я принесу и покажу вам что-то. Только обеща́йте мне, что никому об этом ничего не скажете!

Т.А.: Хорошо, хорошо, обещаю тебе молчать. Ты мне запреща́ешь говорить о каком-то страшно важном секре́те, да?

Аня: Ну, да... Только запрещать кому-нибудь что-нибудь я не хотела бы... Ну, вот что: я да́вно хотела подарить Бори́су новую у́дочку.[1] Иду я

[1] *fishing rod*

сегодня по главной улице и вижу, что в витри́не универма́га публике показывают замечательную удочку. Подумайте - её предлагали покупа́телям за 25 рублей. У меня не было столько денег с собой. А кто мог бы мне одолжи́ть? Мне пришло в голову, не продаст ли мне продаве́ц её за 20?

Т.А.: Неужели у́дочки привозят вам сюда в город и продают людям теперь - в январе́?

Аня: Коне́чно. А почему же нет? - И вы знаете, продавец действи́тельно уступи́л мне удочку за 20 рублей. Я сейчас же заплатила ему, и вот - посмотрите, какая пре́лесть![2] Как только начнётся рыболо́вный сезон, я дам у́дочку Бори́су и мы поедем вместе в одно замечательное месте́чко. Ему сказали, что там рыба хорошо ло́вится.

Т.А.: Вот и прекра́сно. Когда уви́дишь Бориса, передай ему от меня приве́т.

[2]*what a wonderful thing!*

---

2. Many Russian verbs require the dative case, while the corresponding English constructions use either a direct object or a preposition.

	Noun
верить/поверить кому-нибудь *-to believe someone*	ве́ра
доверя́ть/дове́рить кому-нибудь *-to trust someone*	дове́рие
грози́ть/погрози́ть кому-нибудь *-to threaten someone*	угро́за
зави́довать/позави́довать кому-нибудь *-to envy someone*	за́висть
запреща́ть/запрети́ть кому-нибудь *-to forbid someone*	запре́т
звонить/позвонить кому-нибудь *-to telephone someone*	звоно́к
льстить кому-нибудь *-to flatter someone*	лесть
мешать/помешать кому-нибудь *-to bother someone*	

мстить/отомстить кому-нибудь
-to take revenge on someone
месть

надоеда́ть/надое́сть кому-нибудь
-to bore someone

/наскучить кому-нибудь
-to bore someone
ску́ка

напоминать/напо́мнить кому-нибудь
-to remind someone
напомина́ние

повинова́ться кому-нибудь
-to obey someone
повинове́ние

подража́ть кому-нибудь
-to imitate someone
подража́ние

подходить/подойти кому-нибудь
-to suit someone

помогать/помочь кому-нибудь
-to help someone
по́мощь

представля́ть/предста́вить себе
-to imagine (used in all persons)

прика́зывать/приказа́ть кому-нибудь
-to order someone
приказа́ние
прика́з

противоде́йствовать кому-нибудь
-to counteract someone

ра́доваться/пора́доваться чему-нибудь
-to be happy about something
ра́дость

сле́довать/после́довать кому-/чему-нибудь *-to follow someone or something*

служи́ть/послужи́ть кому-/чему-нибудь
-to serve someone or something (not used in connection with food)
слу́жба

сове́товать/посове́товать кому-нибудь
-to advise someone
сове́т

соде́йствовать кому-нибудь
-to cooperate with someone
соде́йствие

сообща́ть/сообщи́ть кому-нибудь
-to inform someone
сообще́ние

сопротивля́ться кому-/чему-нибудь
-to resist someone or something
сопротивле́ние

сочу́вствовать/посочу́вствовать кому-нибудь *-to commiserate with someone*
сочу́вствие

спосо́бствовать чему-нибудь
-to be conducive to, further something

угрожа́ть кому-нибудь — угро́за
-to threaten someone

удивля́ться/удиви́ться кому-/чему-нибудь — удивле́ние
-to be surprised at someone or something

улыба́ться/улыбну́ться кому-нибудь — улы́бка
-to smile at someone

учить/научить чему-нибудь
-to teach something

учиться/научиться чему-нибудь — уче́ние
-to study, learn something

Note: Some other Dative constructions:

1. задава́ть/зада́ть вопрос кому-нибудь
   -to ask a question of someone
   Ex.: Он задал мне трудный вопрос.
   (He asked me a difficult question.)

2. Я очень рад вашему приезду. *-I am very happy about your arrival.*
   Уходи́! Тебе нет места здесь. *-Go away! There's no room for you here.*
   Вот тебе ответ! *-There's an answer for you!*
   Что вам уго́дно? *-What do you want?*

Note: I listen *to* music. -Я слушаю музыку.(Acc. case)

Exercise 2:

Suggested procedure for all similar exercises:

a) Study the following sentences;
b) cover the Russian text and reproduce it;
c) check for mistakes;
d) review the most difficult sentences and memorize them;
e) repeat the exercise until you are no longer making mistakes.

Я этому человеку не верю.	*-I don't believe this man.*
Нельзя доверять всем людям.	*-All people cannot be trusted.*
Не грози мне!	*-Don't threaten me!*
Я никому не зави́дую.	*-I don't envy anyone.*
Закажи мне, пожалуйста, стакан вина́.	*-Please order a glass of wine for me.*

(continued)

Кто-то позвонил отцу поздно вечером.	*-Somebody called Father late at night.*
Не сто́ит льстить умным людям.	*-It's not worthwhile to flatter smart people.*
Хорошая музыка никому не мешает.	*-Good music does not bother anyone.*
Длинный фильм наскучил всем.	*-Everyone got bored with the long movie.*
Не напоминай мне о войне!	*-Don't remind me of the war!*
Солдаты должны́ повинова́ться офицерам.	*-Soldiers must obey their officers.*
Дети любят подража́ть взро́слым.	*-Children like to imitate grown-ups.*
Люди должны помогать друг-другу.	*-People must help one another.*
Предста́вь себе - я выиграл миллион!	*-Imagine - I won a million!*
Иван Иванович преподавал нам физику.	*-Ivan Ivanovich taught us physics.*
Офицер приказал солдату не стрелять.	*-The officer ordered the soldier not to shoot.*
Сын после́довал приме́ру отца.	*-The son followed his father's example.*
Не все служили охо́тно царю Петру Первому.	*-Not everyone served Czar Peter I willingly.*
Посове́туй мне, что теперь делать!	*-Advise me what to do now!*
Я сочу́вствую вашему горю.	*-I commiserate with your grief.*
Большая опа́сность угрожает всему ми́ру.	*-A great danger threatens the entire world.*
Я удивля́юсь тебе и твоей ле́ни.	*-I am surprised at you and your laziness.*
Мать улыбну́лась ребёнку.	*-The mother smiled at her child.*
Пора́ учить детей музыке.	*-It is time to teach the children music.*
Ты должен научиться хорошим мане́рам.	*-You must learn good manners.*
Толстой учил людей не сопротивля́ться злу.	*-Tolstoy taught people not to resist evil.*

<u>Exercise 3:</u>

Read the following dialogue and examine the constructions using the dative case. Memorize the dialogue or translate it into English and then back again into Russian.

Папа: Аня, кто тебе опять звонил по телефону? Эти ве́чные[1] звонки́ ужасно мешают человеку работать.

Аня: Вот как? Ты позволя́ешь всем в семье́ говорить по телефону сколько им уго́дно[2] - только не мне! Я действи́тельно удивляюсь тебе и маме - всё вам всегда мешает!

Папа: Неужели я должен постоя́нно[3] напоминать тебе - моей шестнадцатиле́тней дочери - что у меня важная работа, что чле́ны[4] семьи́ могли бы иногда и помогать, а не только мешать мне?! Отвечай отцу - прав я или нет! Мне наскучили эти глупые разговоры.

Аня: Всегда ты всем напоминаешь, что ты учёный, что все в доме должны делать только то, что подхо́дит такому, важному человеку как ты, и радоваться только его успе́хам...

Папа: Надо удивляться тепе́решней молодёжи и её самоуве́ренности[5]! Никто не верит старшим, никто не хочет больше учиться ничему серьёзному - а только глупым танцам да игре на гитаре - всё всем разрешается... Позволь задать тебе вопрос...

Аня: Пожалуйста! Я с удово́льствием отвечу кому уго́дно[6] на какие уго́дно вопросы - и тебе тоже. Но сначала разреши́ мне объяснить господину профессору, что, сле́дуя учению теперешних психо́логов, нам, молодому поколе́нию[7], ничего нельзя - да и не стоит[8] прика́зывать. Нам можно только сове́товать. Это нам лучше подхо́дит и соотве́тствует ду́ху[9] времени. Такой подхо́д[10] отвечает совреме́нности[11]...

Папа: "Что за коми́ссия[12], созда́тель[13] - быть взро́слой дочери отцом!"[14] Прав был Грибое́дов, как ему не верить! Честь[15] и сла́ва этому ге́нию!

[1]*eternal* [2]*as much as they like* [3]*continually* [4]*members* [5]*self-assurance* [6]*to anyone* [7]*generation* [8]*is not worthwhile* [9]*spirit* [10]*attitude* [11]*modern times* [12]*task* [13]*Lord* [14]*from Griboyedov's "Woe from Wit" (Act I, Scene 10)* [15]*honor*

Exercise 4:

Отвечайте на следующие вопросы полной фразой:

1. Кому вы завидуете больше всех?
   (люди, живущие в больших городах)
2. Кому вы любите задавать вопросы?
   (лектор, читающий лекцию)
3. Кому надо отвечать на все вопросы?
   (интересующаяся студентка)
4. Чему вы радуетесь?
   (окончание учебного года)
5. Кому вы позвонили вчера вечером?
   (мои лучшие друзья)
6. Чему учитель учит вас?
   (разные предметы - химия, пение, физика, русский язык)
7. Чему вы учитесь?
8. Кому нельзя мешать?
   (люди, работающие в библиотеке)

Exercise 5: REVIEW

Переведите на русский язык:

1. This book belongs to my friend. He promised to sell it to us, but first he must lend it to someone. He told me so yesterday when he called me up.
2. Nina, imagine that I am forbidden to teach the children grammar! The headmaster does not believe me when I say that grammar will help them learn the language. I envy those teachers whom no one bothers.
3. The tourists were told that a great danger was threatening them and that they had to follow all instructions very carefully[1]. Then they were ordered to listen to a long lecture, after which they were allowed to ask the guide questions. The guide explained to them that a terrible snowstorm had caused much trouble[2] to everyone.
4. Ivan Ivanovich, aren't you bored yet listening[3] to these people? I do not trust them, do you[4]? They flatter their superiors[5] and lie to each other. Their work werves only their own[6] interests. This does not suit me. When one of them[7] smiles at me I do not believe him. Soon I will not be surprised at anything anymore.

[1]то́чно [2]тру́дность *(use pl.)* [3]*use the infinitive* [4]а вы? [5]нача́льники [6]со́бственные [7]один из них

(continued)

5. Dear friend, believe me, I sympathize with your grief. Tell me everything, complain[1] to me. I will try[2] to help you as I have helped many[3] people already. But allow me to ask a few questions of you. When you have answered them, I will tell you what I think. Believe me, I will not cause you any difficulties.[4]

[1]жа́ловаться [2]постара́ться [3]многие
[4]тру́дности

B. Adverbs and Impersonal Constructions with the Dative

Exercise 6:
a) Study the following sentences;
b) cover the Russian text and reproduce it;
c) practice the constructions using different persons.

1. Adverbs often have the ending 'o'

Мне жа́лко друга.	*-I feel sorry for my friend.*
Тебе сты́дно (со́вестно).	*-You are ashamed.*
Ему хо́лодно/жа́рко.	*-He is cold/hot.*
Ему скучно (скучнова́то).	*-He is bored (somewhat bored).*
Всем было ве́село.	*-Everybody had a good time.*
Нам бо́льно.	*-It hurts us.*
Вам трудно/легко́.	*-It's hard/easy for you.*
Им хорошо/лучше.	*-They are fine/better.*
Мне прия́тно/неприя́тно.	*-It is agreeable/disagreeable to me.*
Тебе удо́бно/неудо́бно.	*-You are comfortable/uncomfortable.*
Больному плохо/хуже.	*-The patient feels poorly/worse.*
Ему станет плохо.	*-He will get sick.*
Ей стало гру́стно.	*-She became sad.*
Мне стало стра́шно.	*-I became frightened.*
Нам станет всё известно.	*-Everything will become known to us.*
Вам спе́шно.	*-You are in a hurry.*

(continued)

Вам пора́ идти.	*-It's time for you to go.*
Никому́ не стра́шно.	*-Nobody is afraid.*
Гостям ую́тно здесь.	*-Guests feel right at home here.*
Всем хорошо ви́дно отсю́да.	*-Everyone can see well from here.*
Вам не слышно, что говорят не сце́не?	*-Can you hear what is being said on stage?*
Что вам угодно?	*-What would you like?*
Мне всё равно.	*-It's all the same to me.*
Маше было суждено́ выйти за́муж за Воло́дю.	*-Masha was destined to marry Volodya.*
Всем поня́тно, что это невозмо́жно.	*-Everyone understands that this is impossible.*
Тебе всё поня́тно?	*-Is everything clear to you?*
Я пойду в апте́ку, мне ближе чем тебе.	*-I will go to the drug store; it's closer for me than for you.*
Завтра мне будет невозмо́жно позвонить тебе.	*-Tomorrow it will be impossible for me to call you.*
Вам известно, что завтра не будет лекции?	*-Do you know that there's no lecture tomorrow?*
Тебе всё смешно́.	*-Everything is funny to you.*
Вдруг мне стало смешно́.	*-Suddenly I felt like laughing.*
Что русскому здоро́во, то немцу смерть.	*-Proverb: One man's meat is another man's poison.*

2. Dative with negative expressions

Мне не́где лечь.	*-I have no place to lie down.*
Тебе не́зачем это делать.	*-There is no need for you to do this.*
Ему не́когда с тобой разговаривать.	*-He has no time to talk with you.*
Ей не́кого ждать.	*-She has no one to wait for.*
Нам не́куда идти.	*-We have no place to go.*
Вам не́откуда ждать писем.	*-You have no place from which to expect letters.*

(continued)

b) Cover the Russian text and reconstruct the sentences.
c) Make sure that you can use the introduced verbs in different situations.

Ивану сле́дует теперь отдохну́ть.	-*Ivan must rest now.*
Ивану сле́довало приехать домой, но он не приехал.	-*Ivan was supposed to go home, but he didn't.*
Ивану сле́довало бы больше работать.	-*Ivan should work more.*
Ивану не сле́дует играть в карты.	-*Ivan must not play cards.*
Людям прихо́дится много работать.	-*People have to work hard.*
Нам часто *прихо́дится* рано вставать.	-*Often we have to get up early.*
Вчера *мне пришло́сь* встать в 6 часов утра.	-*Yesterday I had to get up at 6 in the morning.*
Если бы Иван жил за́ городом, *ему* каждый день *приходилось бы* вставать очень рано.	-*If Ivan lived in the suburbs, he would have to get up very early every day.*
Когда вы уедете, *мне придётся* найти нового жильца́.	-*When you leave, I will have to find a new tenant.*
Всем надое́ло сидеть без дела.	-*Everyone was bored having nothing to do.*
Нине везёт - она выиграла тысячу рублей.	-*Nina is lucky; she has won a thousand roubles.*
Ему в жизни никогда *не везло́*.	-*He was never lucky in life.*
На этот раз *мне повезло́* - вопросы на экзамене были лёгкие.	-*This time I was lucky; the questions on the exam were easy.*
Купи лотыре́йный билет, может быть, *тебе повезёт*.	-*Buy a lottery ticket; maybe you'll be lucky.*
Если бы *Кате повезло*, она вышла бы уже давно за́муж.	-*If Katya had luck, she would have been married long ago.*
Тамара уста́ла - *ей хо́чется* спать.	-*Tamara is tired; she would like to sleep.*
Мы молчали - *никому не хоте́лось* говорить.	-*We were silent - no one felt like talking.*

(continued)

Вдруг *мне захотелось* вернуться домой.	-*Suddenly I felt like returning home.*
Напиши мне, когда *тебе захочется.*	-*Write to me when you feel like it.*
Боюсь, что *тебе* никогда *не будет хотеться* работать.	-*I am afraid that you will never feel like working.*
Скажи мне, ты купила бы себе дорогую шу́бу, если бы *тебе* очень *захотелось?*	-*Tell me, would you buy yourself an expensive fur coat if you wanted it very much?*
Мне бы погулять!	-*I wish I could go for a walk!*
Сегодня *мне исполня́ется* 22 года.	-*Today I turn 22.*
В прошлом году *Ивану испо́лнилось* 30 лет.	-*Last year, Ivan turned 30.*
Когда *Вере Ивановне испо́лнится* 44 года?	-*When will Vera Ivanovna turn 44?*
Как Нина была бы рада, если бы *ей испо́лнилось* 21 год!	-*How happy Nina would be if she turned 21!*
Как *вам живётся* в нашем городе?	-*How do you get on in our town?*
В де́тстве *Бори́су жилось* весело.	-*In childhood, Boris led a merry life.*
Нам жило́сь бы не плохо, если бы война не началась.	-*We wouldn't have had such a bad life if the war hadn't started.*
Мне послы́шалось, что кто-то вошёл.	-*I thought I heard someone come in.*

Exercise 10:

Change the italicized verb forms into the past and future.

1. Людям часто *кажется,* что им трудно живётся.
2. Им через некоторое время *надоеда́ет* вести однообра́зную жизнь.
3. Не́которым просто не *нравится* долго жить на одном и том же месте.
4. Энерги́чным людям *удаётся* устро́ить свою жизнь лучше.
5. В деревня́х женщинам нередко ещё *приходится* тяжело работать.
6. Теперь всем ясно *слы́шится,* как дождь льёт.

Some impersonal verbs used with the Dative Case denote a person's state or mood.

Мне нездоро́вится (нездоро́вилось, будет нездоро́виться)
-I'm not feeling quite well
Ему думается (думалось, будет думаться)
-He has certain thoughts
Людям не спится (не спалось, не будет спаться)
-People don't get to sleep

Note: The following verbs can be used in both personal and impersonal constructions:
встреча́ться/встре́титься
казаться/показаться
надоеда́ть/надое́сть
нра́виться/понра́виться
слы́шаться/послы́шаться
удава́ться/уда́сться

Exercise 11:

a) Study the following sentences.
b) Cover the Russian text and reproduce it.
c) Repeat the exercise until you no longer make mistakes.

Лес казался охо́тникам пустым[1] (=Охотникам *казалось*, что лес пусто́й).	*-The forest seemed empty to the hunters.*
Страна каза́лась людям большой.	*-The country seemed large to the people.*
Разговор надое́л мне (=Мне *надое́ло* разговаривать).	*-The conversation became boring to me.*
Эта *работа* очень *надое́ла* нам.	*-This work is very boring to us (=We got sick of it).*
Эти *люди надое́ли* даже друзьям.	*-These people have become boring even to their friends.*
Мне *всё надое́ло*!	*-I'm sick and tired of everything!*
Может быть, *я надоеда́ю* вам?	*-Perhaps I am boring you?*
Мне *нравится*, что лето жаркое.	*-I am pleased that the summer is hot.*
Я знаю, что *нравлюсь* Ивану.	*-I know Ivan likes me (=I am pleasing to him).*

[1] *казаться requires instrumental*

(continued)

Кто мог подумать, что *ты нравишься* Михайлу? — *-Who could have thought that Michael likes you?*

Вдруг нам *послышался* знакомый *голос*. — *-Suddenly we heard a familiar voice.*

Нам *послышалось*, что кто-то постуча́л. — *-We thought we heard someone knocking.*

Теперь всем ясно *слышались* чьи-то *шаги*. — *-Now everyone could hear someone's footsteps.*

Мне *послышался*[1] какой-то шум, хотя всё было тихо. — *-I thought I heard a noise, though all was quiet.*

Я не уве́рен, что этот *роман* действительно *удался* мне. — *-I'm not sure that I really succeeded with this novel.*

Наконец нам *удалось* найти квартиру. — *-We finally succeeded in finding an apartment.*

Последняя *лекция* особенно *удалась* профессору. — *-The professor was especially successful with his last lecture.*

Кажется, *куличи не удались* нам на этот раз. Как жаль! — *-It seems the Easter breads did not turn out well for us (=We did not succeed with them) this year. What a pity!*

---

[1]*послышаться, used in the perfective only, can also mean 'to hear wrongly'.*

<u>Exercise 12</u>: *везти/повезти кому-нибудь (мне везёт, везло́, повезло́, будет везти́, повезёт)*

a) Read aloud the following paragraph, paying attention to the italicized constructions.

b) Translate into English, then back to Russian.

Подумайте только, как *брату не повезло́* – он проиграл десять тысяч рублей! Обыкновенно *ему везёт*, когда он играет в карты, но на этот раз всё время *везло его товарищу*, а *не ему*. Он говорит, что *никому* не *может везти* всю жизнь, что *ему* так много раз *везло*, что совсем не удиви́тельно, что на этот раз *повезло* не *ему*, а *кому-то другому*. Я удивляюсь ему – он так уве́рен в себе, а твёрдо верит какой-то гада́лке[1], которая нагада́ла ему, что в следующем месяце *ему*

[1] *fortune-teller*

опять *будет везти*. Я очень желаю ему всего хорошего и чтобы *ему повезло*.

Exercise 13:

A. Understand, learn, and practice the following sentences using different forms of the verb *надоедать/надоесть*.

1. Этот человек мне ужасно надоел.
2. Эта работа всем надоела.
3. Неужели тебе ещё не надоело ничего не делать?
4. Боюсь, что такая жизнь тебе скоро надоест.
5. Вот увидите, доктора́ и лека́рства скоро надоедя́т больному.
6. Я вам не надоел своими вопросами?
7. Иван не надоел бы так товарищам, если бы поменьше болта́л[1].
8. Боже мой, как мне надоели все эти глупые разговоры!
9. Не надоеда́й отцу - он за́нят.
10. Если я тебе надоел, скажи - и я уйду.

[1] *talk nonsense*

B. Read aloud the following dialogue several times. Memorize it, or translate it into English and then back into Russian.

Разговор

Анна Ивановна: Здравствуйте! Можно мне посидеть у вас минуточку? Или вы бо́итесь, что я вам надое́м? Я конечно понимаю, что таким заня́тым людям как вы - нельзя надоедать. Но вы знаете, мне так надоело сидеть одной дома! Захотелось мне, вашей старой сосе́дке, поболтать с кем-нибудь.

Ли́дия Серге́евна: Ничего, ничего, вы мне не меша́ете, и я вполне́ понимаю, что такой живой и энергичной женщине как вы - жизнь в деревне иногда надоеда́ет.

Анна Ивановна: Да, да. Если бы вы знали, как мне надоело жить в этой глуши́[1]! И как я зави́дую всем, кто живёт в большом городе. Там жизнь образо́ванным[2] людям не может надоесть, а здесь...! Вам

[1] *backwoods, sticks* [2] *educated*

повезло, у вас интересная работа, вам не бывает скучно. А мне суждено́ скучать до конца жизни.

Ли́дия Серге́евна: Ну, это не совсем так. Этим летом работа у нас в ателье́[3] мне очень надоела и боюсь, что будет надоедать каждое лето. В хорошую погоду всем хочется в лес, в поле, на берег... И всякий раз, когда шеф приносит мне новую работу, мне очень хочется сказать ему: "Не надоедай мне, а то[4] я сбегу."

Анна Ивановна: Подумайте! А мне всегда казалось, что худо́жественная де́ятельность[5] не может никому надоесть.

Ли́дия Серге́евна: Вы ошиба́етесь.[6] На свете нет ничего, что никогда не могло бы надоесть человеку; ведь многим даже сама жизнь надоела.

Анна Ивановна: Ну, кажется, мы с вами дошли до филосо́фии. Теперь мне пора́ идти, а то, действительно, надоем своей любе́зной[7] соседке.

[3] *studio* [4] *or else* [5] *artistic activity*
[6] *you're mistaken* [7] *kind*

<u>Exercise 14</u>: *завидовать/позавидовать кому-нибудь (to envy someone)*

A. Read the following paragraph aloud several times, studying the dative constructions. Translate it into English, then back into Russian.

Много неприятного[1] происхо́дит из-за того, что люди зави́дуют друг-другу, и причи́н к за́висти очень много: если у кого-нибудь новая машина, то нередко даже его лучший друг начинает зави́довать ему. Даже брат завидует брату, сестра - сестре, друзья - друзьям; так, зави́дуя и не доверя́я друг-другу, самые миролюби́вые[2] нации могут вдруг начать войну.

[1] *many disagreeable things* [2] *peace-loving*

B. Study the following sentences and compare the Russian constructions with the English.

(continued)

Я завидую *твоему* богáтству. -I envy *you your* wealth.
Она завидует *моей* энéргии. -She envies *me my* energy.

Все завидуют *нашему* счастливому брáку. -Everybody envies *us our* happy marriage.

Note: In the above examples, the person who is being envied is indicated by means of a *possessive pronoun*. In the following examples, this person is understood from the context and is referred to by means of a *demonstrative pronoun* or an appropriate *possessive adjective*.

Наташа может путешествовать сколько ей угодно. Как я завидую *такой* жизни (как у Наташи).
-Natasha can travel as much as she likes. How envious I am of such a life (as hers).

У этой женщины пóлная свобóда. Ей легко исполня́ются все её желания. Как это должно быть чу́дно! А по-моему не стóит завидовать *подóбной* жизни (как у неё).
-This woman has complete freedom. She has all her wishes easily fulfilled. How wonderful this must be! But, in my opinion, it's not worth envying such a life (as hers).

Иногда я завидую *детским* мечтам.
-At times I envy children their dreams.

The *genitive case* may also be used, in the same way as in English:

В молодости Иван завидовал способности *некоторых людей* быстро разбогатéть.
-In his youth, Ivan was envious of the capacity of some people to become rich quickly.

Exercise 15: *нравиться/понравиться кому-нибудь (to be pleasing to someone)*

a) Read this dialogue aloud several times and examine the use of the dative.
b) Memorize, or translate into English and back into Russian.

Разговор двух подруг

Маша: И́рочка, как тебе может нрáвиться такое я́ркое[1] платье! Не покупай его!

[1] *bright*

Ира: Почему же? В театре на Лёле было такое-же и оно мне очень понравилось.
Маша: Странно, что тебе нравятся только те вещи, которые ты видишь у других. У тебя нет своего́ вку́са[2].
Ира: Это не так важно; главное, чтобы мы нравились други́м, правда? Если я нравлюсь Николаю в красной юбке, то эта юбка будет нравиться и мне. Или как?
Маша: А если бы ты понравилась ему в каком-нибудь совсем бесвку́сном наря́де[3], ты решила бы, что этот наряд будет непреме́нно[4] нравиться и всем остальны́м[5]?
Ира: Мне всё равно что нравится и что не нравится други́м. Я люблю[6] Николая и хочу ему нравиться. Вот и всё.
Маша: Да, да, конечно. Это мне понятно. Он - славный малый[7] и очень мне нравится. Но вку́са его я не разделя́ю[8]. Если бы ему хоть раз понравилось то же самое, что и мне!
Ира: Ха-ха-ха - вот нашла проблему! Одно только важно - чтобы *я* всегда нравилась *ему*.

[2]*taste* [3]*attire* [4]*for sure* [5]*all the rest*
[6]*любить* means, besides 'loving', also 'permanent liking'. *(Я люблю играть в теннис; я люблю белое вино, музыку, и т.д.)* [7]*nice fellow* [8]*share*

Exercise 16: *удаваться/удасться кому-нибудь (мне удаётся, удавалось/удалось бы, будет удаваться/удастся)*
(to succeed, to turn out well for s.o.)

a) Read the following dialogue aloud several times and examine the dative constructions.
b) Memorize the dialogue, or translate it into English and then back into Russian.

Мама: Ну, Катя, как прошёл экзамен? Тебе удало́сь ответить на все вопросы?
Катя: Не знаю... Один ответ мне, пожалуй, не уда́лся, я слишком торопи́лась.
Мама: А опыты[1] в лаборато́рии?
Катя: Ах - опыты мне совсем не удали́сь... Почему-то мне в этом году не везёт и ничего не удаётся. Прямо не знаю, что делать таким как я.
Мама: Ничего, если на этот раз не удало́сь, попро́буй сно́ва о́сенью. Надо поучиться, почита́ть - и всё

[1]*experiments*

тебе тогда уда́стся. Ведь невозможно, чтобы человеку каждый раз всё удавалось!

Катя: Ты ду́маешь? Хоть бы мне дипло́мная работа удала́сь, и то[2] я живу как неудачник[3] какой-то.

Мама: Тебе весь год не везло́, это правда, но ничего - в конце концо́в повезёт и всё уда́стся, как удаётся и другим.

[2]*or else* [3]A *неуда́чник* is not very successful in life, without being altogether a failure. Bad luck plays a large part in his life.

Exercise 17: REVIEW

Переведите на русский язык:

1. I really must not play cards, for I am never lucky. But when I am bored at home, I like to spend[1] an evening playing[2] bridge. How I envy those people who win. It never bores me (becomes tiresome for me) to watch how they play, although[3] it is already time for me to go home.

2. May I ask you a question: which books do readers like better[4] - historical novels or biographies? It is a little hard for me to answer you, but I think they are tired of buying such serious books as biographies. Even educated people are not ashamed of buying[5] merry short stories.

3. Once when Anna Ivanovna was not feeling quite well[6], she (suddenly) felt like drinking some wine. She was lucky - in the cupboard[7] stood a bottle, but the color of the wine seemed strange to her. "I don't like this color," she said to herself. "What if I get sick?" Thank heaven she did not taste[8] the red liquid[9]. Otherwise[10] the doctor would have had to come.

4. When Boris turned eighteen, he announced[11] to his parents the following[12]: "It is time for me now to live independently[13]. I am sick and tired of life in our small town. I hope that this is clear to everyone. Soon I will succeed in getting a job[14], then I will feel much[15] better." His parents did not like these words. They even got frightened.

(continued)

[1]*провести́* [2]*играть в* + acc. [3]*хотя́* [4]*больше* [5]use the infinitive [6]*нездоро́виться* [7]*в шкафу́* [8]*попро́бовать* [9]*жи́дкость* [10]*а то* [11]*объяви́ть* [12]*сле́дующее* [13]*самостоя́тельно* [14]*ме́сто* [15]*гора́здо*

5. The doctor knew that he had to inform the relatives[1] that the patient was not better, but worse. This was disagreeable to him. "I will have to write to them," he thought, "and explain to these poor people why the operation has not been successful. How will I succeed in comforting[2] them It was not all the same to him, for he was a kind man.

6. I always envied people who were lucky and succeeded in doing what they wanted (to do) in life. I envied them their energy and their success. But to tell the truth - most of all I envied their happiness.

7. If I had been twenty-one when Uncle Vanya died, I could have received the inheritance[3]. But I was only 19 years old, and therefore I had to wait. This I did not like, and I envied my older brother. "He is always lucky," I thought. "He will be 21 soon. How I would like to be in[4] his place."

[1]*ро́дственники* [2]*уте́шить* [3]*насле́дство* [4]*на*

D. Prepositions with the Dative

1. The preposition *К*:

   a) *К* indicates motion in a definite direction towards a definite goal, which may or may not be reached, or towards something which is approaching through time or space.

   b) *К* also expresses 'belonging to an organization, party, group, unit, etc.' ('belonging to a person' is expressed by a direct dative *without к*).

Exercise 18: *К*

Study the following sentences, then cover the Russian and reconstruct it.

A.

Мы спуска́лись к реке́. -*We were coming down to the river.*

Парохо́д подходил к бе́регу. -*The steamship was approaching the shore.*

(continued)

Большая машина подъехала к нашему дому. *-A large car drove up to our door.*

Мы собира́емся идти в гости к Петро́вым. *-We are planning to pay a visit to the Petrovs.*

Мальчик подбежал ко мне и спросил, чего я хочу. *-The boy ran up to me and asked what I wanted.*

Товарищи Ивана пришли вчера к нам. *-Ivan's friends came to our home yesterday.*

Они зашли к нам около пяти. *-They dropped in at our place around 5:00.*

Я иду к доктору. *-I'm going to the doctor's.*

Было уже поздно, когда мы приехали к бабушке. *-It was already late when we arrived at grandmother's.*

Иван стреми́тся к сла́ве. *-Ivan strives for glory.*

Расте́ния стремя́тся к све́ту. *-Plants strive towards light.*

Всё должно быть гото́во к вечеру. *-Everything must be ready by evening.*

Работа будет зако́нчена к четырём часа́м. *-The work will be finished by 4 o'clock.*

К у́тру дождь перестал. *-By morning, the rain stopped.*

К весне дача была выстроена. *-By springtime, the country house was ready.*

Толпа́ ме́дленно дви́галась к центру города. *-The crowd was slowly moving towards the center of the city.*

B.

К какой па́ртии вы принадлежи́те? *-To what party do you belong?*

Твой вопрос не отно́сится к этому делу. *-Your question does not apply here.*

<u>Exercise 19</u>:

Ответьте на следующие вопросы употребля́я предлог *к*.

1. Куда мальчик подъехал на велосипе́де? (наш банк)
2. В каком направле́нии *(direction)* дви́галась публика? (гла́вный выход *(exit)*)

(continued)

3. К чему стреми́тся Бори́с? (знания)
4. Куда вы пошли вчера? (зубной врач)
5. Куда подходит поезд? (столица)
6. Когда диссерта́ция будет написана? (сентябрь)
7. К какому кружку́ принадлежит Аня? (драмати́ческий)
8. Куда Наташа собира́ется *(plan to go)*? (Юлия Алекса́ндровна)
9. В какое время ты вернёшься? (ужин)

---

c) Verbs with *К*:

	Noun
готовить(ся)/приготовить(ся) к чему-нибудь *-to prepare for something*	пригото́вле́ние к
меня́ть(ся)/измени́ть(ся) к лу́чшему, к ху́дшему *-to change for the better, the worse*	измене́ние к
обраща́ться/обрати́ться к кому-, чему-нибудь *-to address, to turn to s.o., sthg.*	обраще́ние к
относи́ться/отнести́сь к кому-, чему-нибудь *-to relate to, have an attitude towards someone or something*	отноше́ние к
подходи́ть/подойти к кому-, чему-нибудь *-to approach someone or something*	подхо́д к
подходить/подойти к телефону *-to answer the telephone*	
прибавля́ть/приба́вить к чему-нибудь *-to add to something*	прибавле́ние к
приближа́ться/прибли́зиться к чему-нибудь *-to approach something*	приближе́ние к
привыка́ть/привы́кнуть к чему-нибудь *-to get used to something*	привы́чка к
придира́ться/придра́ться к кому-, чему-нибудь *-to find fault with s.o., sthg.*	приди́рка к
прикаса́ться/прикосну́ться к чему-нибудь *-to touch something*	прикоснове́ние к

(continued)

прислоня́ться/прислони́ться к чему-нибудь
-to lean on something

примыка́ть/примкну́ть к чему-нибудь
-to join something

присоединя́ться/присоедини́ться к чему-нибудь — присоедине́ние к
-to join something

приспоса́бливаться/приспосо́биться к чему-нибудь — приспособле́ние к
-to adjust to something

ревнова́ть к кому-нибудь — ре́вность
-to be jealous of someone

Note: Подходи́ть/подойти́ к телефону- to answer the phone
Memorize the following:
Михаи́л подошёл к телефону.
Маша, подойди к телефону!
Не подходи к телефону - пусть звони́т!

d) Expressions with *К* (memorize)

безразли́чие к...	*-indifference towards*
дру́жба к...	*-friendship for*
жа́лость к...	*-pity for*
за́висть к...	*-envy of*
интере́с к...	*-interest in*
любо́вь к...	*-love for*
не́нависть к...	*-hatred for*
к тому́ же	*-moreover*
к сча́стью	*-fortunately*
к несча́стью	*-unfortunately*
к сожале́нию	*-unfortunately*
к моему́ удивле́нию	*-to my surprise*
к твоему́ удово́льствию	*-to your pleasure*
к на́шему у́жасу	*-to our horror*
у меня к вам дело	*-I have some business to discuss with you*
пода́рок ко дню рожде́ния/ к Рождеству́	*-a present for a birthday/for Christmas*

(continued)

к вопросу о междунаро́дной торго́вле	*-concerning (on) international trade*

Exercise 20:

a) Read aloud the following passage several times.
b) Retell it using as many verbs with *к* as possible. If necessary, you may glance at the English.

К сожалению, Иван не пригото́вился к экзаменам и провали́лся; к тому же он потерял интерес к занятиям.	*Unfortunately, Ivan did not prepare for his exams, and flunked them. Moreover, he lost interest in his studies.*
К удивле́нию всех, его отноше́ние к товарищам измени́лось к ху́дшему.	*To everyone's surprise, his attitude toward his friends changed for the worse.*
К у́жасу отца он не прикаса́лся к книгам.	*To his father's horror, he did not touch the books.*
"Где его любовь к нау́ке?" думал отец.	*His father thought, "Where is his love for science?*
"Плохо будет, если он привы́кнет к жизни без у́мственной работы.	*"It will be bad if he gets used to a life without intellectual work.*
"Это совсем не подхо́дит к моим пла́нам."	*"This does not suit my plans at all."*
Наконе́ц отец сказал, что у него дело к Ивану и обрати́лся к нему с такими словами:	*Finally his father said that he had some business to discuss with him and addressed him with these words:*
"Твоё безразли́чие к нау́ке мне очень неприятно и совсем непонятно. Неужели ты присоедини́лся к тем людям, у которых нет серьёзного подхода ни к чему в жизни?	*"Your indifference towards science is very unpleasant to me and completely incomprehensible. Are you really going to join the people who don't have a serious attitude toward anything in life?*
"Если это так, то я могу чувствовать только жа́лость к тебе, и мне не́чего больше прибавить к тому, что я сказал. Но я всётаки	*"If this is so, I can feel only pity for you, and I have nothing to add to what I have said. But I hope all the same*

надéюсь, что положéние измéнится к лýчшему." Иван не знал, как отнестúсь к словáм отца. Он долго ничего не отвечал ему.

that the situation will change for the better." Ivan did not know how to react to his father's words. For a long time, he said nothing.

Exercise 21:

Fill in the blanks with the words given after each sentence. Use the preposition *к* if necessary.

1. Иван подошёл ________ и купил ________ билеты на спектáкль. *(кáсса, вся семья́)*
2. Я пошёл ________ и рассказал ________ всё, что случúлось. *(отец, он)*
3. Завтра мы поедем ________ и отвезём ________ русские журналы. *(наши друзья, они)*
4. Покажи ________ свою работу; они сегодня придут ________. *(товарищи, мы)*
5. Я напишу ________, что скоро переéду ________. *(родители, они)*
6. В Одессе постáвлен пáмятник ________. Погуля́емся ________. *(моряки, он)*
7. Я подарúл ________ зимнее пальто, так как чувствую жалость ________. *(бедные, такие люди)*

---

2. The preposition *По*:

a) *По* expresses constant motion in an *unchanged direction* (the same as *вдоль (along)* + genitive). In this situation, the *determinate* form of the verb of motion is used (unless repetition of the motion is strongly implied).

Determinate Verbs:

идти	*ехать*
иду	еду
идёшь	едешь
шёл/шла, шло, шли	ехал
будет идти	будет ехать

гнать
гоню́
го́нишь
гнал
будет гнать

ползти́
по́лзу
ползёшь
полз, по́лзла
будет ползти́

лететь
лечу
летишь
летел
будет лететь

везти́
везу́
везёшь
вёз, везла́
будет везти́

бежать
бегу
бежишь
бежал
будет бежать

плыть
плыву́
плывёшь
плыл
будет плыть

лезть
ле́зу
ле́зешь
лез, ле́зла
будет лезть

брести́
бреду́
бедёшь
брёл, брела́
будет брести́

нести́сь
несу́сь
несёшься
нёсся, несла́сь
будет нести́сь

вести́
веду
ведёшь
вёл/вела, вели
будет вести

Examples:

Машина ме́дленно ехала по плохой дороге (= вдоль плохой дороги).
Кто-то нёсся по улице.
Маша шла и шла по лесной тропи́нке (= вдоль лесной тропинки).
Пароход долго плыл по Днепру́ (= вдоль Днепра́).
Поезд шёл по ре́льсам.

---

b) *По* expresses motion in *different directions* within a given space. In this situation, the *indeterminate* form of the verb of motion is used.

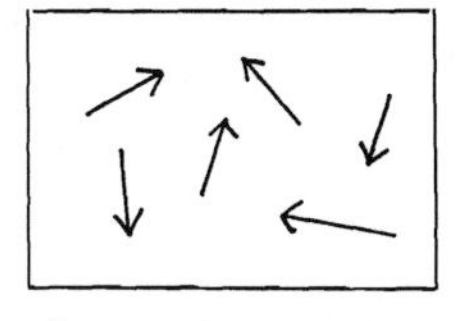

Indeterminate Verbs: ходить, ездить, бегать, пла́вать, гоня́ть, по́лзать, ла́зить, броди́ть, летать, вози́ть, води́ть, носиться.

Review the following irregular conjugations: хожу, ходишь, ходят; езжу, ездишь, ездят; брожу́, бро́дишь, бро́дят; вожу́, во́зишь, во́зят; вожу́, во́дишь, во́дят.

Examples:

Дети долго ходили по лесу.
Мы путеше́ствовали по России.
Я люблю бродить по незнако́мым городам.
Облака́ двигались по небу.
Погуля́ем по парку но не будем ходить по траве!
Экскурсово́д водил нас целый день по музеям.
Новые иде́и быстро распространя́ются по всему миру.
Я не люблю бегать по магазинам.
Песня слышалась по все́му дому.
Не смотри по сторонам!
Девочки бегали по всему дому.

---

c) *По* is used to mean 'according to', 'in accordance with', 'by'.

<u>Exercise 22:</u>

a) Study the following sentences.
b) Cover the Russian text and reproduce it.

По всей вероя́тности он опоздает.	-*In all probability, he will be late.*
По моему́ мне́нию сто́ит купить домик.	-*In my opinion, it is worth buying a small house.*
Это мне не пришлось по вку́су.	-*This is not to my taste.*
По-тво́ему лучше жить в городе чем в деревне.	-*According to you, it is better to live in the city than in the country.*
Нельзя суди́ть обо всём только по газетам.	-*One cannot judge everything merely by newspapers.*
Каждый живёт по-сво́ему.	-*Each one lives in his own way.*
Ты хочешь, чтобы всё делалось по-тво́ему.	-*You want everything to be done your way.*
Анна всегда оде́та по после́дней мо́де.	-*Anna always dresses according to the latest fashion.*
По какому пра́ву вы это сделали?	-*By what right did you do this?*

Вы можете найти дорогу по звёздам? *-Can you find your way by the stars?*

Я пришёл сюда по указа́нию ше́фа. *-I came here according to my boss's instructions.*

Иван поступи́л на медицинский факульте́т по жела́нию отца. *-Ivan enrolled in medical school in accordance with his father's wishes.*

Пошлите ему деньги по старому а́дресу. *-Send him the money to his old address.*

По какому уче́бнику вы занимаетесь? *-What textbook are you using?*

По правде говоря, я ничего об этом не знаю. *-To tell the truth, I know nothing about this.*

Маша - моя подруга по комнате. *-Masha is my roommate.*

Я сделаю по возмо́жности всё. *-I will do everything I possibly can.*

Вор должен быть нака́зан по зако́ну. *-The thief must be punished according to the law.*

Кто он по происхожде́нию? *-What is his nationality (=what is he by descent)?*

Он всё сделал по пра́вилам. *-He did everything according to the rules.*

Было видно по выраже́нию его лица, что он лгал. *-It could be seen from the expression on his face that he was lying.*

Учитель всех помнил по имени. *-The teacher remembered everyone's name.*

Этот фильм сделан по роману Пушкина. *-This movie was made according to Pushkin's novel.*

Подходи́те по о́череди! *-Approach one by one! (=each in his turn)*

Иван опоздал по своему обыкнове́нию. *-Ivan was late, as usual.*

По ми́рному до́говору Финляндия должна́ была уступи́ть Советскому Союзу часть своей территории.	-*In accordance with the peace treaty, Finland had to cede to the Soviet Union part of her territory.*
По обеим сторона́м тропи́нки расли́ высокие дере́вья.	-*On both sides of the path, tall trees grew.*
Су́дя по его словам, он боялся чего-то.	-*Judging by his words, he was afraid of something.*
Поезд пришёл точно по расписа́нию.	-*The train arrived exactly according to schedule.*
Всё было сделано по плану.	-*Everything was done according to plan.*
Я готовился к экзамену по твоим запи́скам.	-*I prepared for the exam using your notes.*
Выйдя в отста́вку, Иван по привы́чке продолжал рано вставать.	-*After retirement, Ivan continued to rise early, out of habit.*
Note: По-ви́димому всё в поря́дке.	-*Apparently, all is in order.*

---

d) *По* indicates *reason* ('owing to').

<u>Exercise 23</u>:

a) Study the following sentences.
b) Cover the Russian text and reproduce it.

По какой причине вы отсу́тствовали?	-*For what reason were you absent?*
Я был болен - поэтому и отсу́тствовал.	-*I was sick - that's why I was absent.*
Я пропусти́л урок по боле́зни.	-*I missed class due to illness.*
Маша сделала это по глу́пости.	-*Masha did it out of stupidity.*
Иван потерял ключ по рассе́янности.	-*Ivan lost the key due to absentmindedness.*

Он забыл заплатить счёт по небре́жности.	-*He forgot to pay his bill through negligence.*
Это случилось не по моей ви́не.	-*This did not happen through my fault.*

---

e) *По* indicates a specialty or a special area of study.

Examples:

Нам нужны́ специали́сты (*We need specialists*)
- по тексти́лю (*in textiles*)
- по хи́мии (*in chemistry*)
- по торго́вле (*in trade*)
- по спо́рту (*in sports*)
- по иностра́нным языкам (*in foreign languages*)
- по се́льскому хозя́йству (*in agriculture*)
- по междунаро́дной поли́тике (*in international politics*)
- по тексти́льной промы́шленности (*in the textile industry*)
- по вое́нным делам (*in military affairs*)

У меня скоро будет
- урок по математике (*a class in mathematics*)
- семинар по литературе (*a seminar in literature*)
- экзамен по биоло́гии (*an exam in biology*)

Иван купил себе учебник по русскому языку.
(*Ivan bought himself a Russian textbook.*)

Я слушаю курс по эконо́мике.
(*I am taking a course in economics.*)

---

f) *По* + dative plural indicates the time of a regularly repeated action.

По вечера́м я всегда читаю.	-*In the evening I always read.*
У нас русский урок по вторникам и по пятницам.	-*Our Russian class is on Tuesdays and Fridays.*

g) *По* indicates equal distribution.

Отец дал нам по одному доллару.	-*Father gave us a dollar each.*
Каждый ученик получил по открытке.	-*Each student received one postcard.*

Note: Compare the following constructions.

a) If 2, 3, or 4 objects are distributed:

Отец дал нам *по два доллара* (*по две копейки*).
(*ACC. + GEN.SG.*)

b) If 5 or more objects are distributed:

Отец дал нам *по пяти долларов*.
(*DAT. + GEN.PL.*)

Exercise 24:

Memorize the following constructions with *по* and form your own sentences according to the given patterns.

Я скучаю по товарищам.	-*I miss my friends.*
Я приехал в город по дела́м.	-*I came to town on business.*
По делом* тебе!	-*This serves you right!*
Не по годам мне в 70 лет ехать в Аляску.	-*At 70, I'm not at the age to go to Alaska.*
Мне сегодня не по себе́.	-*I don't feel quite right today.*
Этот человек (это дело) мне не по душе́.	-*I don't quite like this man (this affair).*
Дай мне по крайней мере рубль.	-*Give me at least a rouble.*

* *-ом* is the dative plural ending in Old Russian.

		Noun
отсыла́ть/отосла́ть (*to send away*)	*по почте, по телеграфу*	
пересыла́ть/пересла́ть (*to send from one place to another*)		пересы́лка
посыла́ть/посла́ть (*to send*)		посы́лка

(continued)

Verb		Noun
ездить/ехать/поехать *(to travel by rail)*	*по желе́зной дороге*	пое́здка
летать/лететь *(to fly in the air)*	*по воздуху*	полёт
передава́ть/переда́ть *(to pass on, transmit)*	*по радио*	переда́ча
слу́шать/послу́шать *(to listen)*	*по радио*	
слы́шать/услы́шать *(to hear)*	*по радио*	
сообща́ть/сообщи́ть *(to inform, communicate)*	*по радио*	сообще́ние
объявля́ть/объяви́ть *(to announce)*	*по радио*	объявле́ние
передава́ть/переда́ть *(to transmit)*	*по телеви́зору*	переда́ча
пока́зывать/показа́ть *(to show)*	*по телеви́зору*	
представля́ть/предста́вить *(to present)*	*по телеви́зору*	представле́ние
смотреть/посмотреть *(to see, watch)*	*по телеви́зору*	
говорить/поговорить/сказать *(to talk)*	*по телефону*	разговор
звонить/позвонить *(to call)*	*по телефону*	звонок
сообща́ть/сообщи́ть *(to inform)*	*по телефону*	сообщение
узнавать/узнать *(to learn, be told)*	*по телефону*	

Note: ударя́ть/уда́рить/бить *(to strike, to hit)* — *по столу, по лицу́, по руке, по спине́, и т.д.*

Example: Дождь бьёт по ли́стьям.

Exercise 25:

Ответьте на следующие вопросы полной фразой.

1. Как вы узнали эту новость? *(телефон, телевизор)*
2. Как ты пошлёшь деньги? *(почта, телеграф)*
3. Где Нина выступа́ла? *(радио, телевизор)*

(continued)

4. Как Иван сообщил тебе это? *(звонить/я/телефон)*
5. Где показали русский фильм? *(телевизор)*

Exercise 26:

Fill in the correct form. Use the prepositions *к* or *по* when necessary.

Миша говорит *(Николай)*:"У нас *(расписа́ние)* в четверг будет семинар *(русская история)*, да?" Николай отвечает Мише, что у них действительно *(четверги)* весь год будет этот семинар. Миша:"Тогда надо позвонить *(мой товарищ/комната)* и напо́мнить *(он)* об этом.

Миша идёт *(телефон)* и звонит *(товарищ)* и говорит *(он)* о семинаре. Он ещё прибавляет *(это)*, что су́дя *(слова)* профессора, после первого урока *(русский язык)* будет обсуждаться[1] программа семинара.

Товарищ спрашивает:"*(Какие дни)* будет семинар?" и продолжает:"*(четверги)(я)* совсем не подходит. Ведь *(утро)* я всегда работаю в банке, а *(вечер)* в библио- те́ке. Я пойду *(профессор)* и объясню *(он)*, что *(сожаление)*, не смогу приходить. Пусть[2] он не думает, что я отсу́тствую *(лень[3])*.

[1]*discuss* [2]*let him* [3]*laziness*

---

3. Other Prepositions + Dative:

навстре́чу - *expressing a motion in order to meet someone (→ ←)*

благодаря́ - *thanks to*

согла́сно - *in accordance with (much stronger than* по*)*

подо́бно - *resembling, like*

напереко́р - *in defiance of, against the will of*

назло́ - *in order to spite*

вопреки́ -*contrary to*

Note: Certain adjectives also require the dative case:

благода́рный *(благода́рен, благода́рна, благода́рны)* -*grateful to*

ве́рный *(ве́рен, верна́, верны́)* -*faithful to*

(continued)

знако́мый *(знако́м, знако́ма, знако́мы)*	*-known, familiar to*
изве́стный *(изве́стен, изве́стна, изве́стны)*	*-known to*
подо́бный *(подо́бен, подо́бна, подо́бны)*	*-similar to*
ра́вный *(ра́вен, равна́, равны́)*	*-equal to*
чу́ждый *(чужд, чужда́, чужды́)*	*-foreign to*
(сво́йствен, сво́йственна, сво́йственны)	*-characteristic of*
(рад, ра́да, ра́ды)[1]	*-(see footnote)*

[1]*Я рад вам -I'm glad to see you*

Exercise 27:

a) Study the following sentences.
b) Cover the Russian text and reconstruct it.
c) Review the more difficult sentences.

Весело болта́я, дети бежали навстре́чу отцу.	*-Chatting gaily, the children ran to meet their father.*
Прави́тельство должно́ идти навстре́чу тре́бованиям народа.	*-The government must meet the demands of the people.*
Благодаря́ стара́ниям прави́тельства, народу теперь живётся гораздо лучше.	*-Thanks to the efforts of the government, the people now have a much better life.*
Согла́сно торго́вому до́говору, Япо́ния вывозит свои това́ры в США.	*-In accordance with a trade agreement, Japan exports her products to the U.S.*
Конгре́сс не всегда поступа́ет согла́сно жела́ниям президента.	*-Congress does not always act in accordance with the President's wishes.*
Вопреки́ нашим наде́ждам, война всё ещё продолжалась.	*-Contrary to our hopes, the war still continued.*
Твоя филосо́фия жизни мне совершенно чужда́.	*-Your philosophy of life is completely foreign to me.*

Есть ли русский поэт, равный Пушкину?	*-Is there a Russian poet equal to Pushkin?*

Exercise 28:

a) Read the following passage aloud several times. Make sure that you understand everything.
b) Examine the dative constructions, and learn the new words.
c) Translate the passage into English and back into Russian.

По поня́тиям[1] людей, принадлежа́щих к ста́ршему поколе́нию, многое[2] в теперешнее время измени́лось к ху́дшему. По всей вероя́тности они отно́сятся несправедли́во[3] к совреме́нной[4] молодёжи, у которой интерес к техни́ческому прогре́ссу часто бывает больше чем к гумани́тарным наукам. Многие[5] предпочита́ют стать специяли́стами по медицине или по инжене́рным наукам, а не по филосо́фии или даже по чистой математике. Это происхо́дит согла́сно ду́ху времени, а не вопреки́ ему. По наблюде́ниям[6] - и к ужасу - многих, молодые в наше время утеря́ли[7] интерес к це́ркви, но это во́все не обознача́ет[8], что они безразли́чны к религии или, что религия чужда́ им - а скорее наоборо́т[9]. Судя по выска́зываниям де́ятелей среди́ университетской молодёжи, и́менно благодаря́ переоце́нке[10] религио́зно-нра́вственных[11] вопросов - молодёжь подверга́ет церковь - как институцию - серьёзному пересмо́тру. Они стремя́тся по-сво́ему - а не сле́дуя поня́тиям старшего поколе́ния - разрешить[12] проблемы эпо́хи.

[1]*concept* [2]*many things* [3]*unjustly* [4]*contemporary* [5]*many people* [6]*observation* [7]*lost* [8]*mean* [9]*the opposite* [10]*re-evaluation* [11]*moral* [12]*solve*

E. The Dative used instead of a Possessive Construction

Exercise 29:

a) Study the following sentences.
b) Cover the Russian text and reconstruct it.

Зубной врач вырвал *мне* зуб.	*-The dentist pulled <u>my</u> tooth.*

(continued)

Я вымою *тебе* во́лосы.	-*I will wash your hair.*
Иван положил *себе* деньги в карма́н.	-*Ivan put the money into his pocket.*
Отнеси́ цветы *отцу* в комнату.	-*Take the flowers into Father's room.*
Доктор пожа́л *вдове́* руку.	-*The doctor shook the widow's hand.*
Профессор пошёл *к себе* в кабинет.	-*The professor went into his study.*
Кто-то положил *мне* в руку деньги.	-*Someone put money into my hand.*
Не кричи так громко *людям* в ухо!	-*Don't shout so loudly into people's ears.*
Как такая мысль могла придти *твоим родителям* в голову!	-*How could such a thought get into your parents' heads?*
Миша, посмотри *мне* в глаза!	-*Misha, look into my eyes!*
Мальчик надел *себе* тёплую шапку на́ голову.	-*The boy put a warm cap on his head.*
Было холодно и *пациентам* положили шерстяно́е одея́ло на́ ноги.	-*It was cold, and a woollen blanket was placed on the patients' feet.*
Больно́му надо изме́рить температу́ру.	-*The patient's temperature must be taken.*
Note: Мальчик бросил *мне* вслед камень.	-*The boy threw a stone after me.*

Exercise 30:

a) Read the following dialogue aloud.
b) Memorize it, or translate it into English and back into Russian.

Разговор между тётей Лялей и шестнадцатиле́тней племянницей[1]

Тётя Ляля: На кого ты похо́жа?! Ты мне напомина́ешь чу́чело в огоро́де[2]. Как тебе не стыдно? Что

[1] *niece* [2] *scarecrow in the garden*

(continued)

ты себе надела на́ голову?

На́дя: Ты не сердись, а лучше причеши́[3] мне во́лосы покрасивее.

Тётя Ляля: Что тебе пришло в го́лову?

На́дя: Ничего особенного. Мы все приготовляем себе маскара́дные костю́мы.

Тётя Ляля: Ах так, а я уже думала что мне придётся надрать тебе уши[4], как в де́тстве.

На́дя: Не надо, тётя!

Тётя Ляля: Не кричи мне прямо в уши! Скажи-ка лучше, своим подругам ты уже придумала костюмы?

На́дя: Нет ещё, а вот Александру костюм уже готов.

Тётя Ляля: Посмотри-ка мне в глаза! Он тебе вскружи́л голову[5], верно?

[3]*comb* [4]*pull your ears* [5]*turn your head*

Note: The dative is also used to express inevitability.

Быть дождю -*It's bound to rain*

Ца́рству Бо́жию не будет конца! -*The Kingdom of God is everlasting*

Exercise 31: COMPREHENSIVE REVIEW

Translate into Russian.

1. When Nikolai turned 18, to his parents' horror he felt like joining some political party. "I am 18 years old now," he told them, "and I am permitted to vote[1]. This is funny to you, but it is still absolutely necessary for such (people) as I to think seriously about these things. You should help me, but, unfortunately, everything is all the same to you." These words were disagreeable to Nikolai's father, for such independence[2] did not suit him. He answered him curtly[3]: "You have nothing to think seriously about."

[1]*голосова́ть* [2]*незави́симость* [3]*ко́ротко*

2. Again I had no luck. What shall I do now? I received a message[1] by mail that my husband is tired of me and that I need not return home. I have no place to live and no place to go. Advise me what to do. I don't feel like complaining to you, but I know

[1]*сообще́ние*

(continued)

your friendship towards my family, and therefore I allow myself to explain everything to you. It is very hard for me, but I know that you will help me, or at least you will try[1].

[1]*постара́ться*

3. In the evenings, when the rain was hitting the leaves, we always walked along the shore. Judging by the expression of Natasha's face, she liked these walks. On both sides of the path, there were rocks[1]. Usually we walked towards the sea along this path. In her opinion, this was the most beautiful road. As usual, she had no time to come get me[2]. As was her habit[3], she called me on the telephone.

[1]*ка́мень* [2]*зайти за мной* [3]*по привы́чке*

4. Towards evening, the weather fortunately changed for the better. Since[1] I was used to taking walks[2] in the evenings with Natasha, I turned to her and said, "Let's go. I have some business to discuss with you. Unfortunately, I will not have time tomorrow. We must buy your sister a birthday present. I know your indifference towards such things, but please help me." Natasha smiled at me. "Yes, my attitude toward presents is not very good, but it is hard for you to choose[3] something alone[4]."

[1]*так как* [2]*гуля́ть* [3]*вы́брать* [4]dat. of *один*

5. According to the laws of our country, it is possible for every child to prepare for a better life than (that) his parents had. Moreover, the state[1] gives everyone help, for it needs specialists in chemistry, agriculture, and industry. Thanks to good laws, life will change for the better.

[1]*госуда́рство*

6. Yesterday, I did not feel quite right[1]. I called the doctor, and went to see him. I told him everything. To my surprise, he asked,"Are you smoking out of stupidity, or what?" He understood from the expression on my face that I did not quite like his question, but he continued without pity for me. "Did you not see what they showed on television last night? It was a seminar on medicine. In accordance with the opinion of a famous professor, you will have to die soon."

[1]*нездоро́вится*

7. Suddenly I felt like laughing! "Dear doctor,"

(continued)

I said, "contrary to your expectations[1], it is all the same to me... I believe you, of course, but it seems to me that it is impossible for your famous professor to know when you're destined to die." I shook the doctor's hand and promised both him and myself not to smoke any more.

[1]*ожида́ние* (use sg.)

8. "Masha, I was told that you were running around town all day. Tell me the truth." Masha said: "Yes, the guide took[1] us all over the exhibit[2] for at least two hours. I was bored and ran away. Then I roamed long the streets and ran around in parks. I saw how a small steamship was moving along the river. I had a very good time and I could not imagine that you would not have allowed me to follow my teacher's advice. He had called me to his room, showed me many beautiful pictures of this town, and advised me not to learn only from newspapers and books. Here you[3] have the whole truth."

[1]*водить* [2]*вы́ставка* [3]*вот тебе*

9. *Mother:* May I ask you a question: How have you not yet learned good manners? Did it not occur to you that it may be disagreeable for me not to know where my daughter, who is only fifteen years old, is? You were lucky that I succeeded in finding out[1] where you were. Your father would not have liked your walks around a strange[2] city.

Masha: How I envy all people who are older than I! Dear Mother, you need not worry about me. You will have to get used to the thought that I will soon turn 16.

Mother smiled at her. Everything was clear to her.

[1]*узнать* [2]*чужо́й*

10. Masha's[1] interest in Moscow and her love for the old buildings in the Kremlin were so evident[2] to everyone that her mother forgave her for her escapades[3]. She trusted her daughter and showed her this. Thanks to this, their relationship (to each other) was wonderful. Masha was grateful to her parents and did nothing against their will. Towards the end of their trip, Masha announced to her father that she would[4] take a course in Russian history and literature. Her father was happy about this decision.

[1]*Машин* [2]*я́вны* [3]*эскапа́ды* [4]use the future

Exercise 32: COMPREHENSIVE REVIEW

Translate the following passage.

An anthropologist relates to his students:

Judging by the crowd we met, there was something unusual going on[1]. Everywhere, people were walking along the decorated[2] streets. They were rapidly approaching the gate[3] and we could hear how they sang a joyous tune[4]. It seemed to us that they were carrying something although we could not see what it was.

One of my colleagues[5] whispered[6] into my ear: "We are lucky - it's a wedding procession[7]. For us anthropologists, it's absolutely necessary to see this." Unfortunately, I could not see[8] clearly what was going on. I was a little envious of those who were ahead[9] of me.

Finally I succeeded in approaching the procession. I did not believe my eyes: they were carrying a dead woman on whose head a crown had been placed[10]. But what were they joyous about? In my opinion, there was no reason for rejoicing[11].

I felt like asking many questions but I had no one to talk to. I felt uneasy. But I promised myself not to miss[12] anything, for there was really nothing for me to be afraid of.

While following the procession, I said to myself, "In the evening, I will call up the head[13] of our expedition and ask him what he knows (=what's known to him) about this strange ceremony."

Suddenly, another thought came into my head: What if this is a secret ritual[14] and outsiders[15] are not allowed to see it?

I became frightened.

[1] *происходи́ть* [2] *укра́шенный* [3] *воро́та* (pl)
[4] *мело́дия* [5] *сотру́дник* [6] *шепну́ть*
[7] *сва́дебная проце́ссия* [8] use *ви́дно* + dat.
[9] *впереди́* [10] use a dative construction
[11] *ра́доваться* [12] *пропусти́ть* [13] *нача́льник*
[14] *ритуа́л* [15] *посторо́нний*

THE INSTRUMENTAL CASE

(Творительный падéж)

Reminders:

a) The Instrumental Case is used after the following prepositions: *между, перед, над, под, за (if denoting location), рядом с, с.*

b) When the Instrumental Case denotes the *instrument* of action, the preposition *с* is *not* used.

Question: ЧЕМ? *(By means of what?)*

Я пишу карандаш*óм*.	-*I write with a pencil.*
Я ем суп лóжк*ой*.	-*I eat soup with a spoon.*
Его наградúли Нóбелевск*ой* прéм*ией*.	-*He was rewarded with the Nobel Prize.*
Отрéжь нóжниц*ами*!	-*Cut it with scissors.*
Иван видел всё сóбственн*ыми* глаз*áми*.	-*Ivan saw everything with his own eyes.*

c) When the Instrumental Case denotes 'companionship' *(='together with')*, the preposition *с* is used.

Questions: С КЕМ? *(With whom?)*
С ЧЕМ? *(With what?)*

С кем ты играешь? *С* Маш*ей*.	-*With whom do you play? With Masha.*
С чем ты пьёшь чай? *С* лимон*ом*/*С* сáхар*ом*/*С* мёд*ом*/*С* варéнь*ем*.	-*With what do you drink tea? With lemon/With sugar/With honey/With jam.*

'Together with' can include the abstract:

Я ответил Ивану	-*I answered Ivan*
с благодáрност*ью*	*with gratitude*
с востóрг*ом*	*with delight*
с нéнавист*ью*	*with hatred*
с нетерпéни*ем*	*with impatience*
с рáдост*ью*	*with joy*
со стрáх*ом*	*with fear*
с труд*óм*	*with difficulty*
с удивлéни*ем*	*with surprise*
с удовóльстви*ем*	*with pleasure*
с улы́бк*ой*	*with a smile*
и т.д.	*etc.*

Новый начальник отно́сится ко мне -*The new boss thinks of me*

с интере́с*ом*	*with interest*
с любопы́тств*ом*	*with curiosity*
с недове́ри*ем*	*with distrust*
с подозре́ни*ем*	*with suspicion*
и т.д.	*etc.*

Note: Что с тобо́й? -*What's the matter with you?*
Он указал на меня па́льцем. -*He pointed his finger at me.*

Exercise 1:

Examine the following sentences and decide what it is that the instrumental case denotes in each of them - an 'instrument' or 'companionship'. Use or omit the preposition *с* accordingly.

1. Всё было напи́сано /*красные черни́ла*/.
2. Пациентам измеря́ют температу́ру /*гра́дусник*[1]/.
3. Русские пьют кофе /*горячее молоко*/.
4. Жаркóе[2] надо полить /*вку́сным со́ус*[3]/.
5. Расскажи нам всё /*свои́ слова́*/.
6. /*Кто*/ ты разговаривал /*такой громкий голос*/?
7. Он посмотрел на меня /*злые глаза*/.
8. Это написано /*такой плохой по́черк*[4]/, что ничего нельзя понять.
9. Приходите к нам вместе /*брат*/.
10. Мы учились /*он*/ в одной школе.
11. Неве́жливо[5] показывать /*па́лец*/ на кого-нибудь.
12. Борщ надо подава́ть /*смета́на и у́ксус*[6]/.
13. Что вы хотите /*это*/ сказать?
14. Вы любите земляни́ку /*би́тые сли́вки*[7]/.
15. Директор обрати́лся ко мне /*ве́жливый вопрос*/.
16. Я /*удово́льствие*/ помогу вам.
17. Народная аритстка была встре́чена /*горячие аплодисме́нты*/.
18. Учитель /*большой интерес*/ расспрашивал нас о нашей поездке в Россию.
19. Что мне делать /*вы*/?
20. Вы удиви́ли меня /*ваш ответ*/.
21. Германия угрожа́ла[8] /*война*/ всей Европе.
22. Увы́[9] - трудно разбоготе́ть /*че́стный труд*/.
23. Чем вы доказа́ли, что сказали правду? /*Надёжные*[10] *докуме́нты*/

[1]*thermometer* [2]*roast* [3]*gravy* [4]*handwriting* [5]*impolite*
[6]*vinegar* [7]*whipped cream* [8]*threaten* [9]*Alas!* [10]*reliable*

A. *Specific Constructions with the Instrumental*

1. The instrumental case is used in constructions expressing *'in the capacity of', 'as'*.

Exercise 2:

Study the following sentences.
Cover the Russian text and reconstruct it.

Мой отец работает гла́вным библиоте́карем.	-*My father works as the head librarian.*
Анна служи́ла преподава́тельницей физики.	-*Ann had a job as a physics teacher.*
Ещё ребёнком Максим Горький узнал тяжёлую жизнь.	-*While still a child, Maxim Gorki got to know a hard life.*
Иван родился сла́бым ребёнком.	-*Ivan was born a weak child.*
Я долго работал просты́м рабочим.	-*For a long time I worked as a simple laborer.*
Доктор Петров провёл в нашей больни́це 15 лет гла́вным врачо́м.	-*Dr. Petrov spent 15 yrs. in our hospital as chief of staff.*
К сожале́нию, мы расста́лись врага́ми.	-*Unfortunately, we parted as enemies.*
Ива́н и Серге́й встре́тились друзья́ми.	-*Ivan and Sergei met as friends.*
Маша поступи́ла к нам куха́ркой.	-*Masha joined our household as a cook.*
Аня получила пра́во служи́ть медсестрой.	-*Anya is licensed to work as a nurse.*
Иван и Миша записались на мой курс вольно-слу́шителями.	-*Ivan and Misha enrolled in my course as auditors.*
Андре́й поступил во флот доброво́льцем.	-*Andrei enlisted in the Navy as a volunteer.*
Ассисте́нтом ты много не зарабо́таешь.	-*As an assistant you will not earn much.*

Exercise 3:

Ответьте на следующие вопросы:

1. Кем вы будете служить в армии? /*простой солдат*/
2. Кем родился Горький? /*сын рабочего*/
3. Кем ты попал на службу к президенту? /*младший секретарь*[1]/
4. Кем Лиза служила у графини[2]? /*компаньёнка*/
5. Как вы встретились? /*старые товарищи*/
6. Кем вы будете работать, если окончите
   медицинский факультет?
   химический факультет?
   физический факультет?
   юридический факультет?

---

[1]takes -*ём* in instrumental [2]*countess*

---

2. The instrumental case is used as part of a compound predicate with the verb *быть* (except in the present tense) and its substitute *являться** (in all tenses).

**Являться* is used in formal and elevated style. Occasionally, the perfective aspect *явиться* may be used.

Exercise 4:

a) Study the following sentences.
b) Cover the Russian text and reconstruct it.

Пушкин был замечательным русским поэтом.	-*Pushkin was a remarkable Russian poet.*
Будучи президентом Соединённых Штатов Америки, Айзенхауер являлся (был) одновременно и символом военной мощи этой страны.	-*While President of United States, Eisenhower was at the same time a symbol of the military power of this country.*
Ваш совет всегда был нам указанием, как (нам) следовало поступать. Ваши слова и в будущем будут (являться) нам верной опорой.	-*Your advice was always an indication to us as to how we should act. Your words will be strong support for us in the future as well.*
Решение отца явилось (было) всем наожиданностью. Его решения часто были	-*Father's decision was a surprise to all. His decisions were*

(continued)

неожи́данными. — *often unexpected.*

Что же является абсолю́тной и́стиной? Я не знаю, что абсолю́тная и́стина. — *-What, then, is absolute truth? I don't know what absolute truth is.*

Кем была бы твоя сестра, если бы не умерла́? Вероятно, врачо́м. — *-What would your sister have been if she had not died? Probably a physician.*

Я уверен, что эти докуме́нты явились бы (были бы) важным доказа́тельством, если бы они нашлись. — *-I am sure that these documents would be important proof if they were found.*

В настоящее время товарищ Си́доров явля́ется представи́телем Коммунисти́ческой партии. А кем он был раньше? -Секретарём ме́стной организа́ции. — *-At the present time, comrade Sidorov is a representative of the Communist Party. And what was he before? -Secretary of local organizations.*

Война явля́ется ужасным несчастьем. — *-War is a terrible misfortune.*

Exercise 5:

Ответьте на следующие вопросы:

1. Кем Наташа была в мо́лодости? */изве́стная балери́на/*
2. Чем явля́ется Москва? */столи́ца Советского Союза/*
3. Кем является для всего челове́чества Лев Николаевич Толстой? */пропове́дник[1] несопротивле́ния[2] злу/*
4. Кем они были в России? */богатые люди/*

Укажите правильную форму:

5. Снача́ла говорили, что Сергей Влади́мирович служит */старший секретарь/* в каком-то иностра́нном посо́льстве[3].
6. Но вско́ре выяснилось, что он всё время был */организа́тор/* какого-то та́йного о́бщества.
7. "А ведь он был дово́льно долго */близкий друг/* нашей Наташи!"

[1] *preacher* [2] *non-resistance* [3] *embassy*

(continued)

8. "Что вы! Он никогда́ не был */её друг/*, а только */симпати́чный сослу́живец[4]/*."
9. "Одна́ко, в глазах всех, их дружба явля́ется */неоспори́мый[5] факт/*."
10. "Это меня мало интересует. Скажите лучше, кто же теперь будет */новый шеф/* отделе́ния[6]?"
11. "Не могу сказать. Я здесь работаю только */младший помо́щник/* директора. Мне ничего не изве́стно."
12. "Интересно, */что/* это всё кончится!"

[4]*colleague* [5]*undeniable* [6]*department*

B. Verbs with the Instrumental

1. Verbs with the preposition *с*. In many cases, there is a parallel construction in English.

	Noun
боро́ться с кем-/чем-нибудь *-to fight against s.o. or sthg.*	борьба́
ви́деться/уви́деться с кем-нибудь *-to see someone*	
встреча́ться/встре́титься с кем-нибудь *-to meet (with) someone*	встре́ча
гармони́ровать с чем-нибудь *-to harmonize with something*	гармо́ния
дели́ться/подели́ться с кем-нибудь *-to share with someone*	
дружить/подружиться с кем-нибудь *-to be (become) friends with s.o.*	дру́жба
*здоро́ваться/поздоро́ваться с кем-нибудь *-to greet someone*	
знако́миться/познако́миться с кем-нибудь *-to get acquainted with someone*	
ла́дить/пола́дить с кем-нибудь *-to get along with someone*	
обруча́ться/обручи́ться с кем-нибудь *-to get engaged to someone*	обруче́ние
обраща́ться с чем-нибудь *-to handle something*	

*of special note

(continued)

переписываться с кем-нибудь
-to correspond with someone

*поздравлять/поздравить с чем-нибудь — поздравле́ние
-to congratulate on something

*прощаться/проститься с кем-нибудь — проща́ние
-to take leave from someone

*разводи́ться/развести́сь с кем-нибудь — разво́д
-to get divorced from, to divorce s.o.

разлуча́ть(ся)/разлучи́ть(ся) с кем-нибудь — разлу́ка
-to part with someone

расходи́ться/разойтись с кем-нибудь
-to disagree with, to part from s.o.

*случа́ться/случи́ться с кем-нибудь — слу́чай
-to happen to someone

*сове́товаться/посове́товаться с кем-нибудь — сове́т
-to ask someone for advice

совпада́ть/совпа́сть с чем-нибудь — совпаде́ние
-to coincide with something

соглаша́ться/согласи́ться с кем-/чем-нибудь — соглаше́ние
-to agree with someone/something

соревнова́ться с кем-нибудь — соревнова́ние
-to compete with someone

сотру́дничать с кем-нибудь — сотру́дник
-to cooperate, collaborate with s.o.

*справляться/справиться с кем-/чем-нибудь
-to manage someone, something

ссо́риться/поссо́риться с кем-нибудь
-to quarrel with someone

*считаться с кем-/чем-нибудь
-to take s.o./sthg. into consideration

*of special note

Exercise 6:

a) Review the conjugation of the above verbs.
b) Answer the following questions with complete sentences.

1. С кем Наташа познако́милась на вечери́нке? */один*

(continued)

интересный иностра́нец/
2. С кем она встречалась дово́льно часто? */этот новый знакомый/*
3. С кем она сове́товалась насчёт работы? */как раз этот самый человек/*
4. С чем он её всегда поздравля́л? */Рождество Христова, Новый год, день её рождения/*
5. Что случилось */он/*? -Он сотру́дничал */какая-то шпио́нская организация/*.
6. А дальше что было? -Наташа сказала, что не хочет больше ви́деться */такой человек/*.
7. И он уехал? -Да, даже не прости́вшись */Наташа/*.
8. Он её любил? -Кажется. Говорят, что ему было трудно расста́ться */она/*.
9. А как же Наташа теперь? Она говорит, что поря́дочной *(decent)* девушке невозможно ни дружить, ни переписываться */тот/*, кто работает */шпион/*.

Exercise 7:

Переведите на русский язык:

1. What happened to you?
2. I quarreled with my cousin[1] Misha.
3. We met and had a very disagreeable conversation.
4. At first he greeted me and even smiled at me.
5. But then he congratulated me on my engagement[2] to Natasha.
6. You can imagine that we parted as enemies.
7. I don't want to meet him any more.
8. I will get acquainted and make friends with someone else[3].
9. Misha never takes into consideration the feelings of other people.
10. It is therefore very hard to collaborate with him.
11. If he is in a bad mood[4], he does not want to agree with anybody.
12. I am not surprised that his wife divorced him; she could not manage his moods.
13. Their divorce coincided with other difficulties in his life.
14. But he still[5] should not laugh at the misfortunes of other people.
15. That's why[6] I quarreled with him and now you know what has happened to me.

[1]*двою́родный брат* [2]*обруче́ние* [3]*кто-нибудь другой*
[4]*настрое́ние* [5]*всё-таки* [6]*вот почему*

---

2. Verbs used with the instrumental case without a preposition.

боле́ть/заболе́ть чем-нибудь *-to get sick with something*	боле́знь
владе́ть/овладе́ть чем-нибудь *-to master, have command of sthg.*	
владе́ть/завладе́ть чем-нибудь *-to possess, take possession of sthg.*	владе́ние
возмуща́ться/возмути́ться чем-нибудь *-to be very upset about something*	возмуще́ние
восхища́ться/восхити́ться чем-нибудь *-to admire something*	восхище́ние
выглядеть (больным) *-to look (sick)*	
делаться/сделаться кем/чем-нибудь *-to become someone/something*	
дели́ться/подели́ться чем-нибудь *-to share something*	
*дорожи́ть чем-нибудь *-to hold dear (respect), hold on to sthg.*	
*дыша́ть/подыша́ть чем-нибудь *-to breathe something*	
горди́ться кем/чем-нибудь *-to be proud of someone/something*	го́рдость
же́ртвовать/поже́ртвовать чем-нибудь *-to sacrifice something*	же́ртва
заве́довать чем-нибудь *-to be in charge of something*	заве́дующий
занима́ться чем-нибудь *-to study something*	заня́тия
занима́ться/заня́ться чем-нибудь *-to occupy oneself with something*	заня́тие
заража́ться/зарази́ться чем-нибудь *-to be contaminated with, catch sthg.*	зара́за
интересова́ться/заинтересова́ться чем-нибудь *-to be interested in something*	интере́с
кома́ндовать кем/чем-нибудь *-to command someone/something*	кома́нда

---

*of special note

каза́ться/показа́ться чем-нибудь
-to seem something

конча́ться/ко́нчиться чем-нибудь   коне́ц
-to end with something

любова́ться/полюбова́ться кем/чем-нибудь
-to admire sthg. (sthg. beautiful only)

награжда́ть/награди́ть чем-нибудь   награ́да
-to reward with something

называ́ть(ся)/назва́ть(ся) кем/чем-нибудь   назва́ние
-to call someone/something

[1]наслажда́ться/наслади́ться чем-нибудь   наслажде́ние
-to enjoy something

находить/найти кого/что-нибудь кем/чем-нибудь
-to consider s.o./sthg. as s.o./sthg.

облада́ть чем-нибудь
-to possess something

объеда́ться/объе́сться чем-нибудь   [2]объеде́ние
-to overeat something

ограни́чеваться/ограни́читься чем-нибудь   ограниче́ние
-to limit oneself to something

оказа́ться кем/чем-нибудь
-to turn out to be s.o./sthg.

остава́ться/оста́ться чем-нибудь
-to remain something

отлича́ться/отличи́ться чем-нибудь   отли́чие
-to stand out, excel, differ from sthg.

*па́хнуть чем-нибудь   за́пах
-to smell of something

поко́нчить самоуби́йством
-to commit suicide

по́льзоваться/попо́льзоваться (воспо́льзоваться) чем-нибудь   по́льза
-to utilize, make use of (enjoy) sthg.

пренебрега́ть/пренебре́чь кем/чем-нибудь   пренебреже́ние
-to neglect, scorn s.o./sthg.

---

*of special note
[1]This verb is used in a more limited way than the English 'to enjoy'
[2]Also spelled *объяде́ние* ('something extremely tasty')

претворя́ться/претвори́ться кем/чем-нибудь
-to pretend to be someone/something

*рискова́ть/рискну́ть чем-нибудь *-to risk something*	риск
руководи́ть кем/чем-нибудь *-to guide, lead someone/something*	руково́дство
сла́виться/просла́виться чем-нибудь *-to be famous for something*	сла́ва
станови́ться/стать кем-чем-нибудь *-to become someone/something*	
страда́ть чем-нибудь *-to suffer from something*	страда́ние
счита́ть кого/что-нибудь кем/чем-нибудь *-to consider s.o./sthg. as s.o./sthg.*	
торгова́ть/поторгова́ть чем-нибудь *-to sell, trade in something*	торго́вля
увлека́ться/увле́чься кем/чем-нибудь *-to be infatuated with s.o./sthg.*	увлече́ние
*угоща́ть/угости́ть чем-нибудь *-to treat to something*	угоще́ние
управля́ть чем-нибудь *-to govern, operate (drive) sthg.*	
хва́статься/похва́статься чем-нибудь *-to boast of something*	хвастовство́
чу́вствовать себя кем/чем-нибудь *-to feel like someone/something*	чу́вство

*of special note

Exercise 8:

a) Study the conjugation of the above verbs;
b) Study the following sentences;
c) Cover the Russian text and reconstruct it.

Брат заболе́л туберкулёзом.	*-My brother got sick with tuberculosis.*
Нина по́лностью владе́ет русским языком.	*-Nina has full command of the Russian language.*

(continued)

В 1453ем году турки завладе́ли Царьгра́дом (Константино́полем). -*In 1453, the Turks took possession of Constantinopol.*

Все возмуща́лись поведе́нием детей. -*All were indignant at the children's behavior.*

Ты выглядишь больны́м. -*You look sick.*

Я с удовольствием поделю́сь с тобой своими знаниями. -*I will share my knowledge with you with pleasure.*

Я очень дорожу́ вашим мне́нием. -*I respect your opinion very much.*

Приятно дышать свежим во́здухом. -*It is pleasant to breathe fresh air.*

Народ горди́тся своими достиже́ниями. -*The people are proud of their achievements.*

На войне многие поже́ртвовали (своей) жизнью. -*In the was, many sacrificed their lives.*

Не легко заве́довать большой фирмой. -*It is not easy to be in charge of a large firm.*

Я теперь занимаюсь физикой. -*I am studying physics, now.*

Чем ты там занимаешься? -Я пишу письмо. -*What are you doing? -I am writing a letter.*

Теперь мало, кто интересуется гре́ческим языком. -*Now there are few people who are interested in the Greek language.*

Генерал С. командовал этим полко́м. -*General S. commanded this regiment.*

Утром погода казалась прекрасной. -*In the morning, the weather seemed wonderful.*

Приятно любова́ться[1] приро́дой. -*It is pleasant to admire (beautiful) nature.*

Мальчика назвали Влади́миром. -*The boy was called Vladimir.*

Наслажда́йтесь жизнью пока возможно! -*Enjoy life while it is possible!*

Ты находишь эту лекцию скучной? -*Do you find this lecture boring?*

Николай обладал спосо́бностью убежда́ть людей. -*Nicholas possessed the capacity to convince people.*

---

[1] This verb expresses admiration only of something one can *see*.

(continued)

Учитель ограни́чился не́сколькими словами. -*The teacher limited himself to a few words.*

Фильм оказался довольно скучным. -*The film turned out to be rather boring.*

Иван остался моим лучшим другом. -*Ivan remained my best friend.*

Здесь па́хнет ды́мом. -*It smells of smoke here.*

Горький чуть не покончил самоуби́йством. -*Gorki almost committed suicide.*

Пожалуйста, по́льзуйся моим словарём! -*Please use my dictionary.*

*Пьесы Чехова по́льзовались большим успехом. -*Chekhov's plays enjoyed great success.*

Не пренебрега́й моей по́мощью! -*Don't despise (=disregard) my help.*

Лиса́ притвори́лась мёртвой. -*The fox pretended to be dead.*

Не надо рискова́ть здоро́вьем. -*One must not risk one's health.*

Кто руководи́л этой экспеди́цией? -*Who led the expedition?*

Иван стал доктором. -*Ivan became a physician.*

Многие считают Достоевского очень интересным писателем. -*Many consider Dostoevsky to be an interesting writer.*

США торгу́ют машинами. -*The U.S. sells machines.*

Наташа увлека́ется музыкой Чайковского. -*Natasha is carried away by Tchaikovsky's music.*

Нас угостили чаем и пирого́м. -*We were treated to tea and pie.*

Я ещё не научилась управля́ть машиной. -*I have not yet learned how to drive a car.*

Тебе не́чем хва́статься. -*There is nothing for you to brag about.*

Он любит хва́статься своим бога́тством. -*He likes to brag about his wealth.*

*of special note

Exercise 9:

a) Прочитайте следующий отрывок *(passage)* и обратите внимание на конструкции с творительным падежом;

б) Переведите этот отрывок на английский язык, а потом снова на русский:

Знаете ли вы, чем сла́вится город Оде́сса? На подо́бный[1] вопрос можно ответить по-ра́зному, в зави́симости[2] от того, кто чем интересуется, и что кому кажется важным. Если спросить самих одесси́тов, то они непреме́нно начнут хва́статься чудесным кли́матом в их о́бласти, расположе́нием[3] Одессы у Чёрного моря, и значением этого города для всей страны. Одесси́ты гордя́тся своими элега́нтными пля́жами[4], парками и прямы́ми бульва́рами, которыми никогда не уста́нешь любова́ться. Что является, пожа́луй, самым характе́рным для Одессы, это весёлый темпера́мент её жи́телей. Они всегда сла́вились остро́умием[5] и жизнера́достностью и до сих пор дорожа́т этой репутацией. Одесситы облада́ют исключи́тельной спосо́бностью видеть заба́вное[6] в жизни, и столь[7] типи́чным для них ю́мором. Их весёлые остро́умные пе́сенки всегда по́льзовались большой популя́рностью во всей России.

Этот сравни́тельно[8] молодой город стал в 19ом ве́ке не только торго́вым, но и культурным центром ю́жной России. Многие восхища́лись его театрами и хра́мами[9]. Не один[10] тала́нтливый писатель родился там и в после́дствии[11] сде́лался знамени́тостью. Так Ба́бель, родившись в семье́ бедняка́ в трущо́бах[12] Одессы, оказа́лся исключи́тельно тала́нтливым ю́ношей и со вре́менем стал а́втором замечательных произведений. В Одессе и бедне́йший из бедне́йших имел возможность наслажда́ться я́рким солнцем, дышать морски́м во́здухом и увлека́ться тем же, чем увлекались и богачи́. Каждый гордился песенкой, родившейся в его городе. Одесса всегда отлича́лась осо́бым колори́том своего бы́та и оста́лась до сих пор одним из самых интересных черноморских городов.

---

[1] *such a* [2] *depending on* [3] *location* [4] *beach* [5] *wit*
[6] *that which is funny* [7] *so* [8] *comparatively* [9] *cathedrals*
[10] *many (not just one)* [11] *subsequently* [12] *slum*

<u>Exercise 10</u>:

Прочитайте следующий отры́вок и обратите внимание на конструкции с творительным падежом;
Переведите отры́вок на английский язык, а потом снова на русский.

Порто́вые города́ нередко облада́ют некоторыми

(continued)

преиму́ществами[1] перед другими городами, и их при́нято[2] считать особенно важными для эконо́мики страны. Чем бы страна ни[3] торгова́ла, в портовых городах всегда оживле́ние. В га́вони[4] пахнет ра́зными това́рами, которые привозят из далёких стран. На юге, торго́вцы угоща́ют друг друга и покупателей крепким, души́стым[5] и сла́дким чаем. Разговорами они, конечно, не ограни́чиваются, а всё время энергично занимаются торго́влей.

[1]*advantage* [2]*it is customary* [3]*no matter what* [4]*port*
[5]*душистый*

Exercise 11:

Ответьте на следующие вопросы:

1. Чем вам приходится заниматься в институте? */органи́ческая хи́мия, биология, есте́ственные нау́ки, гене́тика, экономика, статистика, высшая математика/*
2. Неужели вы интересуетесь всеми этими предметами? -Совсем нет. Я гораздо больше интересуюсь */гуманита́рные нау́ки, средневеко́вое[1] иску́сство и совреме́нная худо́жественная литература[2]/*. Но что же мне делать?
3. Чем стал Нью Йорк? */самый большой город в США/*
4. Чем сделался Киев? */мать русских городов/*
5. Какой стала жизнь в больших городах? */трудная и опасная/*
6. Какими делаются люди в больших городах? */не́рвные и неприве́тливые /*
7. Каким считается город Чикаго? */шумный, огро́мный/*

[1]*medieval* [2]*belles lettres* [3]*unfriendly*

Exercise 12:

Укажите правильную форму:

1. Одесса является */культурный центр/* на юге Советской России.
2. В библиоте́ке можно пользоваться */нове́йшие журналы/*.
3. Маша где-то заразилась */опа́сная боле́знь/*.
4. Наша программа кончилась */девятая симфония/* Бетхо́вена.

(continued)

5. Не надо[1] хва́статься /*свои успехи*/.
6. Русский язык многим кажется довольно /*трудный*/.
7. Иван совсем не возмути́лся /*слова*/ товарища.
8. Незнание русского языка является /*большое затруднение*/ для путешествующих по Советскому Союзу.
9. Стихи́ Пушкина отлича́ются /*я́сность и музыка́льность*/.
10. Настоящие друзья делятся /*всё*/, что у них есть.
11. /*Что*/ сла́виться Одесса? /*климат, красота бульваров*/.
12. Есть люди, которые гордятся /*своё происхожде́ние*[2]/.
13. Приезжие нередко восхища́ются /*красота*/ Ленинграда.
14. С каждым днём погода становилась всё более и более /*холодная*/.
15. /*Что*/ вы теперь занимаетесь в свободное время?
16. Мы долго любовались исключительно /*красивый вид*/.
17. Мой двоюродный брат интересуетесь /*ранняя русская живопись*[3]/.
18. Всё это кончится /*страшный скандал*/.
19. В общежитии день часто начинается /*какая-нибудь неприятность*/.
20. К сожалению, этот человек оказался /*настоящий жу́лик*[4]/.
21. Михаи́л всегда считался /*наш лучший друг*/, он и остался /*он*/.
22. Я нахожу эту книгу /*интересная*/.

[1] *one must not (should not)* [2] *decent* [3] *paintings*
[4] *scoundrel*

---

3. Verbs expressing motion with a part of the body and the instrumental case.

виля́ть/вильну́ть хвосто́м
-*to wag one's tail*

грози́ть/погрози́ть па́льцем кому-нибудь — угро́за
-*to shake one's finger at someone*

дви́гать/подви́гать руками, ногами — движе́ние
-*to move one's hand, feet*

маха́ть/махну́ть рукой
-*to wave one's hand*

кача́ть/покача́ть головой
-*to shake one's head*

кива́ть/кивну́ть головой — киво́к
-*to nod one's head*

(continued)

моло́ть/помоло́ть языко́м
  -to wag one's tongue (coll.)

морга́ть/моргну́ть гла́зом
  -to blink (one's eye)

пожима́ть/пожа́ть плеча́ми — пожа́тие
  -to shrug one's shoulders

пока́зывать/показа́ть па́льцем на
  -to point one's finger at

скрежета́ть зуба́ми — скрежета́ние, скре́жет
  -to grit one's teeth

стучать зуба́ми (от хо́лода)
  -to chatter

стуча́ть/сту́кнуть кулако́м — стук
  -to bang one's fist

то́пать/то́пнуть ного́й
  -to stamp one's foot

шевели́ть/пошевели́ть губа́ми
  -to move one's lips

шевели́ть/пошевели́ть мозга́ми
  -to use one's brains (wit) (coll.)

чмокать/чмокнуть губа́ми
  -to smack one's lips

Note: падать/упасть ду́хом — паде́ние
  -to lose courage

кривить/покривить душо́й
  -to act against one's conscience

Exercise 13:

а) Прочитайте и обратите внимание на глаголы с творительным падежом;
б) Переведете на английский язык, а потом снова на русский.

В га́вони

Миша и Жучка[1] пришли к пароходу проводи́ть[2] своего друга Николая, уезжавшего на долго заграни́цу. Все провожающие махали рукой или кивали кому-то головой. Миша тихо стоял и, не морга́я глазами, смотрел в последний раз на Николая, стоящего на па́лубе[3]. Ему

[1]*a popular dog's name* [2]*to see off* [3]*deck*

(continued)

показалось, что Николай тихо покачал ему головой и улыбнулся своей знакомой улыбкой. Это значило: "Не надо грустить!" Жучка, по-видимому, поняла и вильнула хвостом в ответ, а Миша почему-то пожал плечами, потом сердито топнул ногой и даже не кивнув больше головой на прощание, быстро ушел. Жучка взглянула ему с удивлением в лицо; казалось, что она хотела понять, отчего Миша стучит зубами, - от холода ли или по какой-нибудь другой причине... Весело виляя хвостом, она побежала вперёд, как бы приглашая своего юного хозяина не предаваться[1] грустным мыслям.

[1] *to give in*

Exercise 14:

Ответьте на следующие вопросы:

1. Что люди иногда делают, когда они сердятся? */...ноги,...кулак,...громкий голос/*
2. Что собака делает? */...хвост/*
3. Что мы делаем, когда нам холодно? */...зубы/*
4. Что мы делаем, когда мы не согласны? */...голова/*
5. Что тебе могут сказать, если ты говоришь глупости? */не...язык/*
6. Чего нельзя делать за едой? */...губы/*
7. Что мы делаем на прощанье? */...рука/*

[1] *while eating; during a meal*

Exercise 15: REVIEW

Переведите на русский язык:

1. Ivan Ivanovich was always very proud of his sons.
2. How pleasant it is to breathe cold, fresh, mountain[1] air!
3. Masha, you look tired. Maybe you caught the flu[2].
4. Nikolai pretends to be an intelligent[3] man and calls himself a professor.
5. We treated our guests to a good dinner.
6. Ivan has become an important person.
7. I am in charge of the Russian department[4].
8. It is very hard to guide youth; one must possess a special talent for this.

[1] *горный* [2] *грипп* [3] *умный* [4] *отдел*

(continued)

9. Do you have full[5] command of the Russian language?
10. This love affair[6] ended with a tragedy.
11. Whom do you consider the greatest[7] Russian poet?
12. Just think[8] - this young man turned out to be a real scoundrel[9].

[5]*по́лностью* [6]*рома́н* [7]*великий* [8]*подумай только* [9]*жу́лик*

C. Adjectives, Adverbs and Adverbial Constructions used with the Instrumental

ЧЕМ?

был была были		бе́ден, бедна́, бедны́ бога́т, бога́та, бога́ты бо́лен, больна́, больны́ горд, горда́, горды́ доволен, довольна, довольны занят, занята́, за́няты	
был бы была бы былы бы	+	красив, красива, красивы интересен, интересна, интересны обязан, обязана, обязаны *(indebted)* недоволен, недовольна, недовольны *(attractive)*	+ Instr. Case
будет будут		привлека́телен, превлекательна, привлекательны проти́вен, противна, противны *(repulsive)* и т.д.	

Exercise 16:

Укажите правильную форму:

1. Большинство́ стран на Ближнем востоке богаты /*нефть*[1]/.
2. Чёрное море было когда-ио богато /*разнообра́зная рыба*/.
3. Иностранные туристы остались довольными /*наша экскурсия*/.
4. Министр иностра́нных дел не может принять вас; он занят /*важные дела*/.

[1]*oil*

(continued)

5. Американцы горды́ /*свои техни́ческие достиже́ния*/.
6. К сожалению, этот роман беден /*оригина́льные мысли*/.
7. Сибирь богата /*разные драгоце́нные металлы и ископа́емые*[2]/.
8. Я обя́зан /*жизнь*/ этому врачу́.
9. Южные страны привлека́тельны /*своя тропическая расти́тельность*[3]/.

[2] *minerals* [3] *vegetation*

---

1. Adverbs of time.

вечером	весной
днём	зимой
ночью	этим летом
поздней ночью	о́сенью
ранним утром	поро́й *(at times)*

Duration

летними вечерами	-*on summer nights*
целыми днями, часами	-*for entire days, hours*
неделями	-*for weeks*
месяца́ми	-*for months*
годами	-*for years*
с годами	-*with years*
со временем	-*with time*

между часом и двумя	-*between 1 and 2 (o'clock)*
между тем	-*meanwhile (adverb)*
Между тем все пообе́дали.	-*Meanwhile, everyone ate dinner.*
между тем, как...	-*while (conjunction)*
Между тем, как мы обедали, Иван работал.	-*While we were having dinner, Ivan was working.*
Note: между прочим	-*by the way*

перед войной перед сном перед обедом и т.д.	-*before...*

за у́жином за ча́ем за разгово́ром за работой и т.д.	is the same as -*during...*	во время у́жина во время ча́я во время разгово́ра во время работы

день за днём -*day after day*
час за ча́сом -*hour after hour*
год за го́дом -*year after year*
неделя за неде́лей -*week after week*
минута за минутой -*minute after (by) minute*
и т.д.

Note: Instrumental and Comparative

a) difference of time:
Я приехал двумя днями раньше
= на два дня раньше
Я пришла часом позже
= на час позже
Он пятью́ годами старше
= на пять лет старше

b) тем не ме́нее -*all the same*
тем лучше -*all the better*
тем хуже -*all the worse*

Exercise 17:

Прочитайте этот разговор несколько раз вслух; Выучите его наизусть или переведите сначала на английский язык, а потом снова на русский.

Разговор в мастерско́й[1]

Анна Миха́йловна: Девушки, разве можно за работой так много разговаривать?

Аннушка: А что? Ведь скучно так сидеть час за часом, всё время двигая руками без того, чтобы переки́нуться словечком[2]. К тому же здесь холодно и мне сегодня нездоро́вится, как-то не по себе[3].

А.М.: Тем не ме́нее надо заниматься делом, а не болтовнёй[4]. За чаем отлично успеете поговорить, или же вечерком...

Аннушка: Да, да, вам бы подошло молчать целыми днями, вам не скучно, но нам не по года́м такая жизнь!

Маша: Правда! Анна Михайловна часами сидит молча, и даже губами не пошевели́т. Удиви́тельно! А ведь за разговором и работа

---

[1]*workshop* [2]*without exchanging a single word*
[3]*I don't feel right* [4]*empty talk*

(continued)

идёт быстрее!

А.М.: Знаю, знаю, вам бы только[5] языком молоть - утром, днём, и вечером!

Маша: Но невозможно же день за днём молчать между девятью утра и пятью вечера! Это, между прочим, и не здорово. Тем хуже будет для вас, если мы заболеем какой-нибудь ужасной болезнью!

Аннушка: Вот, вот![6] Вы забыли, что было прошлым летом? Санитарная комиссия была очень недовольна условиями труда[7] здесь.

А.М.: *(повышенным голосом)* Не хочу с вами ссориться. Знаю только, что за работой не болтают; прошу запомнить, что разговоры являются совершенно лишними в мастерской.

Девушки: *(пожимая плечами, но тихо)* С годами она становится всё более и более злющей. Неужели и она была когда-нибудь молодой? Это что-то никому не верится!

[5]*all you want* [6]*that's it* [7]*work conditions*

---

2. Adverbial constructions (with and without prepositions) denoting 'place' or 'location'.

Exercise 18:

a) Study the following constructions;
b) Cover the Russian text and reconstruct it.

Домой мы возвращались пустыми переулками.	-*We were returning home along deserted alleys.*
Молодые люди шли лесной тропинкой.	-*The young people walked along forest paths.*
Дети шли полями и лугами.	-*The children walked along fields and meadows.*
Горький шёл своей дорогой (своим путём).	-*Gorki went his own way.*
Мы ехали большой дорогой.[1]	-*We drove along the highway.*
Чехов умер за границей.	-*Chekhov died abroad.*

[1]*по* + dat. can also be used.

(continued)

Мы живём за́ городом.	-*We live out of town.*
Гости долго сидели за столом.	-*The guests sat around the table for a long time.*
Я провела весь день за пишущей машинкой.	-*I spent all day typing (=behind the typewriter).*
Пассажи́ры сидели плечо́м к плечу́.	-*The passengers sat shoulder to shoulder.*
Под горой стояли пала́тки.	-*At the foot of the mountain there stood tents.*
Дорога шла берегом.	-*The road ran along the shore.*
Колумб плыл незнакомыми морями.	-*Columbus sailed on unknown waters.*
Я провожу свободное время за книгой.	-*I spend my free time reading.*
Золоты́е вещи были под замко́м.	-*The gold objects were locked up.*
У всех есть обя́занность перед о́бществом.	-*Everybody has an obligation to society.*
Неприятно гулять под дождём.	-*It is unpleasant to walk in the rain.*
Приезжа́й к нам, ведь мы живём близко, - не за горами!	-*Come see us - we live nearby, not far away at all.*

Idiomatic Constructions

За тобой не останется последнее слово!	-*You will not have the last word.*
За мной дело не станет.	-*There will be no delay because of me.*
За неиме́нием денег я ушёл из университета.	-*Because of lack of money, I left the university.*
За вами 10 рублей.	-*You owe 10 rubles.*
Оставь этот билет за мной.	-*Hold this ticket for me.*
Муж был под сапого́м у жены.	-*The husband was henpecked.*
Пусть это останется между нами!	-*This is to remain between us.*
Я это сделаю между делом.	-*I will do this in a free moment.*
У неё ничего нет за душо́й.	-*She has nothing to her name.*
Дру́жба - дру́жбой, а дело делом.	-*Friendship is friendship, but business is business.*

Иван всё стоя́л дура́к-дурако́м.	-*Ivan stood there like a fool.*
Ска́тертью дорога!	-*Good riddance!*
Слеза́ми го́рю не поможешь!	-*Proverb: No use crying over spilt milk.*

---

3. Adverbial expressions indicating how something is done.

КАК?

бего́м	-*running*	о́щупью	-*graspingly*
бо́ком	-*sideways*	ры́сью	-*in a trot*
босяко́м	-*barefoot*	ша́гом	-*at a walking pace*
верхо́м	-*on horseback*	шёпотом	-*in a whisper*
гало́пом	-*galloping*	о́прометью	-*headlong*
да́ром	-*free of charge, in vain*	лежать ничко́м / " пласто́м	-*to lie flat*
по́лным ходо́м	-*at full speed*		

авто́бусом	-*by bus*	самолётом	-*by plane*
автомоби́лем	-*by car*	по́ездом	-*by train*
маши́ной	-*by car*		

бо́льшей ча́стью	-*mostly*	по́лностью	-*fully*
гла́вным о́бразом	-*mainly*	разом	-*all at once*
между про́чим	-*by the way*	целико́м	-*fully*
таким о́бразом	-*thus*	первым делом / " до́лгом	-*first of all*
одним словом	-*in a word*		

Note: дви́гаться толпой/толпами -*to move in a crowd*
удáрить лицом в грязь -*to lose face*
пить/выпить за́лпом -*to drink greedily, at a gulp*

чай надо пить горячим
Как тебя зовут? Наташей, Иваном[1]

[1]The nominative case can also be used with *звать (to be called)* - *меня зовут Наташа, Иван*. See chapter on the nominative case.

Note: Memorize this idiomatic construction:

Поезд сообще́нием *(running between, connecting)* Москва-Ленинград отходит в три часа.

D. The Instrumental Case following the prepositions над, за, and под

1. ЗА

быть за́мужем за кем-нибудь
-to be married to someone (of a woman)

гоня́ться/гна́ться за кем/чем-нибудь
-to chase after someone/something

наблюда́ть за кем/чем-нибудь
-to watch someone/something

обраща́ться/обратиться за помощью, за советом
-to turn for help, for advice

охо́титься/поохо́титься за чем-нибудь
-to hunt for something (coll.)

повторять/повторить за кем-нибудь
-to repeat after someone

посыла́ть/послать за кем/чем-нибудь
-to send for someone/something

следи́ть за кем/чем-нибудь
-to watch, to spy on someone/something

следовать/последовать за кем/чем-нибудь
-to follow after someone/something

смотреть за кем/чем-нибудь
-to look after someone/something

Different ways of saying
'to fetch someone/something'

сбегать, бегать/бежать/побежать за кем/чем-нибудь

съездить, ездить/ехать/поехать за кем/чем-нибудь

сходить, ходить/идти/пойти за кем/чем-нибудь

(*сбегать, съездить, сходить* implies a quick round trip.)

Note: ходить/идти/пойти (OR ездить/ехать/поехать) за поку́пками *-to go shopping*

Note: Иван заехал/зашёл за мной.
-Ivan picked me up (and we continued together).
Было бы хорошо, если бы вы заехали за нами.
-It would be nice if you could pick me up.

---

2. НАД

делать/сделать уси́лие над собой
-to make an effort

думать/подумать над чем-нибудь
-to ponder over something

лома́ть себе голову над чем-нибудь
-to rack one's brains over something

надсмеха́ться над кем/чем-нибудь
-to ridicule someone/something

одержа́ть победу над чем-нибудь
-to win a victory over something

работать над чем-нибудь
-to work on something

смеяться над кем/чем-нибудь
-to laugh at someone/something

стара́ться над чем-нибудь
-to try very hard to do something

торжествова́ть/восторжествова́ть над кем/чем-нибудь
-to triumph over someone/something

труди́ться над чем-нибудь
-to work very hard on something

шути́ть над чем-нибудь
-to joke about something

хохота́ть над кем/чем-нибудь
-to laugh hard at someone/something

---

3. ПОД

подразумева́ть под чем-нибудь]
понимать под чем-нибудь] *-to mean (imply) by something*

Exercise 19:

a) Study the following sentences;
b) Cover the Russian text and reconstruct it.

Маша была за́мужем за известным юри́стом.	*-Masha was married to a well-known lawyer.*
Умный человек не будет гоня́ться за сла́вой.	*-A smart man will not chase after fame.*

(continued)

Нельзя́ всегда охо́титься только за вы́годой.	-*One should not always hunt merely for profit.*
"Дети, повторяйте за мной!"	-*"Children, repeat after me."*
Мы должны были послать за доктором.	-*We had to send for the doctor.*
Милиционер следи́л за воро́м.	-*The policeman watched the thief.*
За детьми надо смотреть.	-*Children must be looked after.*
Коля, сходи за газетой!	-*Kolya, go get the newspaper.*
Наташа поехала за покупками.	-*Natasha went shopping.*
Николай долго думал над этим заданием.	-*Nikolai pondered for a long time over this assignment.*
Нельзя надсмеха́ться над людьми.	-*One must not ridicule people.*
Христиа́нство восторжествова́ло над язы́чеством.	-*Christianity triumphed over paganism.*
Гитлер так и не одержа́л победы над Россией.	-*Hitler never won a victory over Russia.*
Иван очень старался над своим докладом.	-*Ivan tried very hard working on his report.*
Мы шутили и хохота́ли весь вечер над бедным Борисом, но он и сам смеялся над собо́й.	-*We joked and laughed all night at poor Boris, but he laughed at himself, too.*
Я не всегда понимаю, что именно подразумева́ется под некоторыми филосо́фскими те́рминами.	-*I don't always understand what is meant by certain philosophical terms.*

Exercise 20a:

Укажите правильную форму:

1. Владимир Иванович главным образом трудился /...*своя диссерта́ция*/.
2. Первым делом скажу тебе: не смейся /...*я*/.
3. /...*какая проблема*/ ты ломаешь себе голову?
4. Либеральная партия по́лностью одержала победу /...*консервативная*/.

(continued)

5. Победитель[1] торжествова́л /...*побеждённый*/.
6. Доброде́тель[2] не всегда торжеству́ет /...*порок*[3]/.
7. Не шути /...*слабости*[4]/ людей!
8. Пришлось послать /...*помощь*/.
9. У нас нет хлеба. Пошли Ивана /...*хлеб*/.
10. Гоголь работал /...*Мёртвые души*/ заграницей.
11. Поедем в театр вместе! Ты заедешь /...*я*/?
12. Какие странные слова! Что автор мог подразумева́ть /...*они*/?
13. Где Ваня? Он побежал в киоск /...*вечерняя газета*/.
14. Чтобы не опоздать, Иван полным ходом помчался[5] в ка́ссу /...*билеты*/.

---

[1]*victor* [2]*virtue* [3]*vice* [4]*weakness* [5]*rushed*

Exercise 20b:

Измените[1] следующие фразы при помощи конструкции *за* с творительным падежом:

1. Я пойду пешком в библиотеку, чтобы взять интересную книгу.
2. Иван поехал на аэропорт, чтобы привезти товарища.
3. Завтра утром Ирочка первым делом сбегает на почту, чтобы принести пакеты.
4. Сергей отпра́вился[2] верхо́м к соседям, чтобы узнать последние изве́стия[3] о пожа́ре.
5. Я завтра между делом схожу в магазин, чтобы купить мыла[4].
6. Соня приедет ко мне в восемь часов вечера и мы придем к вам вместе.
7. Вчера Иван пришёл к Бори́су и они пошли вместе в театр.
8. За кем твои подруги за́мужем? Маша - /*известный юрист*/, Алла - /*русский учёный*/, Настя - /*молодой еврей*[5]/, Нина - /*какой-то японец*/, Анна - /*скучнейший англичанин*/.
9. Вообщем, все мои подруги замужем /*хорошие люди*/.

---

[1]*change* [2]*go (betake oneself)* [3]*information, news*
[4]*soap* [5]*Jew*

Exercise 21:

Прочитайте следующий разговор несколько раз вслух и передайте его свои́ми слова́ми, употребля́я как можно больше конструкций с творительным падежом:

Разговор в повы́шенном то́не

Иван: Не понимаю, Маша, над чем ты всё думаешь и думаешь - как фило́соф какой-то. Это, наконец, может показаться смешны́м.

Маша: Попро́буй только посмеяться над моей работой!

Иван: Мне и в голову не приходит надсмеха́ться над твоим трудо́м, не иногда это заходит слишком далеко. Ты занята только своей диссертацией, интересуешься только ею... Можно подумать, что ты го́нишься за мировой сла́вой учёной женщины! Или за премией Но́беля!

Маша: Что ты хочешь этим сказать? По-твоему серьёзный труд является чем-то смешным, если им занимается женщина, да? Над её стара́ниями можно хохотать сколько душе́ угодно[1]!

Иван: Милый фило́соф, обращаюсь к тебе с просьбой: сделай над собой уси́лие и послушайся меня хотя бы раз: Поедем-ка за гриба́ми! Их теперь много за́ городом.

Маша: Вот что! Ты кажется вздумал повторять за своим милым другом Мишкой все его гениа́льные идеи: "поедем да поедем-то за гриба́ми, то за я́годами[2], то подышать свежим во́здухом, то за покупками..." Да, да, - оказывается, что "бессмы́сленно сидеть за книгами! Не в этом, видите ли, смысл[3] жизни!"

Иван: Ха-ха-ха! Что же Мишка подразумева́ет под смы́слом жизни, если обыкнове́нному сме́ртному[4] разрешается задать такой вопрос?

Маша: Вы мне оба надое́ли! Это тебе понятно? Сделай мне одолже́ние[5] - помолчи! Чем больше я за тобой наблюда́ю, тем яснее мне становится, что мы друг к другу не подхо́дим. Но не за тобой останется последнее слово - а за мной.

Иван: Тебе совсем не идёт быть такой сердитой. Ты выглядишь, между прочим, гораздо более красивой, когда выказываешь поменьше темпера́мента.

Маша: Да ты оказался просто наха́лом[6]! И почему судьба́ наградила меня таким мужем! - Ладно[7], поехали[8] за грибами!

---

[1] *to your heart's content* [2] *berries* [3] *meaning*
[4] *mortal: ordinary human being* [5] *favor*
[6] *insolent fellow* [7] *OK* [8] *let's go*

Exercise 22:

а) Прочитайте внимательно следующий отрывок; обращайте при этом внимание на различные грамматические конструкции.
б) Передайте прочитанное как можно точнее своими словами.

Анна Ива́новна рассказывает вну́кам о своём детстве

Я и сама не знаю, чем отлича́лся наш лесо́к от всех остальны́х. Он ничем особенным не славился, не обладал никакими выдаю́щимися[1] ка́чествами[2], но он был нам до́рог, и нам с братом доставля́ло большое удово́льствие дышать лесным воздухом, бродить по живопи́сным[3] тропи́нкам навстречу высоким елям или же сидеть часами, прислушиваясь к птичьему пенью. Как мы наслаждались тишино́й, лесным арома́том и всей велича́востью[4] зелёного ца́рства! Свистеть[5] или даже только говорить громким голосом показалось бы нам почти кацу́нством[6]. Любуясь приро́дой, мы чувствовали себя частью чего-то ве́чного[7] и бесконечного и очень дорожи́ли этим чувством. Таким образом, брат никогда не мог бы быть охотником, а я та́йно мечтала, что сделаюсь лесни́чим[8]. В то время такая профессия считалась неподходя́щей для девушки, и моя мечта годами оставалась та́йной, так как я ни за что на свете не позволила бы никому посмеяться или даже только пошутить над ней. Сегодня никто не удивился бы желанию девушки стать лесничим, и поэтому я зави́дую ны́нешней молодёжи. Но с другой стороны, мне бывает и жаль её.

Какими интересами так часто живут нынче люди? Правда, они справедли́во гордятся достижениями[9], которые и не приходили в голову их родителям, когда они были молодыми. К тому же люди теперь не ограни́чены устаре́лыми поня́тиями[10] о том, что кому разрешено́ и что запрещено́. Поэтому людям в теперешнее время многое удаётся, что раньше казалось недостижи́мым. Но с другой стороны́, много уте́ряно[11] современным человеком: он бе́ден изве́стными пережива́ниями[12], так как ему, например, часто бывает не до природы. Ему всегда спе́шно, проходит день за днём, год за годом, а человек остаётся недовольным жизнью; ему просто не́когда остановиться, подумать над своим существова́нием[13]. За неиме́нием времени он не может поработать

[1] *outstanding* [2] *quality* [3] *picturesque* [4] *grandeur* [5] *whistle*
[6] *blasphemy* [7] *eternal* [8] *forester* [9] *achievement* [10] *concept*
[11] *has been lost* [12] *experience* [13] *existence*

над собой чтобы по́лностью понять, что в су́щности спешить человеку не́куда и не́зачем. Что-же является конечной це́лью[1] челове́ческой жизни?

Вот таким размышлениям и научил меня в своё время наш лесо́к. Благодаря́ его влия́нию[2], я рано выучилась смире́нию[3] перед приро́дой и уваже́нию[4] к ней. В зелёном ца́рстве никому не приходится претворяться более умным чем он есть, но там никто ни кем и не пренебрега́ет, так как в мире природы царит полный поря́док; возмуща́ться её зако́нами было бы в высшей сте́пени неуме́стным[5]. Да,я многим обя́зана нашему леску́ и мне кажется, что заве́дующие школами в теперешнее время и те, кто руководя́т разными за́городными экскурсиями школьников, должны бы как можно больше по́льзоваться бли́зостью природы и сами интересоваться ею. Тогда они могли бы-как бы зарази́ть этим своим интересом молодёжь. Ина́че жизнь - главным о́бразом в городах - может остаться однобо́кой[6], а человек - неудовлетворённым.

[1]*goal* [2]*influence* [3]*humility* [4]*respect* [5]*out of place*
[6]*onesided*

Exercise 23: REVIEW

Разговор между незаму́жней тётей и современной племя́нницей[1]. Переведите на русский язык:

Тётя: Something pleasant has happened to you. You don't quarrel with anyone any more and you are satisfied with your life... Won't you share your secret with me?

Катя: With pleasure. You see[2], I am spending[3] much time with pleasant[4] people. We are interested in the same things, we study the same subjects, and we share our thoughts - as well as our money - with one another.

Тётя: Do I know (=am I acquainted with) anyone of your new friends? I met (got acquainted with) once a tall fellow[5] who spoke in a terribly loud voice and was very proud of his moustache[6]. He looked so funny. You called him your "little brother". Are you still friends with

[1]niece [2]*видишь ли* [3]*проводить* [4]*симпатичный*
[5]*парень, парня* [6]*усы*

(continued)

him?

Катя: Yes, we have remained friends with Ivan. He used to work (=*работал раньше*) as a simple mechanic in the day and in the evenings, he studied foreign languages. Now he is in charge of a whole factory, which used to be a repair shop[1]. Ivan has succeeded in becoming a rich man.

Тётя: And what became of (*стало с*) his studies? Has he sacrificed (his) education in order to become rich? I would not consider him smart[2] if this is so.

Катя: But you must agree with me in this: to be rich is (use the verb *являться*) a great achievement for him. His father got divorced from his mother when Ivan was only 14 years old. His parents not only parted enemies - they remained indifferent to (*по отношению к*) their son's fate, too. The boy fell ill with tuberculosis and had to struggle with many difficulties. Fortunately, he possessed a strong will and *managed to overcome* (*справился*) all problems. I admire him and consider him (to be) a remarkable[3] man.

Тётя: In my opinion, you needn't admire him. He was lucky, that's all. You told me yourself that he got acquainted with a wealthy American, the repair shop belonged to him, and...

Катя: Well, well[4], now you are going to say that Ivan was destined to meet Mr. Smith. You have always been a fatalist[5]. But do you really think that Mr. Smith would have gotten interested in Ivan if he had not found him (Ivan) very, very talented[6]?

Тётя: Maybe your Ivan has turned out to be not only talented, but a genius, too (=*тоже и гением*)? I don't believe people who tell me such stories. Has Ivan become a genius thanks to his moustache? He is only pretending (to be) smart. I hope that Mr. Smith is watching[7] him.

Катя: For some reason, you are not nice to Ivan (use *относиться*). But I don't want to (use *хотеться*)

[1] *мастерская* [2] *умный* [3] *необыкновенный*
[4] *ну, ну* [5] *фаталистка* (use instrumental)
[6] *способный* [7] *наблюдать за*

(continued)

quarrel with you... You know what, I will run and get (use *за* & Instr.) hot buns[1] and treat you to good tea with honey. I will buy one bun for each of us (use special dative construction) for they are big. Then you will sit next to the warm stove and I will show you something.

Тётя: Wonderful[2]! I can sit for hours and enjoy hot tea...

Катя: So can I (=*я тоже*). But I will sit next to the telephone, because Ivan promised to call me up before he comes to get me (use *за* & verb & *за*). We will work on some bills... I always help him.

Тётя: I am surprised at you. Does this mean that you are planning[3] to become the wife of a book-keeper[4]? Do you think that it is pleasant to be married to an uneducated[5] man? He is more-over two years (use Instr.) younger than you. How (use Instr. of *что*) will all this end? How old is this extraordinary genius?

Катя: Don't laugh at him. He knows (use *владéть*) three foreign languages and looks like a real gentleman[6]. Everyone calls him "director". And he owes his success only to himself (check on this tricky construction).

Тётя: Yes, yes, and he is bragging of this all the time. Self-criticism[7] and modesty are (use *являться*) something very important in life. And, since[8] you are not yet married to him, you should not jeopardize[9] your reputation. Don't go to his house in the evenings...

Катя: I am sick and tired of such words! Life has changed for the better[10]; people have become more honest[11]. Ivan and I will remain friends. By the way, who told you that I am planning to become his wife? You yourself have never been married. Why are you so interested in such things?

Тётя: But you are infatuated with him, aren't you[12]? According to our concepts, you are considered (use the reflexive) his fiancee. Don't shake your head.

Катя: OK, I won't. But - do you hear? Ivan has come

---

[1]*бýлочки* [2]*чýдно* [3]*собирáться* [4]*счетовóд* [5]*необразóванный* [6]*бáрин* [7]*самокритика* [8]*так как* [9]*рисковáть* [10]*к лучшему* [11]*чéстный* [12]*не правда ли?*

(continued)

for me. I must say good-bye to you (use *проститься*). So long[1].

Тётя: And what happened to (my) tea and the buns?

[1]*всего хорошего*

E. The Instrumental Case in the Passive

The agent in the passive is always expressed by the instrumental case, whether the action has been completed or not.

КЕМ? -By whom?
ЧЕМ? -By what?

Examples (примéры):

Кем была нáчата войнá 1-ого сентября, 1939-ого года?	*-By whom was the war started on Sept. 1, 1939?*
Нéмцами.	*-By the Germans.*
Кем строится этот мост?	*-By whom is this bridge being built?*
Инженéрами одной известной фирмы.	*-By the engineers of a well-known firm.*
Чем был уничтóжен этот город?	*-By what was this city destroyed?*
Сильным землетрясéнием.	*-By a strong earthquake.*
Чем будут уничтожáться таракáны?	*-By (with) what will the cockroaches be destroyed?*
Я́дом.	*-By poison.*

Exercise 24a:

Ответьте на следующие вопросы:

1. Чем был убит этот человек? */бомба/*
2. Кем написаны эти пóвести? */молодые прозáики/*
3. Чем измеря́ется температура?*/грáдусник, термóметр/*
4. Кем делаются обыкновенно эти ошибки? */младшие ученики/*
5. Чем едят борщ? */столóвые ложки/*

(continued)

6. Чем покрыт стол? /*чистая ска́терть*/
7. Кем будут прочитаны эти сочине́ния? /*наши учителя русского языка*/
8. Чем ребёнок был испу́ган? /*страшный шум*/
9. Кем обыкновенно украшалась рожде́ственская ёлка? /*старшие дети*/
10. Чем ты так удивлён? /*последнее сообще́ние по радио*/
11. Чем Катя была поражена́[1]? /*чу́дный вид на море*/
12. Кем будут проводи́ться[2] о́пыты[3] в лаборатории? /*юные учёные*/
13. Чем ты огорчён[4]? /*отсу́тствие[5] друзей*/

---

[1]*astounded* [2]*carry out* [3]*experiments* [4]*saddened* [5]*absence*

Exercise 24b:

Review the Past Passive Participles; change the following sentences into the Passive.

Example:

Мой брат купил эту собаку. /*-н-*/
→ Эта собака ку́плена*моим братом.
(This dog has been bought by my brother.)

---

*Remember: *-и* changes to *е* before *н*.

1. Войну выиграли сою́зники - Англия, Франция, и Советский Союз. /*-н-*/
2. Платье сшили в Париже. /*-т-*/
3. Бабушка рассказала малышу́ длинную сказку. /*-н-*/
4. Русские разру́шили эту деревню. /*-н-*/
5. Враги́ убили всех жителей этого города. /*-т-*/
6. Наши гости выпили всё вино. /*-т-*/
7. Моего дедушку вылечил один хороший врач. /*-н-*/
8. Офицеры не брали пленных. /*-т-*/
9. Кто выиграет большие деньги? /*-н-*/
10. Дети с удовольствием съедят пиро́г *(pie)*. /*-н-*/
11. Отец купил вечернюю газету на вокзале. /*-н-*/
12. Говорящий по-русски гид встретил туристов на аэропорте. /*-н-*/

Exercise 24c:

Change into the Passive:

(continued)

Example:

Богатые люди покупают дорогие вещи.
→ Дорогие вещи покупаются богатыми людьми.
(Expensive things are being bought by rich people.) (continuous action)

1. Купцы продают разные товары.
2. Купцы продавали разные товары.
3. Купцы будут продавать разные товары.
4. Купцы продавали бы разные товары, если бы это было возможно.

5. Этот поэт пишет современные стихи.
6. Этот поэт писал современные стихи.
7. Этот поэт будет писать современные стихи.
8. Этот поэт писал бы современные стихи, если бы кто-нибудь читал их.

9. Большая армия охраняет *(protect)* южную границу страны.
10. Большая армия охраняла южную границу страны.
11. Большая армия будет охранять южную границу страны.
12. Большая армия охраняла бы южную границу страны, если бы это было возможно.

Exercise 25: COMPREHENSIVE REVIEW

Прочитайте следующий отрывок несколько раз вслух. Обращайте при этом внимание на конструкции с творительным падежом. Переведите отрывок на английский язык, а потом снова на русский.

Воспоминания

Летом перед началом Второй мировой войны (Отечественной войны) мы жили всей семьёй в небольшой деревне под горкой на берегу озера. Рядом с нами поселились[1] какие-то школьники, которые занимались естествознанием под руководством[2] молодого учителя. Мы скоро подружились с этой молодёжью и с удовольствием проводили вечера вместе с ними. Так как озеро было полно разнообразной рыбы, а я интересовался тогда рыбной ловлей и сетями[3], и удочкой, то случалось довольно често, что кто-нибудь из наших юных друзей ранним утром заходил за мной с удочкой. Потом

[1] *came to live* [2] *guidance* [3] *net*

(continued)

мы сидели часами у са́мого берега, наслажда́ясь свежим у́тренним во́здухом и любу́ясь восхо́дом солнца. Ша́рик, рыжий пёсик[1] с белыми уша́ми и ла́пками[2] - наш верный спутник - следовал за нами и с восто́ргом, не мигая глазами, следил за каждым движе́нием поплавка́[3]. Па́хло сы́ростью[4] летнего утра; нам временами казалось, что всё челове́чество должно нам зави́довать - в осо́бенности, если кому-нибудь из нас удавалось поймать хорошую рыбку. Как мы восхищались и гордились своим уме́нием[5] - обращаться с у́дочкой! Между девятью и десятью часами кто-нибудь непреме́нно[6] спускался к нам из дачи и громким голосом заявлял, что нас ждут с нетерпе́нием к у́треннему кофе. Мы качали головой, чтобы показать, что нам не до кофе[7], но всётаки[8], махнув рукой и разбросав[9] червей[10] по бе́регу, отправля́лись быстрым ша́гом вверх по тропи́нке. За за́втраком, конечно, все шутили и подсме́ивались над рыболо́вами. Особенным остроу́мием отличался брат Николай, говоря, что мы же́ртвуем собой для бла́га[11] семьи́, что нам, по правде сказать, давно уже надоело рыболо́вство, но что тщесла́вие[12] не даёт нашим ду́шам поко́я, и т.д. Конча́лся завтрак обыкновенно нашим торже́ственным[13] обещанием, что завтра-то мы непременно угостим всех замечательной ухой[14].

По вечером мы сидели перед ками́ном - каждый был занят своим делом: кто выреза́л ножо́м деревянные ложки, кто занимался почи́нкой[15] у́дочки, кто обсужда́л[16] за́втрашнюю прогу́лку[17] за я́годами... А наш Шарик, чуть-чуть виля́я хвостом, посматривал на всех по о́череди своими умными глазами, как-будто спрашивал, не пойдёт ли кто-нибудь вечерко́м ещё погулять... Так проходил день за днём. За беззабо́тным препровожде́нием времени[18] мы и не замечали, что лето подходило к концу.

---

[1]*dog* [2]*paws* [3]*float* [4]*humidity* [5]*know-how*
[6]*for sure* [7]*нам не до кофе - we had other things on our minds besides coffee* [8]*all the same* [9]*throw around*
[10]*worms* [11]*went* [12]*the good* [13]*vanity* [14]*solemn*
[15]*fish soup* [16]*fixing* [17]*discuss* [18]*excursion*
[19]*passing of time*

CHAPTER 3

THE ACCUSATIVE CASE

(Винйтельный падéж)

Reminder: The *Direct Object* is always in the Accusative Case.

a) Pay attention to the *passive construction* in such sentences as:

Мук*ý* и картошк*у* продавали в колхозе.

b) *Note:* просить/попросить, спрашивать/спросить, стóить *(to cost)* + accusative

Ex.: Я *попросил Наташу*, чтобы она купила мне книгу.
Я *спросил тётю Валю* - который час?
Конфетка *(candy) стóила* только *одну копейку*.

c) The distance covered by an action is expressed by the accusative even if the verb is intransitive.

Мы шли *всю дорогу* мóлча.
Мы торопйлись *всю дорогу*.

d) Do NOT carry over into Russian such English accusative constructions as:
It is me; It was her, him; It is us, them...

Use instead:

It is I	- Это я.
It was she, he	- Это была она, был он.
It is we, they	- Это мы, они.

Compare the information given on this in the chapter on the nominative case.

e) The following prepositions require the accusative:

про	- *about*
сквозь	- *through*
через	- *through; across*
несмотря́ на	- *in spite of*

Я узнал всё про Ивана.
-*I found out everything about Ivan.*
Ничего не было видно сквозь туман.
-*Nothing was visible through the fog.*
Иди осторóжно через улицу.
-*Walk carefully across the street.*
Мы вернёмся через час.
-*We will return in one hour.*

Он живёт через улицу от нас.
-He lives across the street from us.
Мы разговаривали через перево́дчика.
-We talked through a translator.
Несмотря́ на плохую погоду, все гости пришли.
-In spite of the bad weather, all the guests came.

A. The Accusative used to denote the Definite Goal of a Motion

Where? (Wither?)	Куда? (German 'wohin'?)	в, под, на, за + acc.

This applies also to all verbs of motion and transportation, with or without a prefix, expressing moving, carrying, delivering, taking somewhere:

Куда побежали дети?	- в сад, в школу, на гору, на улицу, за́ угол, по́д гору.
Куда летит этот самолёт?	- в Москву, в Евро́пу, в Афи́ны[1], на Кавка́з.
Куда переехал Борис?	- в Киев, на юг, на главную улицу, в Южную Америку, за́ город.
Куда Иван уехал?	- в город, на собрание, на ска́чки[2], на войну, на фронт, на Волгу.
Куда поле́з Коля?	- на дерево, через забо́р, на крышу́.
Куда пры́гнула собака?	- на постель, за дверь, под стол, в во́ду.
Куда уползла́ змея́[3]?	- под ка́мень, за куст, в тень[4].
Куда ты спешишь?	- на ту сторону, на работу, в лавку, в клуб, на лекцию.
Куда Наташа так торо́пится?	- в универмаг, на большую распрода́жу[5].
Куда вы собираетесь?[6]	- на выставку, за Дон, в горы.
Куда Иван повезёт вас?	- на концерт, в школу, на урок музыки, в цирк.

---

[1]*Athens* [2]*races* [3]*snake* [4]*shade* [5]Nouns that take *на* in the prep. case to express location take *на* in the acc. case as well, to express motion. Compare the list given in the chapter on the prep. case. [6]*Where are you getting ready (planning) to go?*

Куда ты несёшь продукты[7]? - в кухню, в погреб, в холодильник, на продажу[8].

Куда Наташа повела Катю? - на гору, в лавку, на лекцию, в свою комнату.

Куда он гонит коров? - в поле.

---

[7]*groceries* [8]*for sale*

Note: In Russian, motion with a definite goal is implied in the following verbs:

КУДА? + *ACCUSATIVE*

- класть/положи́ть *-to put, to place*
- ста́вить/поста́вить *-to put/place in an upright position*
- ве́шать/пове́сить *-to hang*
- сади́ться/сесть *-to sit down*
- ложи́ться/лечь *-to lie down*
- прибыва́ть/прибы́ть *-to arrive*
- дева́ть/деть[1] *-to put*
- сова́ть/су́нуть[2] *-to put*

[A similar situation exists in German with the verbs legen, setzen, stellen, sich setzen + acc]

Куда ты поло́жишь ключ от двери? - в су́мку, на по́лку[2], в карман, под коврик[3], за ка́мень.

Куда Иван поставил вазу с цветами? - на стол, в угол, под скамейку, за шкаф.

Куда ты пове́сишь эту картину? - на стену.

Куда ты пове́сишь пальто? - на крючо́к, в шкаф, на спинку[4] стула.

Куда Наташа села? - на скамейку, на лучшее место, в траву́, под окно, за дверь.

Куда вы при́были утром? - в Испанию, в Мадрид, на о́стов Кипр, в деревню Сосно́вку, в Афи́ны.

---

[1]*дева́ть/деть* is not used in an affirmative sense. It implies casual misplacement; *сова́ть/су́нуть* conveys careless placement. [2]*shelf* [3]*rug* [4]*back*

Note: The verb путешествовать *(to travel)* does not imply a definite goal, as does прибывать/прибыть and is therefore not used with the accusative case.

путешествовать по Советскому Союзу (=dative)
BUT:
ездить/ехать/поехать/съездить - Куда? - заграницу.[1]

Поговорка: (Попасть) не в бровь, а в глаз.
-to hit the nail on the head.

[1]*заграницу* used to be written as two words:
за границу - beyond the border.

Exercise 1:

Ответьте полной фразой - употребляя *на* или *в* - на следующие вопросы:

1. Куда вам хочется поехать? *(Кавказ, Африка, Италия, Волга, Крым, Альпы, Кипр)*
2. Куда вы прибыли утром? *(город Москва, Египет, Рим,[1] конгресс, Японие, Одесса)*
3. Куда Иван приедет завтра? *(Китай,[2] собрание, университет, балет, репетиция)*
4. Куда тётя Лиза собралась? *(концерт, опера, спектакль, банк, рынок, выставка)*
5. Куда дядя Федя отправляется? *(операция, больница, аукцион, отпуск, полиция)*
6. Куда ты любишь ездить? *(гости, Афины, Россия, остров Капр, море)*
7. Куда Анна идёт? *(берег, работа, вокзал, цирк, лавка, кухня, церковь)*
8. Куда Иван положил наши билеты? *(карман, книжная полка, моя сумка, подоконник[3])*
9. Куда ты поставишь цветы? *(хрустальная ваза, столовый стол, кухонный подоконник, наша спальня)*
10. Куда ты опять дел словарь? Я положил его *(полка, письменный стол, твой портфель)*
11. Куда вы хотите повесить карту? *(на передняя стена)*
12. Куда Нина повесила свою жакетку? *(стул, вешалка,[4] шкаф, гвоздь[5])*

[1]*Rome* [2]*China* [3]*window sill* [4]*hanger* [5]*nail*

13. Куда вы ходили вчера вечером? *(консультация, ресторан, обед, чай, опера, вечеринка, медицинское исследование[6])*

14. Куда Володя сунул палец? *(рот, ухо, ноздря[7])*

15. Володя на лекцию успел (поспел)? *(да, и на лекцию, и ...библиотека, и ...дискуссия)*

16. Куда ты везёшь столько яблок? *(рынок, магазин, продажа, город)*

17. Куда Иван повёл своего товарища? *(работа, музей, столовая, спальня)*

18. Куда Наташа несёт цветы? *(своя комната, кухня, наша церковь, могила[8] отца)*

19. Куда пассажиры приехали в полдень? *(маленькая деревня, столица, большой порт)*

20. Куда перевезли больного? *(хорошая больница, новый дом, Советская Россия)*

21. Куда повели мальчика? *(начальная школа, урок музыки, хорошая пьеса)*

22. Куда вывозят американские товары? *(Африка, Европа, Азия, Австралия)*

23. Куда твои друзья переехали? *(Калифорния, Южная Америка, маленькая деревня)*

24. Куда ты отнёс книги? *(наша библиотека, открытый рынок, книжная лавка)*

---
[6] *examination* [7] *nostril* [8] *grave*

Exercise 2a:

Прочитайте следующий диалог и обратите внимание на конструкции с винительным падежом.

Разговор между бабушкой и внучкой

Бабушка: И куда ты всё время носишься[1]?! То в театр, то в город, то на репетицию, то в клуб на дискуссии какие-то, то ещё куда-то...

Ира: Ещё можешь прибавить - в лабораторию, в анатомический театр[2], на вскрытия трупов[3], в клинику, на дежурство[4] и т.д., и т.д. Я ведь и в такие места тоже „ношусь" - или как?

Бабушка: Ладно, ладно - ты лучше скажи, как это у тебя

---
[1] *rush* [2] *dissecting room* [3] *autopsy* [4] *duty*

получа́ется[5], что, несмотря́ на все эти лаборатории и анатомические театры, ты и на танцульки тоже успеваешь?

Ира: Ты теперь, бабу́ся, про что говоришь?

Бабушка: А про то, что кавале́р-то твой вчера под окно приходил как кот серена́ду петь и цветы на балкон принёс. А ты в окно выпрыгнула. Потом вы бегом на берег спусти́лись, в лодку прыгнули и через всё озеро на ту сто́рону отпра́вились. Я всё в окно видела. Это вы в анатоми́ческий театр на вскры́тие спешили? Да?

Ира: Ах, какую замечательную бабу́сю мне Бог дал! Такой другой и не найдёшь на всём свете! Дело в том, бабу́ся, что надо в жизни всюду[6] успеть - и на свидание[7], и на вскрытие, и на серенаду! Сядь-ка на диванчик, и я тебе секрет расскажу...

Бабушка: Не до секретов мне[8]... Скажи лучше, куда дева́ть все эти вещи, которые ты принесла́ в гостиную? Я их ещё не рассмотрела...

Ира: Сейчас увидишь: Скеле́т, например, можно повесить прямо на стену ко мне в спальню - ведь я будущий медик - или, может быть, - в твою, А?

Бабушка: Что?! Это что за шутка! Ты принесла в дом настоя́щий скелет?!

Ира: А куда-же его деть - может быть под лампу подве́сить? Нам привезли в клинику разные нужные вещи для учения, я и взяла... А теперь мне бежать пора, а то[9] опоздаю...

Бабушка: Опоздаешь на лекцию или на серенаду?

Ира: На вокзал! Сегодня в нашу деревню приезжает не́кий[10] господин...он придёт в наш дом...он привезёт целую карзи́ну цветов, а может быть и гитару... Бегу, бегу на станцию...

Бабушка: А секрет...?

Ира: Вот секрет-то я и приведу с собой - прямо в гостиную.

---

[5]*how does it work out?* [6]*everywhere* [7]*rendezvous* [8]*I have other things on my mind* [9]*otherwise* [10]*a certain*

Exercise 2b:

Ответьте как можно точнее[1] на следующие вопросы.

1. Куда Ира всегда спешит?
2. Куда приходил кавале́р?
3. Куда Ира принесла какие-то вещи?
4. Куда Ира предлага́ет повесить скелет?
5. Куда привезли нужные вещи?
6. Куда Ире пора бежать?
7. Как вы думаете - что за[2] секрет у Иры?

[1]*as exactly as possible* [2]*what kind*

B. Verbs with за + Accusative

	Noun
беспоко́иться за кого-нибудь *-to worry about someone*	беспоко́йство
благодарить/поблагодарить за что-н. *-to thank for something*	благода́рность
боро́ться за что-нибудь *-to fight for the sake of something*	борьба́
бояться за кого-нибудь *-to fear for someone*	боя́знь (Ж)
волнова́ться за кого-нибудь *-to worry about someone; to be apprehensive*	волнение
выходить/выйти замуж за кого-нибудь *-to marry someone (used with women only)*	заму́жество
делать/сделать что-н. за кого-н. *-to do something in place of s.o. else*	
заступа́ться/заступи́ться за кого-н. *-to stand up for someone*	
извинять/извинить за что-нибудь *-to pardon for something*	извине́ние
извиняться/извиниться за что-н. (у кого-н.; перед кем-нибудь) *-to apologize for something (to someone)*	

казни́ть кого-н. за что-нибудь — казнь (Ж)
-to execute someone for something

мстить/отомсти́ть кому-н. за что-н. — месть (Ж)
-to take revenge on s.o. for sthg.

нака́зывать/наказа́ть кого-н. за что-н. — наказа́ние
-to punish someone for something

отвечать/ответить за что-нибудь — отве́тственность (Ж)
-to answer (assume responsibility) for something

пить/выпить за кого-/что-нибудь
-to drink to someone/something

платить/заплатить за что-нибудь — плата
-to pay for something

получать/получить за что-нибудь
-to receive for something

принимать/принять кого-нибудь за что-нибудь
-to take someone for something

продавать/продать за что-нибудь — прода́жа
-to sell for something

прощать/простить кого-н. за что-н. — проще́ние
-to forgive someone for sthg.

ра́доваться/пора́доваться за кого-н. — ра́дость (Ж)
-to be happy for someone

стоять за кого-/что-нибудь
-to stand for s.o./sthg.; to back up s.o./sthg.

считать кого-нибудь за что-нибудь
-to consider someone to be sthg.

убивать/убить кого-н. за что-н. — уби́йство
-to kill someone for sthg.

Note: водить кого-нибудь за нос
-to deceive someone

брать/взять кого-нибудь за руку
-to take someone by the hand

тро́гать/тро́нуть кого-нибудь за плечо́
-to touch someone on the shoulder

взяться за ум
-to come to one's senses

Note: отве́тственность за кого-/что-нибудь
-responsibility for someone, something

я рад/рада (мы рады) за Ивана
-I am glad for Ivan's sake

Спасибо за всё! -Не́ за что!
-Thanks for everything! -You are welcome!

Exercise 3:

a) Study the following sentences.
b) Cover the Russian text and reconstruct it.

Иван беспокоился за сестру: сдасть ли она экзамен?
-Ivan worried about his sister; will she pass the exam?

Дети поблагодарили дядю за подарки.
-The children thanked their uncle for the presents.

Люди всегда будут боро́ться за свобо́ду.
-People will always fight for freedom.

Борис боялся за жену: она была в опа́сности.
-Boris feared for his wife; she was in danger.

Борис волнова́лся за жену: где она? Ведь уже поздно!
-Boris was apprehensive about his wife. Where was she? It was already late.

Наташа вышла замуж за учителя.
-Natasha married a teacher.

Иди спать! Я сделаю всё за тебя. Ты болен.
-Go to bed! I will do everything in your place. You are sick.

Почему ты не заступи́лся за Ивана? Ведь он неви́нен!
-Why didn't you stand up for Ivan? He is innocent.

Извини меня за мои резкие слова!
-Excuse (pardon me for) my sharp words.

Этот человек был казнён за изме́ну.
-This man was executed for treason.

В Сици́лии до сих пор ещё мстят друг другу за оби́ду.
-In Sicily to this day they still take revenge on each other for insults.

Престу́пник был наказан за убийство.
-The criminal was punished for the murder.

Касси́р отвечает за деньги в банке.	-*The cashier is responsible for the money in the bank.*
Выпьем за побе́ду!	-*Let's drink to victory!*
Сколько ты заплатил за эту книгу?	-*How much did you pay for this book?*
Я получил награ́ду за свою работу.	-*I received an award for my work.*
Маша не узнала меня и приняла́ за кого-то другого.	-*Masha did not recognize me and took me for someone else.*
Мы продали дачу за большую сумму денег.	-*We sold our country house for a large sum of money.*
Прости меня за всю эту неприятную историю!	-*Forgive me for this disagreeable affair.*
Простите за беспоко́йство!	-*Pardon me for disturbing you.*
Я радуюсь за Анну - она сдала все экзамены.	-*I'm happy for Anne - she passed all her exams.*
Толстой стоял за правду и справедли́вость.	-*Tolstoy stood for truth and justice.*
Все считали Володю за талантливого музыканта.	-*Everyone considered Volodya a talented mucisian.*
Этот человек был убит за преда́тельство.	-*This man was killed for treason.*
Ты так долго водил меня за́ нос, что я больше не верю тебе.	-*You have deceived me for so long that I don't believe you anymore.*
Николай, возьмись, наконец, за ум и начни́ или работать, или учиться!	-*Nikolai, pull yourself together and either start working or studying!*
Вася взял меня за руку и повёл через мост.	-*Vasya took me by the hand and led me over the bridge.*
Note: Я не сделаю этого ни за что на свете.	-*I won't do it for anything in the world.*

Exercise 4:

Ответьте полной фразой на следующие вопросы:

1. За что вы готовы бороться? *(правда, справедли́-вость, свобо́да, лучшая жизнь)*
2. За что Иван поблагодарил отца? *(де́нежная по́мощь, мора́льная подде́ржка*[1]*)*
3. За кого Наташа сегодня работает? *(больная подруга, уехавшая домой слу́жащая*[2]*)*
4. За что ты так много заплатил? *(французская газета, красивая вещь)*
5. За кого Володя так волнуется? *(уехавшая неве́ста*[3]*, заболевшая мать)*
6. За что мальчик нака́зан? *(плохая отметка, плохое поведе́ние*[4]*)*
7. За кого ты опять заплатил? *(моя подруга, несколь-ко*[5] *товарищей)*
8. За кого Вера вышла замуж? *(один симпати́чный юрист)*
9. За кого надо заступа́ться? *(хорошие люди, свои друзья, неви́нные)*
10. За кого ты принял Ивана? *(чужой человек, богатый иностра́нец)*
11. За кого вы считаете нашего президента? *(поря́доч-ный*[6] *человек, хи́трый*[7] *поли́тик)*
12. За что ты извиняешься? *(плохая работа, неуда́чная статья)*
13. За кого адвокат должен заступа́ться? *(свои клиенты, обвинённые*[8] *(подсудимые*[9]*))*
14. За что отвечают родители? *(поведе́ние детей, раз-битая детьми посуда*[10]*, сло́манная мальчиком мебель)*
15. За кого вы стоите? *(новый президент, мои товарищи, наш сенатор)*
16. За что Иван боится? *(своя репутация, своя жизнь)*

---

[1]*moral support* [2]*employee (fem.)* [3]*fiancee* [4]*behavior*
[5]Remember to put this in the proper case [6]*decent*
[7]*clever* [8]*accused ones* [9]*defendants* [10]*broken dishes*

Exercise 5:

а) Прочитайте следующий диало́г и обратите внимание на конструкции с *за* + винительный падеж.
б) Переведите диало́г на английский язык а потом сно́ва на русский.
в) Выучите диало́г наизу́сть.

Подруги разговаривают

Оля: Послушай, Надя, у тебя жар - не ходи на работу!

Надя: Что ты! За таких крепких, как я, не надо беспокоиться.

Оля: Но я боюсь за твоё здоровье; помнишь, как ты болела в прошлом году? Я с удовольствием пойду и поработаю за тебя.

Надя: Оля, ты, действи́тельно, что-то вроде[1] а́нгела небе́сного! Всегда готова сделать всё, что угодно[2], за друзей - хотя редко кто говорит тебе спасибо за по́мощь и дру́жбу.

Оля: Что же это была бы за дружба, если бы я ожидала благода́рности!

Надя: Хорошо, но ведь мне пла́тят за работу, а не тебе! Ведь *я* получаю 3 рубля в час за время, которое провожу за пишущей машинкой.

Оля: Я и рада за тебя, что тебе удалось[3] найти такое хорошее место. Но сейчас не об этом речь[4]... Полежи́ немножко!

Надя: А кто засту́пится за меня если наш милейший[5] шеф решит, что я вожу его за́ нос?

Оля: Ерунда́[6]! Я беру отве́тственность за после́дствия[7] на себя.

Надя: Ну, спасибо тебе за всё - за доброе ко мне отноше́ние...

Оля: Не́ за что! Нашла за что благодарить.[8]

---

[1]*something like* [2]*anything*
[3]*you succeeded* [4]*we don't talk about that*
[5]*nice (slightly ironic)*
[6]*nonsense!* [7]*consequences*
[8]*That's nothing to be thankful for.*

Exercise 6: REVIEW

Переведите на русский язык:

1. Misha was worrying about his friend Alexey who had a headache. "Go see a doctor. I will work in your place at the library. You need not pay me for this." But Alexey rejected this suggestion.
2. Ivan had no money (in order) to pay for the expensive book which he wanted to buy. He decided to borrow 20 roubles from his brother who had received a small sum of money for an article.
3. A judge[1] must stand for justice. A lawyer must defend his client. Neither of them should[2] fear for his reputation is he fights for justice. The people will thank them for their courage[3].
4. "Please, pardon me for bothering you[4], but I would like to ask of you[5] your daughter's address. Don't take me for an impertinent[6] fool...I would like to sell her a wonderful picture for only one thousand roubles. I have heard that she is going to marry a lawyer soon."
5. Did you see the bill[7] for the drugs[8]? I must pay an entire fortune[9] for different kinds of pills[10] which I don't need. I will never forgive that doctor for all those crazy ideas that he got into his head.[11] What a fool!
6. Someone asked me how much I had paid for this dress... I told everyone that it cost exactly one thousand and one Swedish crowns[12]. Maybe they would have sold me this dress for 900 crowns.
7. Sonya took her younger brother by the hand and led him behind the garage. There they sat down on a large rock and waited for a whole hour. In spite of the dark night and the late hour the children did not feel tired.
8. When you arrived in Paris[13], where did you go? And where did you put all your things? I consider Paris a dangerous city, and I always worry for people who go there. I would not live there for anything in the world. What about you?[14]

---

[1] *судья́* [2] *не должен* [3] *хра́брость* [4] *за беспоко́йство.* [5] *у вас* [6] *наха́льный* [7] *счёт* [8] *лека́рство* [9] *целое состо́яние* [10] *пилю́ля* [11] *пришли ему в голову* [12] *кро́на* [13] *Пари́ж* [14] *а вы?*

C. Verbs with на + Accusative

	Noun
влия́ть/повлия́ть на кого-/что-н. *-to influence (have an effect on) s.o. or sthg.*	влия́ние на
гляде́ть/взгляну́ть на кого-/что-н. *-to look at, glance at s.o./sthg.*	взгляд на[1]
жаловаться/пожаловаться на кого-/что-нибудь *-to complain of s.o./sthg.*	жа́лоба на
идти/пойти на что-нибудь *-to agree to do something serious*	
клевета́ть на кого-нибудь (оклеветать кого-нибудь) *-to slander someone*	клевета́ на
кричать/накричать на кого-нибудь *-to shout at someone*	крик на
наде́яться/понаде́яться на кого-/что-нибудь *-to hope, to rely on s.o./sthg.*	надежда на
намека́ть/намекнуть на что-нибудь *-to hint at something*	намёк на
обижа́ться/оби́деться на кого-/что-н. *-to take offense at s.o./sthg.*	оби́да на
обраща́ть/обрати́ть внимание на кого-/что-нибудь *-to pay attention to s.o./sthg.*	
охо́титься/поохо́титься на кого-н. *-to hunt for someone*	охо́та на
переводить/перевести на какой-н. язык *-to translate to some language*	перевод на
поступать/поступить на факультет, службу *-to enroll*	
походить на кого-нибудь[2] *-to resemble someone*	сходство с

---

[1] *взгляд* means both 'glance' and 'point of view'

[2] *походить на = быть похож (им/ей/ими) на...*
Сергей похо́ж на отца. Анна похо́жа на мать.
Дети похо́жи на родителей.
Это ни на что не похо́же! - This is awful!

производи́ть/произвести́ впечатле́ние на кого-нибудь
-to make an impression on s.o.

раздража́ться/раздражи́ться на кого-/что-нибудь — раздраже́ние на
-to be irritated at s.o./sthg.

рассчитывать на кого-/что-н.
-to count on s.o./sthg.

решаться/решиться на что-н. — реше́ние
-to decide upon something

сердиться/рассердиться на кого-н.
-to get angry with someone

смотреть/посмотреть на кого-/что-н.
-to look at someone/something

соглашаться/согласиться на что-н. — согла́сие на (соглаше́ние)
-to agree to something

тра́тить/истра́тить (потратить) время, усилие, и т.д. на кого-/что-нибудь — тра́та на
-to spend time, energy, etc. on s.o./sthg. (has a negative connotation)

Special Constructions with на + Accusative

На какие деньги ты живёшь?	*-What do you live on?*
На какую сумму (на сколько) вы купили золота?	*-For how much did you buy the gold?*
На тысячу долларов.	*-For a thousand dollars.*
Вы играете в карты на деньги?	*-Do you play cards for money?*
Иногда умнее пойти на компроми́сс.	*-Sometimes it is more intelligent to accept a compromise.*
Закрой дверь на ключ.	*-Lock the door.*
Вот тебе деньги на новую юбку.	*-Here's money for you for a new skirt.*
Банк был огра́блен на тысячу долларов.	*-The bank was robbed of a thousand dollars.*

Ha + Acc. = By how much?

Вода в реках подняла́сь (упа́ла) на целый метр.	*-The water in the rivers rose (fell) a whole meter.*

Мой долг уменьши́лся на половину.	-*My debt has fallen by half.*
Мой долг увели́чился на тысячу долларов.	-*My debt has risen by a thousand dollars.*
Мальчик вырос на один дюйм.	-*The boy grew an inch.*
делить/разделить что-н. на несколько частей	-*to divide something into equal parts*
разбива́ть/разби́ть что-н. на мелкие кусо́чки	-*to break something into small pieces*
резать/разрезать что-н. на куски	-*to cut something into pieces*
Он старше меня на год.	-*He is a year older than me.*
Каждый должен иметь право на работу.	-*Everyone should have the right to work.*
чек на } большую сумму, тысячу, миллион долларов	-*a check for...*
сумма на } большую сумму, тысячу, миллион долларов	-*the sum of...*
счёт на } большую сумму, тысячу, миллион долларов	-*a bill for...*
ве́ксель на } большую сумму, тысячу, миллион долларов	-*a promissory note for...*
Читать стихи на память	-*To read poetry from memory*
Note: Иван дал мне руку на прощание.	-*Ivan shook my hand in parting.*
Дай мне на всякий слу́чай доллар!	-*Give me a dollar - just in case.*
„На вкус и на цвет товарищей нет"	-*Proverb: There's no arguing about taste.*

Exercise 7:

a) Study the following sentences.
b) Cover the Russian text and reproduce it.

Смерть отца повлияла на решение Бориса не возвращаться в университет.	-*His father's death had an influence on Boris's decision not to return to the university.*

(continued)

Мы долго глядели на звёздное небо. — *For a long time we looked at the starry sky.*

Миша любит жа́ловаться на трудную жизнь. — *Misha likes to complain of a difficult life.*

Честный человек никогда не пойдёт на по́длость. — *An honest man will never agree to do something mean.*

Нельзя клевета́ть ни на кого. — *One should not slander anyone.*

На́чальник накричал на слу́жащего. — *The boss shouted at the employee.*

Я надеюсь на хорошую погоду. — *I hope for nice weather.*

Я надеюсь на твою помощь. — *I rely on your help.*

На что ты намека́ешь? — *What are you hinting at?*

Наташа сказала Ивану, что ей с ним скучно, и он оби́делся на это. — *Natasha told Ivan that she was bored in his company and he took offense at this.*

Когда будешь в Ленинграде, обрати внимание на красоту города. — *When you are in Leningrad, pay attention to the beauty of the city.*

Отец любил охотиться на лис и за́йцев. — *Father liked to hunt foxes and rabbits.*

Нина перевела всю статью на русский язык. — *Nina translated the entire article into Russian.*

Вася поступил на медицинский факультет. — *Vasya enrolled in medical school.*

Домик походил на дереве́нскую ха́ту. — *The little house resembled a village hut.*

Путеше́ствие по Советскому Союзу произвело́ на туристов большое вп́ечатление. — *The trip around the Soviet Union made a great impression on the tourists.*

Читатели в библиотеке раздража́лись на шум с улицы. — *The readers in the library got irritated at the street noise.*

Мы рассчи́тывали на хорошую погоду. -*We counted on good weather.*

Наконец Володя решился на серьёзный разговор с Ниной. -*Volodya finally decided to have a serious conversation with Nina.*

Учитель очень рассердился на Наташу. -*The teacher got very angry at Natasha.*

Посмотри на собаку - она такая смешна́я! -*Look at the dog - it's so funny!*

Мы согласились на предложе́ние гида. -*We agreed to the guide's suggestion.*

Как ты мог истра́тить столько денег на ерунду́? -*How could you spend so much money on nonsense?*

Твой отец потратил много уси́лия и эне́ргии на твоё воспита́ние. -*Your father spent a lot of effort and energy on your education.*

Exercise 8:

а) Прочитайте следующий отрывок несколько раз вслух.
б) Переведите его с русского на английский, а затем снова на русский.
в) Перескажите его как можно точнее.

Феодор Шаля́пин жил в небольшой деревне, где никто не обращал внимания на него. Никто не смотрел на него как на ребёнка, чем-нибудь отлича́ющегося[1] от других детей. Он не мог рассчи́тывать на особенное внимание со стороны взро́слых[2], так как детей было в семье много. Будущий знаменитый певец и актёр в детстве занимался теми же самыми делами, как и все остальны́е - катался на санях зимой, а летом на душегу́бке[3], ездил на рыбную ло́влю, получал кала́ч[4] на пра́здник и жил обыкновенной жизнью обыкновенного деревенского па́рня. Ему и в голову не приходило надеяться на какие-нибудь измене́ния в жизни. Он, действительно, был во всех отноше́ниях[5] похож на какого уго́дно[6] мальчика из небогатой семьи и долго не производил ни на кого впечатле́ния исключи́тельно талантливого ребёнка.

(continued)

[1]*stand out* [2]*grown-ups* [3]*canoe* [4]*a special kind of bun*
[5]*in every respect* [6]*any*

Однако, со временем, окружа́ющие[7] стали замечать, что музыка и пение как-то особенно сильно влияли на него, и один из первых его учителей стал интересоваться его судьбо́й.

Мы знаем о детстве Шаляпина из его со́бственных воспомина́ний. Он рассказывает о жизни в деревне с теплото́й и ю́мором, не жалуясь ни на бедность, ни на отсу́тствие[8] хорошей школы. Он не чувствовал оби́ды ни на кого. - Интересно читать о влия́нии театра на Шаляпина - подро́стка[9]. Шаляпин замечательно описывает то впечатле́ние, которое на него произвёл первый, ви́денный им спекта́кль. - В ранней молодости Шаляпин решился на долгое стра́нствование по России вместе с Максимом Горьким. Забавны[10] некоторые их приключе́ния[11]. Как Шаляпин однажды рассердился и оби́делся на товарища, когда не его, а Горького приняли в хор пе́вчим[12]! Оба они впоследствии[13] не раз[14] смеялись от души́[15], вспоминая этот эпизо́д.

[7] *those surrounding* [8] *absence* [9] *teenager* [10] *funny*
[11] *adventure* [12] *пе́вчий - someone who sings in a church choir*
[13] *later on* [14] *many times* [15] *heartily*

Exercise 9:

Ответьте полной фразой на следующие вопросы:

1. На что люди надеятся? *(чудеса́[1], уда́ча, счастли́вый слу́чай, верный друг, выгодная[2] работа)*

2. На что вам хотелось бы пожа́ловаться? *(ленивая ученица, строгий директор, неприятные люди)*

3. На кого ты сердишься? *(мои родители, младшая сестра, глу́пый щенок)*

4. На что Иван должен ответить? *(спе́шная[3] телеграмма, хорошее предложение)*

5. На кого Шаляпин произвёл большое впечатление? *(публика, все профессора, учителя консерватории)*

6. На что ты обратила внимание? *(мо́дная причёска, интересная картина)*

7. На кого ты не обращаешь внимания? *(маленькие дети, городские хулига́ны, бездомные собаки)*

[1] *чудо - чудеса - miracle* [2] *well-paid* [3] *urgent*

(continued)

8. На кого Нина рассчи́тывает? *(богатая подруга, хорошие друзья, все мы)*

9. На что Нина рассчи́тывает? *(хорошая критика, скорая помощь, бабушкины деньги)*

10. На кого этот человек клеве́щет? *(нача́льник, сослужи́вец,[1] сотрудники[1])*

11. На что ты истратила все деньги? *(вкусная еда́, ба́рхатная[2] материя)*

12. На каких звере́й Олег охотился? *(оле́ни, злые волки, лесные птицы)*

13. На что Наташа решилась? *(самостоя́тельная работа, заму́жняя жизнь)*

14. Сергей вырос? -Да, *(...1/4[3] метра)*.

15. Немецкая армия прибли́зилась к Москве? -Да, *(...1 миля)*.

16. Что у тебя в руке? -Чек *(...большая сумма)* денег.

---

[1]*co-worker* [2]*velvet* [3]*че́тверть (Ж)*

Exercise 10:

Переведите на русский язык.

1. Today I must finally answer the long letter which I received from Natasha from Leningrad. Otherwise (or else)[1] she will take offense and will get angry with me. She counts on my help.

2. Moscow is very similar to other big cities. You will see that Moscow will make a good impression on you. But don't complain of the climate there.

3. How much did the bun cost? -Only one kopeck. Then you can give me 40 roubles for the opera; I will pay only 24 roubles for our tickets and with the money that will remain I will buy sweets.[2]

4. When someone is angry with me and shouts at me, I try not to pay attention to it and not to take offense. I only look at him with astonishment[3] in my eyes.

(continued)

---

[1]*а то* [2]*сла́дости* [3]*удивле́ние*

5. I have decided on a long trip around[4] the world, and now I'm counting on your advice. How could I influence Sonia so that she would agree to such an adventure?

6. Please don't pay attention to my angry words. I am shouting at you not because I am angry with you, but because I have a bad headache. Believe me!

7. Look at the Kremlin and listen to the music of the bells. No bells in the entire world resemble these. I never get tired (bored) of looking at them. Behind these thick walls, the Russians have fought many times for their freedom and their lives.[5]

8. During the revolution in 1917 and the Civil War between the years 1918 and 1922, the people did not defend their churches sufficiently. They lost[6] many of them. In the future[7], they will have to answer for this and maybe pay dearly because of[8] an insufficient interest in the old churches.

[4] *вокру́г* + gen. [5] use singular [6] use *лиши́ться* + gen.
[7] *бу́дущее* [8] *из-за* + gen.

D. Verbs with в + Accusative

	Noun
верить/поверить в кого-/что-н. *-to believe in s.o./sthg.* (*BUT:* верить кому-нибудь *-to believe someone*)	ве́ра
влюбля́ться/влюби́ться в кого-н. *-to fall in love with s.o.*	
выигрывать/выиграть во что-н. *-to win in sthg. (a game)*	выигрыш
давать/вать кому-н. в долг (= одалживать, одолжить) *-to lend to someone*	долг
не давать/дать в оби́ду *-to stand up for someone*	
играть во что-н. (в теннис, в лапту́[1]) *-to play a game*	игра́ в

[1] the Russian equivalent of baseball

превраща́ть(ся)/преврати́ть(ся) в кого-/что-нибудь — превраще́ние в
-to turn into s.o./sthg.

прои́грывать/проигра́ть во что-н. — про́игрыш
-to lost at sthg. (a game)

Special Constructions with the Accusative

смотреть в окно	*-to look out the window*
стуча́ть/сту́кнуть *в* дверь	*-to knock* <u>*on*</u> *the door* (стук *- a knock)*
читать вслух[1]	*-to read aloud*
идти в солдаты, в доктора, в учителя, и т.д.[2]	*-to choose to become a soldier, a doctor, a teacher, etc.*
Его взяли в солдаты[2]	*-He was drafted*
Этот дом в два этажа́ (=этот дом двухэта́жный)	*-This house has two stories*
Вот яблоко в целый фунт.	*-Here is an apple that weighs a whole pound.*
Я люблю засыпать	*-I like to fall asleep*
...под музыку	*...while the music is playing*
...под пение птиц	*...while the birds are singing*
...под шум океана	*...to the noise of the ocean*
Я не могу работать под зву́ки мото́ра.	*-I cannot work while the motor is running.*
Мы танцевали под музыку; под граммофон.	*-We danced to music; to a record player.*
Он вошёл в воду по коле́но, по го́рло.	*-He went into the water up to his knees, up to his throat.*
Я сыт по го́рло.	*-I'm really full (=up to my throat).*
По ту сторону Кавказа жили ту́рки.	*-On the other side of (=beyond) the Caucasus lived the Turks.*

[1]This used to be written in two words: *'в слух'*

[2]These forms have remained from the time when the accusative of animate nouns had not yet become identical to the genitive.

Пароход разби́лся о ска́лы.	*-The steamer broke up against the rocks.*
Это яблоко с кула́к.	*-This apple is about the size of a fist.*

Impersonal Verbs with the Accusative

Меня тошни́т (тошни́ло, будет тошни́т)	*-I feel nauseated...*
Пациента мути́т (мути́ло, будет мути́ть)	*-The patient feels nauseous...*
больного зноби́т (зноби́ло, будет зноби́ть)	*-The sick person is feverish...*
девочку лихора́дит (лихора́дило, будет лихора́дить)	*-The girl is feverish..*
лодку бросает (бросало, бросило, бросит)	*-The boat is thrown...*
лодку ломает (сломало, сломает)	*-The boat is being broken...*
лодку разбива́ет (разби́ло, разобьёт) в куски́.	*-The boat is being broken up into pieces.*

Exercise 11:

a) Study the following sentences and memorize them as well as possible.
b) Cover the Russian text and reconstruct it.

Не́которые люди не верят ни в Бо́га, ни в судьбу́.	*-Some people don't believe either in God or in fate.*
Николай выиграл тысячу долларов в рулетку.	*-Nikolai won 1,000 dollars at roulette.*
Наташа проигра́ла все деньги в карты.	*-Natasha lost all her money at cards.*
Дети играют в футбол и в теннис.	*-The children play football and tennis.*
Москва преврати́лась в столицу.	*-Moscow became the capital.*
Я взял в долг у брата немного денег.	*-I borrowed a little money from my brother.*

(continued)

Сколько он тебе дал в долг? -*How much did he lend you?*

Ты можешь спать под духово́й орке́стр? -*Can you sleep while band is playing?*

У нас работы по го́рло. -*We have more than enough work.*

Иван влюблён по́ уши. -*Ivan is head over heels in love.*

Во́лны би́лись о берег. -*The waves broke against the shore.*

Это сказка называется „Мальчик с пальчик". -*This fairy tale is called "Tom Thumb" (='The boy about the size of a finger').*

Кто там всё время стучит в кали́тку? -*Who's knocking on the gate all the time?*

На пароходе пассажиров тошни́ло (и мути́ло) всю дорогу. -*Throughout the voyage, the passengers were nauseated.*

Под конец пароход бросило о камни. -*Finally, the steamship was thrown against the rocks.*

У одного фило́софа есть книга, которая называется *По ту сто́рону добра́ и зла*. -*Some philosopher has a book entitled Beyond Good and Evil.*

Exercise 12:

Укажи́те правильную форму:

1. Маленькая, боле́зненная[1] девочка преврати́лась в *(красивая женщина)*.
2. Материалисты не верят в *(духо́вная[2] жизнь)* человека.
3. Я больше всего люблю играть в *(шахматы)* или в *(какая-нибудь другая спокойная игра)*.
4. Луна светила сквозь *(большая, чёрная ту́ча)*.
5. Про *(какая книга)* и *(какой писатель)* вы говорите?
6. Разве не трудно говорить через *(плохой переводчик)*?

(continued)

[1] *sickly*
[2] *spiritual*

7. Благодаря *(звёзды)* на небе, нам всё было видно несмотря на *(поздняя ночь)*.

8. Говорят, что кто-то выиграл в *(канаста)* почти тысячу долларов.

9. Как я люблю писать стихи под *(твоя игра́ на скри́пке)*!

10. Нам пришлось войти в холодную воду почти по *(шея[1])*.

11. Бедная птичка разбилась на́смерть о *(стекля́нная[2] дверь)*.

12. *(Маленькая девочка)* лихара́дило.

13. Постучи погромче сначала *(дверь)* а потом *(кали́тка[3])*.

[1]*neck* [2]*glass* [3]*gate*

Exercise 13:

Переведите на русский язык:

1. According to the will[1] of Peter the Great, St. Petersburg turned into one of the most elegant cities in Europe.

2. I do not believe in anything any more - neither in fate, nor in man's free will.

3. The children were playing war, and turned the room into something that resembled complete chaos.[2]

4. In spite of bad weather, the road was visible through the rain and the fog, and we arrived at the hotel on time.[3]

5. Who borrowed so much money from you? Don't worry about me - I lent only a small sum of money to one of my best friends.

6. Are you going to play cards or chess? I am not going to play anything.[4]

7. I will not believe you for anything in the world.

8. Someone is knocking on my door.

[1]*во́ля* [2]*ха́ос* [3]*во́-время* [4]*не во что*

Exercise 14:

а) Прочитайте следующее письмо несколько раз вслух;
б) Переведите его сначала на английский язык, а затем снова на русский.

Бостон, 22-ое марта, 1980 г.

Ми́лый Серёжа!

Боже мой! Что это была за пое́здка! Я никогда больше ни за что не сяду на пароход! Нет - спасибо за такое удовольствие! Ты себе предста́вить не можешь, на что было похо́же море. Через час после отхода нашего парохода весь мир преврати́лся в кошма́р[1]. С неба лил такой дождь, что сквозь него ничего не было видно. Нас бросало взад и вперёд, и каждую минуту казалось, что мы разобьёмся о какую-нибудь подво́дную ледяную го́ру. Многие молились[2] вслух - на всякий случай[3] - хотя не верят ни в чорта, ни в Бога. Сначала я раздража́лась на них, но потом решила не тратить энергии на таких психопа́тов. А некоторые играли в бинго, не обращая внимания ни на что. Зато моя соседка по каю́те - ах, как ей было плохо! Её бедняжку тошни́ло и мути́ло всю дорогу. А капитан только кричал на всех под шум волн и дождя. Что за симфония! А сколько пришлось заплатить за эту поездку! Нет, нет, больше никогда не решусь на такое приключе́ние. А Ты мне желал приятного путешествия! Никогда не прощу Тебе этого. Ну ладно - смотри, пожалей меня[4] и не смей смеяться надо мной. А если назовёшь меня „сухопу́тной кры́сой",[5] то я рассержусь на Тебя и раззнако́млюсь с Тобой раз на всегда. Но во всяком слу́чае[6] и при всех обстоя́тельсовах[7] я остаю́сь

Твоей Лялей.

P.S. Пришли мне чек на 100 долларов. Я очень нуждаюсь в де́нежной подде́ржке.[8] Всего хорошего!

---

[1] *nightmare* [2] *pray* [3] *just in case*
[4] *you better feel sorry for me*
[5] *"a dry-land rat" (colloq., used about people who do not like traveling by sea)*
[6] *at any rate* [7] *under all circumstances* [8] *support*

E. The Accusative in Time Expressions

Exercise 15:

a) Study the following sentences;
b) Cover the Russian text and reconstruct it; memorize as much as possible.

в + Acc. - Когда? (When - exact definition)

Я вернусь с работы в пять (часов).	*-I will return from work at 5 o'clock.*
Русский урок кончается в час.	*-The Russian class ends at one o'clock.*
Наш поезд отходит в по́лночь.	*-Our train leaves at midnight.*
В по́лдень будет жарко.	*-At noon it will be hot.*
Приходи в другой раз!	*-Come some other time.*
В этот день погода была ужасная.	*-On that day, the weather was terrible.*
В этот момент Нина всё забыла.	*-At that moment, Nina forgot everything.*
В такую погоду невозможно гулять.	*-It is impossible to go for a walk in such weather.*
В это время (в вое́нное время) мы жили в Лондоне.	*-At that time (during wartime) we lived in London.*
В ту по́ру всем было трудно.	*-At that time, it was difficult for everyone.*
В те дни не́чему было радоваться.	*-In those days, there was nothing to be happy about.*
Иди сию́ же минуту домой!	*-Go home this very minute!*
В другое время я поступи́л бы ина́че.	*-At another time, I would have acted differently.*
В такую жару трудно работать.	*-In such heat it is difficult to work.*

(continued)

В ту пору было трудно получить па́спорт. — *-At that time, it was difficult to obtain a passport.*

В настоящее время это невозможно. — *-At the present time, that is impossible.*

В бу́дни приходится рано вставать. — *-On weekdays, it's necessary to get up early.*

В понедельник, во вторник, в среду, в четверг, в пятницу, в субботу, в воскресенье.[1] — *-On Monday, on Tuesday, on Wednesday, on Thursday, on Friday, on Saturday, on Sunday.*

В последнее время у нас в театре совсем не было хороших актёров. — *-Lately, we haven't had any good actors in our theater.*

Всё было готово в ту же (в одну) минуту(в один миг). — *-Everything was ready that very minute.*

В первую о́чередь надо купить хлеба. — *-First of all, bread must be bought.*

Я вижу вас в первый раз, во второй раз, в третий раз, и т.д. — *-I'm seeing you for the first time, for the second time, for the third time, etc.*

У нас русский урок 4 раза в неделю. — *-We have Russian class four times a week.*

Это лекарство надо принимать раз в день. — *-This medicine must be taken once a day.*

За последнее время я много работал. — *-I've been working a lot lately.*

Note: Каждый - exact time without a preposition.

Ваня приходил к нам *каждую пятницу*.
Телефон звонил *каждую минуту*.

Time covered by constant action: expressed with весь, всю, всё/ целый,-ую,-ое (and related expressions)

Целый год (в течение целого года) он занимался русским языком. — *-For (in the course of) an entire year, he studied Russian.*

---

[1]Neither the weekdays nor the names of the months are capitalized in Russian.

Всю жизнь (в продолжение всей жизни) он помнил её.	-*He remembered her throughout his entire life.*
Мы разговаривали всю ночь (весь день).	-*We talked all night (all day).*
Боль чувствовалась одну минуту.	-*The pain was felt for a minute.*
Мы работали всю неделю.	-*We worked all week.*
Все долгое время молчали.	-*Everyone kept silent (for) a long time.*
Иван путешествовал по Южной Америке почти целый год.	-*Ivan traveled in South America (for) almost a year.*[1]
Маша слушала музыку всё утро.	-*All morning Masha listened to music.*
Всю осень и зиму я буду в Англии.	-*I will be in England all fall and winter.*
Note: Я приеду через два часа.	-*I will come in two hours.*
BUT: Я приеду после двух.	-*I will come after two o'clock.*

[1] *Remember:* If 'for' can be omitted in English use Accusative without a preposition in Russian:
Мы ехали два месяца.

Exercise 16:

Укажите правильную форму:

1. Игорь был у нас *(прошлая пятница)* и приедет снова *(будущая пятница)*.
2. Неприятно гулять *(жара)* или *(сильная сту́жа[1])*.
3. Анна заболела *(эта среда)* и её отвезли в больницу *(четверг)* утром.
4. Оля написала эту статью́ *(один день)*.
5. Перед экзаменами я занималась *(вся последняя неделя)(каждая ночь)* почти́ до утра́.
6. Подожди меня - я вернусь после *(2)*; это будет через *(2)* часа.

[1] *cold weather*

7. Теперь у нас собрание в клубе *(2)* раз *(неделя)*, а раньше было только *(4)* раз *(года)*.
8. Самолёт прилетит *(по́лночь)*.
9. Никто не сказал ни слова *(продолжение)* всей лекции.
10. Я не люблю гулять *(такая погода)*. *(Прошлый раз)* было гораздо лучше.
11. Олег позвонил ровно через *(одна минута)*, но *(это время)* вы уже ушли.
12. Жаль, что ты за́нят. Ну, ничего - приду *(другой раз)*.
13. Говорю тебе *(последний раз)* - не мешай мне!
14. Люди ужасно бе́дствовали[1] *(годы войны)*.
15. Как он мне надоел! *(Каждая минута)* он задаёт глупые вопросы.
16. Мы опять просидели на балконе *(вся эта ночь)*, как и *(прошлая)*.

Remember the difference between: прошлый-ая-ое
последний-яя-ее-ие

---

[1] *to have a hard time*

Exercise 17:

Переведите на русский язык:

1. On Saturday, we will have a party and we'll dance all night. We have not had guests lately, and I'm relying on your help.
2. In wintertime it is difficult for people to go visiting, but now - in summertime - they come gladly in order to play tennis in our park.
3. In the course of the entire winter, I have not met anyone. The last time, when I was in town, I saw Ivan. He promised to come to see me in two days, but he never came.[1]
4. I have to go to the doctor's at least twice a week. What a nuisance![2] I forget to take pills[3] every Wednesday and Friday. I don't want to go to the pharmacy[4] in such weather.

---

[1] Use the idiomatic expression: *Он так и не пришёл/приехал.*
[2] *неудо́бство* [3] *принимать пилю́ли* [4] *апте́ка*

5. Can you do all this in one week?[5] I don't believe you as I don't believe in all these wonderful plans that people talk about.

6. Call me up at some other time - not in the morning. At noon, maybe - if it suits you. The last time you called too late and I had to wait for you not only all evening but also all night.

7. Each week, I go shopping on Saturday, but yesterday, I couldn't: the telephone was ringing every minute.

[5] Use either *за* + acc. or *в* + acc.

Exercise 18:

a) Study the following sentences.
b) Cover the Russian text and reconstruct it. *Memorize as much as possible.*

A. На + acc. in specific time expressions which contain an element of planning.

Брат всегда приезжает домой на пра́здники - и на Рождество́, и на Па́сху, и на Новый Год.	-*My brother always comes home for the holidays: for Christmas, and Easter, and New Year's.*
Теперь он уехал в Россию на целый год.	-*Now he has gone to Russia for an entire year.*
Вы на долго приехали? Нет, только на неделю.	-*Have you come to stay here long? No, only for one week.*
Я зашёл к Васе на минутку.	-*I dropped in at Vasya's for a short while.*
Одолжи́ мне книгу на часо́к.[1] Я скоро верну́ её тебе.	-*Lend me the book for an hour. I'll return it to you soon.*
Иван уехал в Одессу на всю зиму.	-*Ivan left for Odessa for the whole winter.*
У тебя нет квартиры? Ничего, ты можешь остаться у меня на время экзаменов.	-*You don't have an apartment? Never mind, you can stay here for the exam period.*

[1] The diminutive conveys briefness.

Что нам за́дано на понедельник? -*What has been assigned to us for Monday?*

Оставь сыр на вечер - не ешь его сейчас. -*Leave the cheese for tonight - don't eat it now.*

B. Time expressed with На + acc.:

На другой день все уехали. -*On the next day, everybody left.*

На другое (на следующее) утро всё было готово. -*On the next (following) morning, everything was ready.*

На этот раз Иван не опоздал. -*This time, Ivan was not late.*

Compare: в этот (в тот) день, в эту (в ту) ночь, в это (в то) утро, в эти (в те) дни.

C. Time expressed with Под + acc.:

Под Рождество́ у нас были гости. -*On Christmas Eve, we had company.*[1]

Иван вернулся под вечер. -*Ivan returned towards evening.*

Под утро пациент наконец заснул. -*Towards morning, the patient finally fell asleep.*

D. Time expressed with За + acc.:[2]

За одну неделю невозможно подготовиться к такому трудному экзамену. -*It is impossible to prepare for such a difficult exam in the course of one week.*

За одно только утро Миша сделал всё (=в одно утро). -*Misha did everything in one single morning.*

Он ничего не достиг за всю жизнь. -*He has achieved nothing in his entire life.*

За последние годы жизни профессор Петров написал только две книги (=в течение последних лет...). -*In the course of his last years, Prof. Petrov wrote only two books.*

---

[1] There is a special word for Christmas Eve: *соче́льник* (used with *в* + acc.). [2] *За* in this context can't be used with the imperf. aspect. It's used in past or fut. of perfective only.

E. За...до:

Мы пришли на вокзал за минуту до отхода поезда. — *We came to the station one minute before the departure of the train.*

За год до смерти отец сделал своё завещание. — *A year before his death, Father wrote his will.*

F. По + acc.; с...по:

Иван получил отпуск по пятое июля. — *Ivan received a furlough through the 5th of July.*

Мне заплатили по тридцатое апреля. — *They paid us through the 30th of April.*

Я останусь здесь по первое мая. — *I will stay here through May 1.*

Я буду в Лондоне с второго по двадцатое мая. — *I will be in London from the 2nd through the 20th of May (leaving on the 21st).*

Exercise 19:

Ответьте на следующие вопросы:

1. Ваш поезд пришёл во-время?
   -Да, даже *(...две минуты)* раньше, чем следовало по расписанию.
2. Когда ты успеешь всё это прочитать?
   -Я прочитаю всё *(...одна ночь)*.
3. Что ты сделаешь с этими котлетами?
   -Я оставлю их *(...утро)*.
4. Куда ты идёшь?
   -Я забегу к Нине *(...минутка)*.
5. Маша останется долго у вас?
   -Она приехала *(...неделя)*.
6. Ты уже написал сочинение?
   -Нет ещё, Сергей Иванович задал его *(...пятница)*.
7. Сколько стоит трамвайный билет?
   -Только *(одна копейка)*.

(continued)

8. Сколько времени ты писал эту книгу?
 -Я написал её *(...одна неделя)*.

9. Ты опоздал на самолёт?
 -Нет, мы пришли *(...последняя минута)*.
 -Нет, мы пришли *(...одна минута)* до отлёта.

10. Сколько времени ты ле́чишься[1] от высокого давле́ния[2] крови?
 -Не помню - пожалуй *(вся жизнь)*.

11. Как часто ты принимаешь пилю́ли?
 -Два раза *(...день)*.

12. Иван уже приехал?
 -Нет ещё. Он приедет *(...Пасха)*.

13. Когда гости уехали?
 -*(...другой день)*.

14. Разве бу́лочная[3] ещё не открыта?
 -Она будет закрыта *(...29)* марта.

15. Когда вы встретились с Петровым?
 -*(...Новый Год)*.

16. Почему Аня такая бледная?
 -Она очень устала *(эта неделя)*.

17. Почему ты идёшь так рано в театр?
 -Надо прийти туда *(...час)* до начала представле́ния, чтобы получить хорошее место.

18. Когда Николай вернулся с вечеринки?
 -Поздно - совсем *(...утро)*.

---

[1]*being treated* [2]*pressure* [3]*bakery*

Exercise 20:

Укажете правильную форму:

1. -Где ты была, Наташа? Отвечай мне *(сия́ же минуту[1])*!
 --Как и *(каждая суббота)* - у Нины.

2. Там мы танцевали *(...музыка)* почти *(весь вечер)*.

3. Ведь завтра - *(...воскресенье)* - не надо идти *(...занятия)*.

4. *(...этот вечер)* я научилась танцевать венский вальс.

---

[1]Use acc. *сию* : *'this very minute'*

5. Николай учил меня играть *(...шахматы)*, но это слишком трудно.

6. Борис зашёл *(...часок)* и рассказал, как он выиграл 100 рублей *(...рулетка)*.

7. Потом мы сидели *(...балкон)* , так как *(...такая погода)* приятно дышать *(прохладный во́здух)*.

8. Танцевать часами *(...такая жара)* не очень приятно.

9. *(...другой раз)* я надену лёгкое платье.

10. *(...будущая суббота)* мы опять соберёмся у Нины.

11. Я обещала *(Нина)* придти по раньше - *(...час или два)* раньше других.

12. *(...это время)* мы успеем приготовить угоще́ние.[1]

13. Нина любит угощать гостей *(чай и сладкие булочки)*.

14. Пожалуй, я *(...следующая неделя)* пойду к Нине *(...весь день)*.

15. Мы с тобой пообедаем *(...полдень)*, а потом я побегу, чтобы не опоздать *(...вечеринка)*. Хорошо?

---

[1] *refreshments*

Exercise 21:

а) Прочитайте следующий отры́вок несколько раз вслух.
б) Переведите сначала на английский язык, а затем снова на русский.

Иван отлично знал, что съездить в о́тпуск на юг он может только на свои со́бственные деньги. Ему пришлось копи́ть всю осень. Каждую неделю он откла́дывал[1] в специальный я́щик сколько мог из тех денег, которые получал за свои переводы с иностранных языков на русский. За такую работу ему платили довольно хорошо. - Несколько раз в неделю - обыкновенно по вечерам - он пересчитывал своё богатство. Таким о́бразом, он накопил за осень около пятиста рублей и, рассчитывая[2] на рождественский подарок от дяди Серёжи, Иван мечтал, что к Новому Году у него уже будет сумма в целую тысячу.

Любимым занятием его было работать над планом своего путешествия. За завтраком он обычно говорил только о своих собственных делах и мало обращал внимания на других. Он даже обижался немного на товарищей,

---

[1] *put aside* [2] *counting on*

если они шутили над ним. Особенным остроумием отличался Игорь, его товарищ по комнате в общежитии. С самым серьёзным видом он мог обратиться к Ивану с такими словами: „Ты, кажется, на Южный полюс отправляешься? И - если я не ошибаюсь - на очень долго, пожалуй на всю жизнь? Не советую тебе, друг, стать таким отважным[3] путешественником. Там, понимаешь ли, каждую минуту может появиться полярный медведь... А ведь ты охотиться на них не умеешь. Или представь себе, как это будет, если ты окажешься по горло в ледяной воде и в один миг лишишься возможности защищаться, потеряв оружье среди льдин[4]..." - На такие речи[5] Иван не отвечал и слушал шутки товарищей только одним ухом, продолжая под их весёлый смех думать о своём.

На Рождество Иван накупил обеим сестрёнкам[6] подарков на 30 рублей, а братишке[6] купил игрушку за рубль - решив, что человеку, которому только 10 месяцев, должно быть совершенно всё равно, сколько истрачено ему на подарки. И вот - в первый раз в жизни, Иван пожалел, что на праздники принято[7] делать подарки. „Если я куплю что-нибудь всем родственникам," - подумал он - „то мне не хватит денег на поездку," и ему стало не по себе.[8] „Всю долгую осень я копил деньги и отказывал себе во всём[9] - даже в сигаретах, и хочу уехать только на три месяца... а ведь из-за этих подарков у меня будет слишком мало денег. Что это за отпуск, если у меня останется всего каких-нибудь 300 рублей! Пожалуй[10] придётся отложить поездку на год или совсем отказаться от неё." В эту минуту ему было очень жаль самого себя и он считал себя почти жертвой семьи. Слава Богу, что раз в год, на день его рождения, дядя Серёжа всегда дарил ему порядочную[11] сумму денег. -

На следующий день - это было за неделю до Рождества - отец неожиданно повел Ивана к себе в кабинет - как он сказал - „на минутку". Судя[12] по выражению лица отца, Иван в ту же секунду понял, что что-то случилось. Он вопросительно посмотрел отцу в глаза и услышал его голос: „Я должен сообщить тебе первому как своему старшему сыну, что из-за общей безработицы[13] и я лишился места[14]. Мне придётся взять у кого-нибудь в долг по крайней мере 400 рублей, чтобы хватило на праздники... Ты меня понимаешь?" И Иван понял. Теперь ему было уже не до отпуска и путешествий. Да разве и могло быть иначе?[15]

---

[3] *bold* [4] *blocks of ice* [5] *such talk* [6] diminutive form
[7] *customary* [8] *became ill at ease* [9] *denied himself everything*
[10] *it may well be* [11] *considerable* [12] *judging* [13] *unemployment*
[14] *job* [15] *differently*

Exercise 22: COMPREHENSIVE REVIEW

Переведите на русский язык. (Из дневника́ туристки)

1. Nov. 18. On Monday we went by train to Leningrad in order to continue our trip from there to the Causasus. Our train was late a whole hour and we arrived in Leningrad on the following day at 1 p.m. I saw Leningrad for the first time in my[1] life. At that time of the year, all the streets were covered with snow.

2. The next morning, Nadya and I dressed in one minute and ran out into the street. We walked for 3 hours, and in that time we saw many interesting things. Every minute we expected a new adventure.[2] With[3] my last money, I bought (some) ice cream. I paid one rouble and 21 kopecks for it.

3. We returned in time for lunch - exactly one minute before the bell.[4] Mother asked us what we had seen during our walk in the city. I told her that we had admired the beautiful buildings and added: "What a pity[5] that we came to Leningrad for only one day. One should[6] come here several times and stay several weeks each time." (My) brother Nikolai agreed with me.

4. Mother smiled at us and said: "You are always asking for something impossible. Believe me, I know what kind of climate they have here. Maybe you would like to go to the island of Kamchatka, too? For many reasons, it is much better in the Caucasus. In a few hours, at midnight, we will be on our way[7] there. I have already paid for our tickets."

5. Nikolai was dissatisfied with these plans and said: "Don't count on warm weather in the Caucasus. The mountains influence the climate there. At the time of a snowstorm, the snow lies knee high on the roads. In late fall, no one can be sure of the weather - even in the south. We can only hope for pleasant weather."

6. Being the older sister - she is 5 years older than Nikolai - Nadya likes to teach her "little" brother good manners. Here is what she told him: "Thank

---

[1]Omit 'my' in Russian [2]*приключение* [3]Use *на* [4]*звонок*
[5]*как жаль* [6]Use *надо бы* + inf. [7]*на пути*

you for this most interesting[8] lecture. But may I ask my highly educated brother where he has read so much about the climate in the Caucasus? I did not know that you were[15] interested in such serious things. What a memory you must have! I don't want to be angry with you but I must tell you that it is not customary[9] to brag of one's education and knowledge.[10]"

7. This conversation ended with a quarrel. Nikolai stamped his foot, then laughed in Nadya's face... Fortunately, the waiter[11] brought us (some) beer and each of us received a glass. In this way, the quarrel ended long before midnight and there was peace and quiet[12] when we arrived at the airport at half past ten p.m.

8. Nov. 20. What a night![13] At first the mountains seemed unreal.[14] They are not like anything. We had been flying all night long in the darkness, and, towards morning, the whole world turned into something quite unexpected. Now I understand those who have fallen in love with the mountains - and do not understand how I earlier could admire buildings and cities... I only looked and looked at the mountains, not paying attention to anything else. Nikolai began to worry about me and touched me on the shoulder... I pointed with (my) finger at the mountains... He understood and nodded (his) head...

9. Nov. 30. My God! We have been living[15] here for 10 days already and I have forgotten everything else[16] in the whole world. Last Saturday, we went boating in[17] the Black Sea, and now I would like to ask[18] one question: can anyone get tired of the Black Sea?[19] It is called 'black' - but what color is it in reality? It looks silver, and green, and blue...

---

[8]Use the 'absolute superlative': *интереснейший-ая-ое*
[9]*не принято* [10]*знания* [11]*официант* [12]*покой*
[13]*что за ночь!* [14]*ненастоящий* [15]Use the present tense
[16]*всё остальное* [17] Use *по* + dative [18]*задать*
[19]Use *надоесть* and the dative construction

CHAPTER 4

THE GENITIVE CASE

(Роди́тельный падеж)

Reminder: The usage of the genitive in Russian is basically parallel to English. It corresponds to the construction with "of" or the ending "s" and denotes *possession.*

Question: Чей? Чья? Чьё? Чьи? - Whose?

a) The following prepositions govern the genitive:

без
вдоль
вме́сто *-instead of*
вне *-outside of*
внутри́ *-inside of*
во́зле *-next to*
вокру́г *-around*
вро́де *-resembling*
для
до
из
из-за *-from behind, because of*
из-под *-from under*
кро́ме
мимо
напро́тив *-opposite*
насчёт *-about, concerning*
около
от
после
про́тив *-against*
ра́ди *-for the sake of*
с *-from*
среди́ *-among*
у

b) 2, 3, 4 + gen. sing. when:

-these numbers are in the *nominative* case:

Вот здесь 2, 3, 4 стула.
(nom.)

-these numbers are in the *accusative* case defining *inanimate* nouns:

Я купил два хдеба, три бу́лки, четыре я́блока.
(acc.)

BUT:

Я видел двух, трёх, четырёх *друзей.*
(gen. pl. with animate nouns)

c) Depending on the situation either *gen. sg.* or *gen. pl.* is used after:

много	доста́точно *(enough)*
мало	недоста́точно
больше	сколько
меньше	столько *(so much, that much)*
немного	
немало	

How much?
Сколько у тебя работы? -У меня много, мало, достаточно работы. *(gen. sg.)*

How many?
Сколько у вас учеников? -У нас много, мало, достаточно учеников. *(gen. pl.)*

Review the declension of несколько, много/многие. (see Appendix)

d) большинство́ *(majority)*
меньшинство́ *(minority)* + gen. pl. (always):

Большинство́ людей живёт в городах.
В США родной язык большинства́ людей - английский.
Большинству́ людей филосо́фия непоня́тна.
Судья́[1] выслушал большинство́ свиде́телей.[2]
Что же мне делать с большинство́м учеников?
Мы говорим о большинстве учеников.

[1]*judge* [2]*witnesses*

e) 5, 6, 7, etc. or несколько + gen. pl.:

When these numerals or несколько are in the nominative or accusative case:

Вот на картинке пять домов и несколько женщин.
(nom.)(gen.pl.) (nom.) (gen.pl.)
Я вижу пять домов и нескольких женщин.
(acc.)(gen.pl.) (acc.) (gen.pl.)

Note: If a numeral or несколько is in any other case, the defined noun appears in the plural of that same case:

Я дал денег трём *мальчикам*.

Мы разговаривали с пятью *девочками*.

Иван говорил о нескольких *книгах*.

Цена этих трёх *домов* очень высокая.

A. *Review of the Genitive Plural*

Masculine (Regular)

дом*ов*
трамва*ев*
месяц*ев*
товарищ*ей*
учител*ей*

Masculine (Irregular)

(сын - сыновья́)	сынов*е́й*
(друг - друзья́)	друз*е́й*
(брат - бра́тья)	бра́т*ьев*
(лист - ли́стья)	ли́ст*ьев*
(стул - сту́лья)	сту́л*ьев*
(дядя[1] - дяди)	дя́д*ей*
(судья́ - су́дьи)	су́д*ей*

Feminine (Regular)[2]

книг
недель
фамил*ий*
ноч*ей*
матер*ей*
(мать - матери)

Feminine (Irregular)

(ноздря́ - но́здри)	ноздр*е́й*[3]
(вожжа́ - во́жжи)	вожж*е́й*[4]
(свеча - свечи)	свеч*ей*[5]
(песня - песни)	песен
(вишня - вишни)	вишен
(шалунья - шалуньи)	шалун*ий*[6]

Neuter (Regular)[2]

слов
пол*ей*
здан*ий*

Neuter (Irregular)

(я́блоко - я́блоки)	я́блок*ов*
(о́блако - облака́)	облак*о́в*
(де́рево - дере́вья)	дере́вь*ев*
(крыло́ - кры́лья)	кры́ль*ев*
(перо́ - пе́рья)	пе́рь*ев*
(ружьё - ру́жья)	ру́ж*ей*
(су́дно - суда́)	суд*о́в*
(время - времена́)	времён
(зна́мя - знамёна)	знамён
(имя - имена́)	имён
(пле́мя - племена́)	племён
(се́мя - семена́)	семя́н[7]
(стре́мя - стремена́)	стремя́н[8]

No Ending (Masculine)

(англича́нин - англича́не)	англича́н
(граждани́н - гражда́не)	гражда́н
(крестья́нин - крестья́не)	крестья́н
(тата́рин - тата́ры)	тата́р
(волчо́нок - волча́та)	волча́т
(котёнок - котя́та)	котя́т
(медвежо́нок - медвежа́та)	медвежа́т
(утёнок - утя́та)	утя́т
(ребёнок - ребя́та)	ребя́т
(чертёнок - чертеня́та)	чертеня́т } *(little devils)*
(бесёнок - бесеня́та)	бесеня́т } *(little devils)*

[1]If a masc. noun has a fem. ending (*а* or *я*), it follows the fem. declension. [2]In case of a 'consonant cluster', *о* or *е* is inserted: *девочек, ове́ц (sheep), окон.* [3]*nostril* [4]*rein*
[5]*Свеч* is also acceptable: *Игра́ не сто́ит свеч. (The game isn't worth the candles)* [6]*naughty girl* [7]*seeds* [8]*stirrups*

No Ending (Masculine) continued	
(башкир - башкиры)	башкир
(глаз - глаза)	глаз
(грузин - грузины)	грузин
(партиза́н - партизаны)	партиза́н
(раз - разы́)	раз
(сапог - сапоги́)	сапог
(солдат - солдаты)	солдат
(турок - турки)	турок
(человек - люди)	человек[1]
(носо́к - носки́)	носо́к[2]

Note: Masculine nouns ending in the diminutive ending -ишко have no ending in the Gen.pl.: пять домишек

---

[1] *пять человек,* but *много людей*
[2] *socks*

B. The Genitive Case used with words denoting Quantity or Measure

Дайте мне *кусо́к* хлеб*а*!	-*Give me a piece of bread.*
Я выпил *стака́н* вод*ы*.	-*I drank a glass of water.*
Наташа купила *метр* чёрн*ого* шёлк*а*.	-*Natasha bought a meter of black silk.*
Собака съела целый *фунт* хорош*его* мяс*а*.	-*The dog ate a whole pound of good meat.*

Note:

пол-стакана	-*half a glass*
пол-чашки	-*half a cup*
полтора стакана	-*one and a half glasses*
полторы чашки	-*one and a half cups*

Review the declension of *полтора/полторы* (see Appendix).

Note: The quantity may be undefined:

Give me some paper	-Дайте мне бумаги
...*some wine*	...вина́
...*some roast*	...жарко́го
...*some cheese*	...сы́ра
...*some water*	...воды́

Study and memorize the special genitive ending *-у* indicating a quantity:

фунт: виногра́ду *(grapes)*, во́ску *(wax)*, жи́ру, изю́му, кле́ю *(glue)*, ко́рму *(fodder)*, мёду, миндалю́ *(almonds)*, пе́рцу, песку́ *(sand)*, по́роху *(dynamite)*, ри́су, са́хару, сы́ру, табаку́, ча́ю, чесноку́ *(garlic)*, шокола́ду, я́ду *(poison)*.

бутылка: бензи́ну, ква́су *(cold drink)*, кипятку́ *(boiling water)*, коньяку́, ро́му, со́ку.

чашка: ча́ю.

горшо́к: су́пу *(pot of soup)*.

много: *(поря́дочно - quite a bit)* га́зу, дыму, испу́гу *(fright)*, крику, народу, па́ру *(steam)*, смеху, снегу, страху, хво́росту *(brushwood)*, шуму.

Idiomatic Usages

Я его *ни ра́зу* не видел.	*-I never saw him.*
С виду ему было по крайней мере 60 лет.	*-In appearance, he was at least sixty years old.*
Город был взят *с бо́ю*.	*-The city was taken by storm.*
Час *о́т часу* не легче.	*-It's getting worse all the time. (colloq.)*

Exercise 1:

Укажите правильную форму:

1. Путеше́ствуя по Советскому Союзу, я видела много *(интересное)*.
2. Я знаю имена *(несколько - люди -)*, которые теперь живут заграницей.
3. Налей мне че́тверть стакана *(горячее молоко)*.
4. Сколько времени вы провели заграницей? *(5 - месяц)*.
5. Мы живём среди *(иностранцы, татары, русские, немцы, французы)*.
6. Вокруг *(наш город)* много *(леса и поля)*.
7. Я нашла собаку возле *(чей-то пустой дом)* и подумала: *(Чья же собака)* я теперь беру себе?

(continued)

8. Большинство́ *(разу́мные люди)*, конечно, не хочет войны.
9. Из-за *(высокий забор)* кто-то выстрелил.
10. Дай мне немножко *(хороший, английский табак)*!
11. У нас, к сожалению, недостаточно *(прилежные ученики)*.
12. Выпьем-ка немного *(крепкий, сладкий чай)*!
13. Только меньшинство *(гражданин)* этой страны голосова́ло.[1]
14. Эти подарки куплены для *(маленькие братья и сёстры)*.
15. Достаточно ли у нас куплено *(подарки)*?

[1] *vote*

C. The Genitive Case after Impersonal Negative Constructions

The following negative constructions are followed by the genitive case:

нет, не было, не будет
не было бы
не надо (не нужно)
не надо было, не надо будет
не надо было бы
не видно, не слышно
не находится, не нашлось, не найдётся
не нашлось бы

<u>Exercise 2</u>:

а) Прочитайте следующие диало́ги несколько раз вслух и обратите внимание на употребление родительного падежа.
б) Выучите их наизусть[1] или переведите их на английский, а потом снова на русский.

<u>*Разговоры с мамой*</u>

Мама: Лёля, ты наконец написала письмо Анне Ивановне?

Лёля: Нет ещё. У меня просто нет времени для этого.

(continued)

[1] *memorize*

Мама: Неужели и вчера тоже не нашлось пол-часика? Длинного письма ведь и не надо...

Лёля: И вчера у меня не было свободной минутки. Мне не до писем![2] Ни завтра, ни послезавтра у меня не будет возмóжности заниматься писáнием писем!

Мама: Ну, милая моя, таких занятых людей как ты нигде не видно, да и не бывает... Скажу только, что не было бы у тебя такой спéшки, если бы ты умела распределя́ть[3] своё время немножко по-лучше.

Лёля: Да, я знаю. Но ведь и от Анны Ивановны уже давно не было ни писем, ни звонков по телефону. И вообще, ни мне, ни тебе никогда и не нужно было этой перепи́ски.[4]

Мама: Ты ничего не понимаешь! Тебе ещё нет и 25-и лет, а если было бы 85 - как Анне Ивановне, то не сказала бы, что тебе не нужно внимания[5] от людей; тогда таких слов не было бы слышно от тебя!

Лёля: Мне и не будет никогда 85-и лет! Такого и быть не может!

---

[2]Idiomatic construction: *I have other things to worry about.*
[3]*organize* [4]*correspondence* [5]*attention*

Вера:[1] Вася дома?

Мама: Здравствуйте - Нет, Васи нет дома.

Вера: А утром он был дома?

Мама: Нет, и утром Васи тоже не было дома.

Вера: В котором часу он будет завтра дома?

Мама: И завтра Васи целый день не будет дома.

Вера: Что? А если бы я позвонила ему и он знал бы, что я приду к нему?

Мама: Ну, уж тогда его во всяком случае не было бы дома.

Вера: Этого никогда не могло бы случиться!

Мама: Вам бы, милая моя, по-больше скрóмности[2] да[3] та́кта! Всего хорошего.

---

[1]*подруга Василия*
[2]*modesty*
[3]*and*

The genitive case is also used after the following negative constructions with impersonal verbs:

не нахо́дится, не нашлось, не найдётся, не нашлось бы — *-to be found, to be available*

не существу́ет, не существова́ло, не будет существовать, не существовало бы — *-to exist*

[не ока́зывается], не оказалось, не окажется, не оказалось бы — *-to turn out to be*

не остаётся, не осталось, не останется, не осталось бы — *-to remain*

не происхо́дит, не происходи́ло, не призошло́, не будет происходить, не произойдёт — *-to happen*

не случается, не случалось, не случилось, не случится, не случилось бы — *-to happen*

не достаёт, не доставало, не достанет, не достало бы — *-to be sufficient*

Ex: Таких людей никогда не существова́ло. — *-Such people never existed.*

Денег больше не осталось. — *-There was no money left.*

Круше́ния не произошло бы, если бы у нас были новые ши́ны. — *-The accident would not have occured if we had had new tires.*

Exercise 3:

Дайте отрица́тельный[1] ответ:

1. Кто здесь сейчас?
2. Кто здесь был вчера?
3. Кто здесь будет через неделю?
4. Кто был бы здесь, если бы было тепло?
5. Что видно отсюда?
6. Что слышно отсюда?
7. Что произошло?
8. Что случилось с вами?

(continued)

[1] *negative*

9. Что оказалось в чемодане[1]?
10. Что останется нам после покупки дома?
11. У вас есть что-нибудь?
12. У Лёли будет время завтра?

[1]*suitcase*

Exercise 4:

Укажите правильную форму:

1. Никому не нужно *(такие плохие переводчики)*.
2. В Советском Союзе нет *(большая безработица[1])*.
3. Если будешь ехать осторожно, то не произойдёт *(крушение)*.
4. Из дома не было слышно ни *(громкие голоса)*, ни *(музыка)*.
5. Разве тебе не нужно будет *(деньги)*?
6. Ивану не было ещё *(9)* лет, когда отец умер.
7. В кассе не оказалось ни *(один билет)*.
8. С этого места в 5-ом ряду не будет видно *(оркестр)*.
9. У нас никогда не было в гостях *(настоящие комсомольцы)*.
10. Неужели *(Борис и Ляля)* не будет на лекции?
11. Без искусства[2] не существовало бы *(красота)*.
12. Боюсь, что у меня не останется *(время)* на танцы.
13. У нас никогда не достаёт *(деньги)*.

[1]*unemployment* [2]*art*

Exercise 5:

Укажите правильную форму:

Надо надеяться, что никогда больше не будет не только *(всемирная война)*, но и вообще *(никакие войны)*. Ведь так много *(горе)* и *(слеза[1])* приносит даже так называемая[2] „ограниченная[3] война". А сколько *(деньги)* стоит каждая из них! Если не было бы *(Первая мировая*

[1]gen. pl. - *слёз* [2]*so-called* [3]*limited*

война), то у *(европейцы)* не было бы *(те трудности)*, которые возникли[4] в 20-ых годах; не было бы *(нужда́ и бе́дность)*, а так же и *(политическая нестаби́льность)*, которая часто ведёт к катастрофе. Ведь до сих пор во всём мире недостаточно ни *(больни́цы)*, ни *(школы)*, ни *(ста́рческие дома)*. Большинство́ *(средние люди)* безусло́вно[5] желает, чтобы не происходило *(подобные[6] исторические катастрофы)*, но в решающий момент, к сожалению, часто нет *(подходящие вожди[7])*. Так *(они)* не было ни в 1914-ом, ни в 1939-ом годах. Будет ли у человечества в будущем достаточно *(здравый смысл[8])* чтобы избежать[9] *(новая война)* - это вопрос большой важности. Пока[10] не видно среди *(народы)(разу́мный подхо́д[11])* к общим проблемам. По мнению *(многие люди)*, никогда не существова́ло и никогда и не будет *(такое прави́тельство[12])*, которое раз навсегда[13] сочло́[14] бы войну чем-то совершенно невозможным.

---

[4] *came into being* [5] *undoubtedly* [6] *such* [7] *leader* [8] *common sense* [9] *avoid (+ gen.)* [10] *so far, for the time being* [11] *rational approach* [12] *government* [13] *once and for all* [14] *consider (+ instr.)*

Note: Genitive of Negation

The genitive case is used to denote the object of a transitive verb preceded by the negative particle *не*:

Я *не* читал эт*ой* книг*и*.

Я *не* знаю эт*ого* человек*а*.

This 'genitive of negation' *must* be used if the object of the verb is a noun indicating something *abstract*:

Он не знал *стра́ха*.

Он не понимал *благода́рности*.

On the other hand, the accusative case may be used with other nouns - especially in colloquial speech:

Я не потерял твою книгу.

D. *The Genitive Case in Date Expressions*

a) Которое сегодня число?

Сегодня втор*ое* (число) *марта*, тысяча девятьсот
(*neuter*[1]) (*gen.*)
семьдесят *седьмого года*.
(*gen.*)

- Today is (literally) the *second* of *March of the 1977th year*.

NOMINATIVE	+	GENITIVE	+	GENITIVE
of the ordinal indicating the day		*of the month*		*of the ordinal of the year*

The construction remains the same when applied to the past or the future.

[1]neuter, because it modifies the neuter noun *число*

Exercise 6:

Прочитайте следующие числа (Roman num. = month):

Сегодня 21/X - 1977 г.

Вчера было 20/X - 1977 г.

Завтра будет 22/X - 1977 г.

Третьего дня было 19/X - 1977 г.

После завтра будет 23/X - 1977 г.

Через неделю будет 28/X - 1977 г.

Месяц тому назад было 21/IX - 1977 г.

Какое число ты особенно хорошо помнишь? - 18/V-1953 г.

---

b) Которого числа Елена родилась?
(=Когда она родилась?)

Она родилась *первого апреля*, тысяча девятьсот
(*gen.*) (*gen.*)
сорокового года.
(*gen.*)

- She was born *ON the first of April, of the 1940th year*.

GENITIVE + GENITIVE + GENITIVE	= *ON such and such a date (something happened)*

Exercise 7:

Ответьте на следующие вопросы:

1. Когда родился Пушкин? *(6, июнь, 1799 г.)*
2. Когда произошла Октябрьская Социалистическая Революция? *(7, ноябрь, 1917 г.)*
3. Когда началась Вторая мировая война? *(1, сентябрь, 1939 г.)*
4. Когда Колумб открыл Америку? *(12, октябрь, 1492 г.)*
5. Которого числа пра́зднуется[1] День Независимости в США? *(4, июль)*
6. Которого числа пра́зднуется Рождество по старому стилю?[2] *(7, январь)*
7. Когда бывает большой парад на Красной площади? *(1, май)*
8. Когда произошёл первый полёт человека в космос? *(12, апрель, 1961 г.)*
9. Когда умер Лев Николаевич Толстой? *(20, ноябрь, 1910 г.)*
10. Которого числа новый президент вступает в свою должность[3] в США? *(20, январь)*

[1]*is celebrated* [2]*according to the Julian calendar*
[3]*assumes his duties*

E. The Genitive Case in Comparisons

Examples:

1. Брат Иван на три года моложе *чем я*. Брат Иван на три года моложе *меня*.	*My brother Ivan is three years younger than I.*
2. Иван гораздо[1] выше *чем его сестра Катя*. Иван гораздо выше *своей сестры Кати*.	*Ivan is much taller than his sister Katya.*
3. Все дети в нашей семье крупне́е *чем их товарищи*. Все дети в нашей семье крупнее *своих товарищей*.	*All the children in our family are bigger than their friends.*

[1]*гораздо* must be used for 'much' in a comparison. It is not used elsewhere.

4. Иван и Катя учатся лучше *чем все другие ученики* в классе.
   Иван и Катя учатся лучше *всех (других учеников)* в классе.

   Ivan and Katya are ahead of all the other students in their class.

5. Для Ивана хуже *чем всё остально́е,* когда сравнивают отметки.
   Для Ивана хуже *всего (остально́го)* когда сравнивают отметки.

   For Ivan, the very worst thing is when grades are compared.

◆◆

Exercise 8:

Измените следующие фразы по указа́нию *(change the following sentences as indicated)*:

Москва больше чем Ленинград.
→ *Москва больше Ленинграда.*

Разговор между двумя журналистами

А.: По-моему, наша газета гораздо интереснее *чем ваша.*

Б.: Но ведь у́тренняя газета всегда содержа́тельнее[1] *чем вечерняя.* Это нормально.

А.: В этом вы правы, но не забывайте и того, что столичные[2] журналисты работают лучше, быстрее, и эффекти́внее *чем провинциа́льные.*

Б.: Ну, нет! Может быть, какая-нибудь статья у вас длиннее *чем моя,* но не может быть све́дений[3] точнее *чем наши.* А это важнее *чем всё остально́е.*

А.: Дорогой мой, примите во внимание, что большой город всегда живее *чем маленький,* а столица - блестя́щее *чем все остальны́е.*

Б.: Вы хотите сказать, что ваш шум и треск[4] приятнее *чем тишина́ и поко́й* у нас, что наш станда́рт жизни ниже *чем ваш,* что наши журналисты менее образо́ваны и глупее *чем журналисты, живущие* в других городах...?

А.: Поймите-же, наконец, что сотру́дники[5] столи́чных газет узнают скорее *чем другие корреспонденты* всё то, что происходит, например, за рубежо́м.[6]

(continued)

[1] *interesting, full of information* [2] *from the capital*
[3] *information* [4] *noise* [5] *contributors*
[6] *in foreign countries*

Б.: И по-этому вы уверены, что они работают лучше *чем*, например, *я* – *получивший* премию и орден! Глупее и наха́льнее[7] *чем это* – я ещё ничего не слышал на своём веку![8]

А.: А я, пожалуй,[9] ещё не встречал человека, тупее[10] *чем вы*!

Б.: Спасибо за комплиме́нт, товарищ!

А.: Не́ за что, дорогой колле́га.

---

[7]*insolent* [8]*in all my life* [9]*it seems (coll.)* [10]*dumb*

F. The Genitive Case after Certain Prepositions

Exercise 9: The Preposition У

Study the following sentences, then cover the Russian text and reproduce it.

a) У meaning having (=possession), at, (near,by) at someone's place:

1. У Саши[1] совсем не было денег.	– *Sasha had no money whatsoever.*
2. Он стоял у себя в комнате у окна и думал:	– *He was standing in his room by the window and thinking:*
3. У кого может быть 10 долларов? Неужели ни у кого?!	– *Who would have 10 dollars? Is it possible that no one does?*
4. Вероятно у мамы есть. У неё в сумке всегда какие-то деньги;	– *Mother probably does. She always has some money in her purse.*
5. Или у старика, который живёт у соседей.	– *Or the old gentleman may have – the one who lives at the neighbors'.*
6. Кажется он сейчас у себя. Пойду к нему.	– *It seems that he is at home now. I'll go to see him.*

---

[1]*Саша* stands here for *Александр*; it can also stand for a lady's name, *Александра*, as does *Женя* both for *Евгений* and *Евгения*.

(continued)

b) Idiomatic constructions with у:

1.	У меня болит голова и болят зу́бы.	- *I have a headache and a toothache.*
2.	У тебя поднялся́ жар (подняла́сь температура).	- *You've come down with a fever.*
3.	У него кру́жется голова.	- *He is dizzy.*
4.	У Володи всё прошло, грипп прошёл, головная боль прошла.	- *Volodya is completely well: the flu is gone, the headache is gone.*
5.	У неё в голове пусто.	- *She is empty-headed.*
6.	У нас пропа́ли деньги.	- *We have lost our money.*
7.	У меня всё идёт хорошо. Как у тебя дела?	- *Everything is going well for me. How is everything with you?*
8.	У Наташи ничего не выходит (= У Наташи ничего не получается).	- *Natasha can't do it.*
9.	У Пушкина написано, что...	- *In Pushkin('s books) it is written that-*
10.	У Толстого можно прочитать...	- *One can read in Tolstoy...*
11.	У меня кончилась работа, кончились деньги и кончилось терпе́ние.	- *My work is over, my money is gone and my patience is exhausted.*

---

c) Verbs with у + genitive (with animate nouns only):

брать/взять у
- *to take*

брать/взять в долг у
- *to borrow*

достава́ть/достать у
- *to get with some difficulty*

зака́зывать/заказать у
- *to order*

извиня́ться/извини́ться у
- *to apologize*

} *+ A PERSON OR ANIMAL*

(continued)

искать/поискать у

красть/украсть у

лечи́ться у
- *to receive medical treatment*

находить/найти у

ода́лживать/одолжи́ть у
- *to borrow*

одалживаться у
- *to accept favors*

покупать/купить у

просить/попросить у

родиться у
- *to be born to*

спрашивать/спросить у

узнавать/узнать у
- *to find out from*

учиться/научиться у
- *to study with/learn from*

} *+ A PERSON OR ANIMAL*

Note:
быть на виду у кого-нибудь
- *to be in someone's sight*

Examples:

1. Саша взял у меня 10 долларов. - *Sasha took 10 dollars from me.*
2. Я возьму у тебя в долг 100 долларов. - *I will borrow 10 dollars from you.*
3. Такой хлеб можно достать только у Петро́ва.[1] - *Such bread can only be gotten at Petrov's.*
4. Иван заказал себе костюмы у самого лучшего портно́го. - *Ivan orders his suits from the best tailor.*
5. Откуда эта цита́та? Надо поискать у Чехова. - *Where is this quota- from? We will have to look in Chekhov's works.*
6. Пока я была на работе, у меня украли телевизор. - *While I was at work, my television was stolen.*

---

[1] *= at Petrov's bakery*

7. У какого доктора вы ле́читесь? - *Who is your doctor?*

8. Это стихотворе́ние я нашла у советского поэта Андрея Вознесенского. - *I found this poem among the works of the Soviet poet Andrei Vosnecencki.*

9. Брат одолжи́л у меня 100 рублей. - *My brother borrowed 100 rubles from me.*

10. Маша купила эту блузку у Красно́ва. - *Masha bought that blouse at Krasnov's (store).*

11. Я не люблю ода́лживаться у малознакомых людей. - *I don't like to accept money from people I don't know well.*

12. Попроси у отца проще́ния. - *Ask Father for forgiveness.*

13. Надо спросить об этом у сестры. - *It will be necessary to ask the sister about it.*

14. Я училась играть на рояле у очень хорошего учителя. - *I learned to play piano from a very good teacher.*

15. У меня ничего не выходит. - *It doesn't work for me.*

Exercise 10:

Ответьте полной фразой.

Интервью

1. Когда вы приехали в США? -*(2, сентябрь, 1961 г.)*

2. У кого вы учились играть на гитаре? -*(...знаменитый итальянский гитарист)*.

3. У кого вы достали денег, чтобы уехать из Италии? -Я *(одолжить...старший брат)*.

4. У вас всё шло хорошо? -Нет, сначала *(...ничего не выходить)*.

5. Вам не везло?[1] Что случилось? -*(...украсть)* все мои деньги.

(continued)

[1] *you had bad luck*

6. Как и где вы купили гитару? -Я *(одолжить деньги... товарищ)(1000 доллар)* и купил гитару *(...один умирающий музыкант)*.

7. Когда вы дали свой первый концерт? -*(30, август, 1964 г.)*

8. Как вы себя тогда чувствовали? -*(...кружиться голова)*.

9. Чем вы теперь занимаетесь? -Кроме *(концерты)* я даю уроки. *(...учиться)* 25 *(молодые американцы)*.

10. Мы знаем, что вы болели. Как ваше здоровье в данное[2] время? -Восполéние лёгких[3] *(...пройти)*, но я ещё *(лечиться ...один замечáтельный врач)*.

11. Разрешите спросить у вас ещё об одном: случалось ли с вами в Америке что-нибудь исключúтельное?[4] -Нет, со мной ничего *(исключúтельное)* никогда не случалось; я не хуже и не лучше *(другие)*. Желаю *(вы)* всего хорошего.

---

[2] *present* [3] *pneumonia* [4] *exceptional*

Exercise 11:

Прочитайте вслух следующий отры́вок; переведите его на английский язык, а потом снова на русский.

Старый букинúст рассказывает:

Вот теперь у меня в лáвочке[1] вы видите всё только старые книги и, наверное, думаете так: „Бедный старичок! У него и глаза болят, и ноги устают лáзить по пóлкам среди этого старья́.[2] Наверное, ничего другого ему не осталось делать в жизни, как сидеть здесь в пылú.[3] Как это ему - должно быть[4] - надоело!"

Но, думая так, вы ошибáетесь. Я здесь средú книг не потому, что у меня ничего не получилось в жизни, а потому, что у меня и не могло бы быть другого места. -А случилось это так: раз, когда я ещё был совсем молодым, у меня вышли все деньги ещё до того, как у нас в институте кончились занятия, и я ломáл себе голову - у кого бы достать рублей 100. Одолжить что ли[5] у товарища - или выпросить[6] у сестры? Мне, однако, было немного стыдно делать и то и другое, и я решил вместо этого поработать некоторое время у чудакá[7] - букиниста,

(continued)

---

[1] *little store* [2] *old things* [3] *dust* [4] *probably*

[5] *одолжить что ли? - Should I borrow, or what?*

[6] *выпросить - to ask for something and receive it* [7] *oddball*

у которого, при случае,[8] служи́л уже не раз[9] и раньше. Я научился у него цени́ть старые книги - а что было важнее всего, - он платил гораздо лучше других работода́телей[10] в нашем городке́. - Вы не поверите, сколько замечательных книг побыва́ло с тех пор у меня в руках! Не даром говорится „Каждому своё"! А я здесь у себя в лавочке, пожалуй,[11] счастливее всех на све́те.

[8] *on occasion* [9] *often* [10] *employer* [11] *probably*

Exercise 12:

Study the following examples and memorize them.

ОТ & GEN.

a) From a person: Где? → у Откуда? → от

1. Маша идёт *от доктора.* (Она была у доктора.)
2. От кого ты узнал это? *От Ивана.*
3. Маша получила письмо *от брата.*

b) Motion away from the outside of something:

1. Анна отошла *от окна.* (Она стояла у окна.)
2. Вася отбежал *от забора.* (Он стоял у забора.[1])

[1] *fence*

Location: У - *Location near, at (German an, bei) (not within)*
ОТ - *Motion away*

1. Я стоял *у стены.* →Я *отошёл от* стены.
2. Пароход стоял *у берега.* →Пароход *отплыл от* бе́рега.
3. Полк стоял *у грани́цы.* →Полк *отошёл от* грани́цы.
4. Я был *у бабушки.* →Я ушёл *от* бабушки.

c) For some reason or motivation:[1]

1. Она плакала от горя.
   -*She cried from grief.*
2. Мы смеялись от радости.
   -*We laughed for joy.*
3. Миша дрожал от страха.
   -*Misha trembled from fear.*
4. Анна побледне́ла от испу́га.
   -*Ann turned pale from fright.*
5. Я чуть не умерла от у́жаса.
   -*I almost died from terror.*

(continued)

[1] In such constructions, *с & gen.* can also be used, but it occurs usually in colloquial speech.

6. От этого мне не легче.
   -This does not make things easier for me.
7. Как он не сошёл с ума́ от отча́яния!
   -How did he not lose his mind from despair!
8. От такой еды можно заболеть.
   -One can get sick from such food.
9. Это лека́рство от головной бо́ли.
   -This medicine is for headaches.

d) From - indicating distance:

1. Иван живёт близко (далеко) от нашего дома.
   -Ivan lives close (far) from our house.
2. Миша живёт совсем недалеко от школы.
   -Misha lives quite close to the school.
3. Никого не было вблизи́ от дачи.
   -No one was close to the cottage.
4. Хорошо работать вдали́ от шума.
   -It is nice to work far away from noise.
5. Сле́ва от(налево от)/спра́ва от(на́право от) нашего дома.
   -To the left/right from our house.

e) From...to (от & gen. - до & gen.):

1. Сколько километров от Москвы до Ленинграда?
   -How many kilometers is it from Moscow to Leningrad?
2. Сколько минут надо идти от дома до вокзала?
   -How many minutes will it take to walk from home to the station?
3. От вас до нас будет часа два езды.
   -It will take about 2 hours of driving to get from your house to ours.

Note: IDIOM

Мне сейчас не до тебя - я занят.
-I don't have time for you at this moment - I'm busy.
Маше не до театра - у неё экзамены.
-Masha has other things on her mind besides theater - she has exams.

f) Verbs with от & gen.:

	Noun
зави́сеть от -*to depend on*	зави́симость
избавля́ть(ся)/изба́вить(ся) от -*to free oneself from*	избавле́ние
лечиться/вылечиться от -*to be treated for (cured of)*	лечение

ожидать от -*to expect from* ожидание

отвора́чиваться/отверну́ться от -*to turn away from*

отвяза́ться от -*to get rid of*

отка́зываться/отказа́ться от -*to refuse something* отка́з

отлича́ться/отличи́ться от -*to be different from*

отрека́ться/отре́чься от -*to renounce something* отрече́ние

спасать(ся)/спасти(сь) от -*to save (be saved from)* спасе́ние

Verbs of Motion: motion away from the outside of something

отбега́ть/отбежа́ть от

отлета́ть/отлете́ть от отлёт

отполза́ть/отползти́ от

отходить/отойти от отход

отъезжать/отъехать от

Examples:

1. Успех в жизни зави́сит от многого - от тала́нта, работоспосо́бности, а также и от везе́ния. - *Success in life depends on many things: on one's talent, ability to work, and also on good luck.*

2. Никто не может изба́вить тебя от этой отве́тственности. - *No one can free you from this responsibility.*

3. Мой друг долго лечился от ревмати́зма; не знаю, вылечился ли он. - *My friend was treated for a long time for rheumatism. I don't know whether he was cured.*

4. Не ожидай слишком многого от жизни! - *Don't expect too much from life.*

5. Когда Иван потерял и место, и деньги - все отверну́лись от него. - *When Ivan lost both his job and his money, everyone turned away from him.*

6. Этот странный господин просидел у меня весь вечер, и я не знал, как отвяза́ться от него. - *This strange gentleman spent all evening with me and I didn't know how to get rid of him.*

7. Французский писатель Сартр отказался от Нóбелевской премии. - *The French writer Sartre refused to accept the Nobel Prize.*

8. Не хорошо, если ребёнок чем-нибудь слишком отлича́ется от других. - *It is not good if a child differs in something too much from the others.*

9. Последний русский царь, Николай II, отрёкся от престóла. - *The last Russian tsar, Nicolas II, renounced the throne.*

Note: Motion away from - in the abstract:

Докла́дчик (лектор) отошёл от своей главной (первонача́льной) тéмы и увлёкся чем-то другим. - *The speaker (lecturer) abandoned his main (original) theme and got carried away by something else.*

Я от всего сердца желаю вам счастья. - *I wish you luck with all my heart.*

Пошли ей цветы и привет от моего имени. - *Send her flowers and greetings in my name.*

Exercise 13:

a) Study the following sentences.
b) Cover the Russian text and reconstruct it.

С & GEN.

a) Movement from the top (from, off):

где? - на[1] & prep.
откуда? - с & gen.

1. Котёнок долго сидел *на дереве*, но наконец слез *с дерева*. - *The kitten remained for a long time in the tree, but finally came down from the tree.*

[1] even when *на* does not literally mean 'on the top', as in sentence 3 below.

2. Мальчики сидели на *крыше*. Потом они спры́гнули с *крыши*. - *The boys were sitting on the roof. Then they jumped off the roof.*

3. Мы были на большом *рынке* и пришли домой с *ры́нка* в по́лдень. - *We were at the large market place and came home from the market at noon.*

4. Студенты были на *лекции* и вернулись с *лекции* в половине пятого. - *The students were at the lecture and returned from the lecture at 4:30.*

5. Лермонтов жил больше года на *Кавка́зе* а потом уехал с *Кавка́за* в Россию. - *Lermontov lived more than a year in the Caucasus and then left the Caucasus for Russia.*

6. *На той стороне́* реки стоял полк, и выстрелы слышались *с той стороны*. - *The regiment was located on the other side of the river, and shots were heard from that side.*

b) From what time on:

1. Всё было готово уже *с вечера*. - *Everything was ready the night before.*

2. Я работаю *с раннего утра*. - *I work from early morning on.*

3. Врач принимает[1] *с семи* (часов) *до десяти* вечера. - *The doctor's office hours are from 7 to 10 p.m.*

4. Сергей любил читать уже *с са́мого де́тства*. - *Sergei liked to read ever since childhood.*

5. Тру́дности начались *с того момента*, когда я потерял документы. - *My difficulties started from that moment when I lost my documents.*

6. *С какого дня* ты начнёшь жить по-новому? -*С 1-ого января*. - *From what day are you going to start a new life? From January 1.*

---

[1] *врач принимает (больных, пациентов)...* - *The doctor receives (sees) (sick people, patients) ...*

Note: Memorize the following special constructions with *с & gen.*:

1. Букини́ст взял с меня за эту книгу 10 рублей. — *The second-hand book store manager charged me 10 roubles for this book.*
2. С моей (со своей) стороны, я готов вам помочь. — *As far as I'm concerned (= from my side) I am ready to help you.*
3. Анна делает переводы с русского на разные языки. — *Anna does translations from Russian into different languages.*
4. Иван рассердился на меня ни с того, ни с сего. — *Ivan got angry with me for no reason whatsoever.*
5. Иван мне понравился с первого взгляда. — *I liked Ivan at first sight.*
6. Я вы́мок с головы до ног. — *I got wet from head to foot.*
7. Имена пишутся с большой буквы. — *Names are written with capital letters.*
8. С вашего разреше́ния я принесу вина. — *With your permission, I will buy some wine.*
9. Мы все устали с дороги. — *We were all tired after the journey.*
10. С меня довольно твоих планов. — *I have had enough of your plans.*

ИЗ & GEN.

a) From within, out of:

1. Вынь платок из карма́на! — *Take your handkerchief from (= out of) your pocket.*
2. Иван уехал рано утром из Москвы. — *Ivan left Moscow early in the morning.*
3. Откуда вы? Я из Англии. — *Where are you from? I am from England.*
4. Мой друг из хорошей семьи. — *My friend is from a good family.*

5. Из этого следует, что ты глуп. - *This means (= out of this follows) that you are stupid.*

6. Ничего из этого всего не выйдет. - *Nothing will come of all this.*

Note:

Что же из этого? - *So what of it?*

b) Out of (motive or cause):

1. Все молчали из осторо́жности. - *Everybody was silent out of caution.*

2. Мальчик молчал из упря́мства. - *The boy was silent out of stubbornness.*

3. Я дал ни́щему денег из жа́лости. - *I gave the beggar some money out of pity.*

4. Надо помогать бедным из сострада́ния. - *We must help the poor out of compassion.*

5. Он сделал это из ме́сти. - *He did this out of revenge.*

c) Because of (из-за & gen.):

1. Я опоздал из-за автомобиля: он слома́лся по дороге. - *I was late because of the car; it broke down on the way.*

2. У меня большие неприя́тности из-за денег. - *I have lots of trouble because of money.*

3. Ничего не было видно из-за тумана, бу́ри, и дождя. - *Nothing could be seen because of fog, storm, and rain.*

4. Всё это произошло из-за твоей глу́пости. - *All this happened because of your stupidity.*

5. Нельзя же ссориться из-за нескольких глупых слов! - *One should not quarrel because of a few stupid words!*

d) From among:

1. Некоторые из нас ушли рано. - *Some of us left early.*

2. Мало, кто из молодёжи нынче интересуется чистой математикой. - *There are few among contemporary youth who are interested in pure mathematics.*

3. Большинство́ из американцев не голосова́ло. - *The majority of Americans did not vote.*
4. Только двое или трое изо всей группы заболели. - *Only two or three from the whole group got sick.*
5. Этот продаве́ц из гре́ков. - *This salesman is of Greek origin.*

e) From (some material):

1. Моё кольцо из чистого зо́лота. - *My ring is (made) of pure gold.*
2. Эта блузка из настоя́щего шёлка. - *This blouse is (made) of genuine silk.*
3. Все высотные здания выстроены из грани́та и стекла. - *All skyscrapers have been built of granite and glass.*
4. Это ожерелье из драгоце́нных камней. - *This necklace is (made) of precious stones.*
5. Лучшие инструменты - все из стали. - *The best instruments are all (made) of steel.*

Exercise 14:

a) Прочитайте следующий отрывок несколько раз вслух; обращайте при чтении внимание на конструкции с родительным падежом.
b) Переведите отрывок на английский язык, а потом снова на русский.

Самостоя́тельная жизнь Максима Горького началась с того дня, когда он ушёл от дедушки, из дома, в котором жил вместе с матерью после смерти отца. Может быть, ничего особенного и не случилось бы, если бы мать Горького не вышла снова замуж. Мальчик не любил о́тчима[1] и из не́нависти к нему не захотел оставаться в одном с ним доме и, будучи ещё ребёнком, оказался на улице - в буква́льном[2] смысле этого слова. - Маленький Горький был смеле́е и выно́сливее[3] других мальчиков его во́зраста и провёл долгие годы среди чужих людей. В его жизни было много такого, о чём он предпочёл[4] бы забыть, но было и такое, о чём он охо́тно[5] вспоминал.

---
[1]*stepfather* [2]*literal* [3]*hardier* [4]*prefer* [5]*willingly*

(continued)

Раз, когда он плыл вдоль Волги со многими людьми из разных концов России, он познако́мился с необыкнове́нным человеком, который из симпатии к мальчику научил его читать и писать. Горький стал просить у него книг для чтения и заодно[6] и сове́товаться с ним насчёт своей дальне́йшей жизни. От этого друга юный Горький узнал по дороге из Ни́жнего-Но́вгорода в Сара́тов, что не надо ничего ждать ни от кого в жизни, а с раннего во́зраста надо стараться жить своим умом. Лёжа на палубе,[7] мальчик часто думал о том, сколько ещё пройдёт времени до того дня, когда он не будет больше зави́сеть ни от кого, а станет по́лностью самостоя́тельным человеком. При этом он каждый раз снова обещал сам себе, что не отка́жется от своей мечты́, не отречётся от неё и не забудет о ней из-за вре́менных неуда́ч.[8] - Таких неуда́ч у него с самого начала оказалось так много, что Горький чуть не покончил самоуби́йством. Врачу удалось спасти́ его от смерти и это переживание[9] оказалось поворо́тным пунктом[10] в жизни Горького. С этого дня стало казаться, что он был сделан из особенного материала - не из пло́ти[11] и кро́ви, а из ста́ли. Когда сотрудники[12] его па́дали от уста́лости, Горький оставался неутомимым.[13] - После революции и во время Гражданской войны Горький много помогал людям из сострада́ния к ним. Никто из сторо́нников[14] революции не относи́лся, например, к представи́телям[15] старой интеллиге́нции с таким понима́нием, как он. Это был человек доброй воли по отноше́нию[16] ко всем.

Когда Горький, живя на о́строве Капри, лечился от туберкулёза, в доме у него с утра до вечера были люди, которые ожидали от него совета и помощи. Вернувшись с этого живопи́сного[17] о́строва в Россию, он многому удивлялся; совершенно незнакомые ему люди провожа́ли[18] его от границы до Москвы! Большинству́ из них не нужно было ни денег, ни вообще материальной помощи - они искали у него моральной поддержки.[19] Многим тогда казалось, что будущее России зави́сит от таких вождей[20] как Горький, и от его влия́ния... У Горького не было возмо́жности помочь всем, выслушать всех и узнать, чего им надо было от него, но он никогда не отказывался от своей роли руководи́теля[21] народа.

Умер Горький от давнишней болезни 18-ого июня 1936-ого года.

---

[6] *at the same time* [7] *deck* [8] *failure* [9] *experience*
[10] *turning point* [11] *flesh* [12] *co-workers* [13] *indefatigable*
[14] *supporters* [15] *representatives* [16] *in respect to*
[17] *picturesque* [18] *accompany* [19] *support* [20] *leaders*
[21] *leader*

Exercise 15:

Ответьте полной фразой на следующие вопросы.

1. У тебя болит что-нибудь? Да...*(зубы)*.
2. У кого украли все деньги? *(...мои друзья Ивановы)*.
3. Где можно достать свежего масла? *(...рынок,... одна торго́вка)*[1].
4. От чего умер Николай? *(...разры́в се́рдца[2])*.
5. От чего Анна так устала? *(тяжёлая работа)*.
6. Вы от нас далеко живёте? Мы живём *(...6 километр) (...вы)*.
7. Откуда эта книга у тебя? *(...наша школьная библиотека)*.
8. Почему ты опять опоздал? *(...плохая погода)*.
9. Кто из подруг Анны был на её свадьбе?[3] *(никто... они...не...)* на её свадьбе.
10. Из чего твой брасле́т? Точно[4] не знаю - или *(...золото)* или *(...серебро́)*, но во *(вся́кий слу́чай) (...драгоценный металл)*.
11. Почему убили этого человека? *(...месть[5])*.
12. Почему Иван не приехал? *(...боле́знь матери)*.
13. Откуда ты взял эту книгу? *(...твой письменный стол)*.
14. Откуда Маша пришла? *(...театр)(...репети́ция)*.
15. Сколько времени ты работал над своим докладом? *(...3 час),(...7 час)*.
16. В котором часу ты придёшь? Это будет зависеть *(...мой начальник)* - или *(...1:30)* или *(...5 час)*.
17. Когда ты начал укла́дываться?[6] Уже *(...вечер)*.
18. Чем ты занимаешься? Я делаю переводы *(...русский язык)(...английский)*.
19. Откуда ты идёшь? *(...университет)(...лекция)*. А откуда ты? *(...профессор Иванов)*.

---

[1]*sales lady* [2]*heart attack* [3]*wedding* [4]*exactly*
[5]*revenge* [6]*pack*

Exercise 16:

Укажите правильную форму.

1. Братья поссорились *(...деньги)*; старший ожидал *(большое наследство[1])*.
2. Младший брат отказался *(...своя часть)* наследства.
3. Пациент кричал *(...сильная боль)* в плече.
4. Я дал *(этот нищий)* денег *(...сострадание)*.
5. Последний русский царь отрёкся *(...престол)* *(...волнений[2])* в стране.
6. Наш дедушка умер *(28/XI, 1973 г.)*
7. Только немногие *(...сослуживцев)* поздравили[3] Сергея *(...день рождения)*.
8. Борис долго болел *(туберкулёз)* и лечился *(...эта болезнь)* 10 лет *(...хороший врач)*.
9. В городах теперь дома строятся *(...камень)*, а не *(...дерево)*.
10. Я остался на концерте до *(конец)* только *(...Нина)*, которая выступала[4] во второй половине.
11. Я буду *(...Крым...1/5 - 20/6)*.
12. При виде охотника волк убежал *(...страх)*.

[1]*inheritance* [2]*disturbances* [3]*congratulate* [4]*perform*

Exercise 17:

Переведите на русский язык:

1. I have enough work and enough money, but too little free time.
2. Give me a glass of tea, 3 lumps of sugar, and some honey.
3. The city of London[1] is much older than many other cities in the world.
4. Come to see us - all of you.[1] We will be glad to have you.[2]

[1]no genitive
[2]use the dative construction

(continued)

5. Ivan is studying medicine at the University of Moscow; his sister is in law school.

6. How many trees are there in your garden?

7. From our seats in the theatre, the stage could not be seen (= was not visible).

8. Nothing could be heard from the other room, except soft voices.

9. Of all my five brothers, only Nikolai will be home this summer.

10. Nikolai will come home on June 2nd. He will stay home from that day until August 15th.

11. At whose house are you planning to live during the fall[3] semester?

12. My sister Katya is five years older than you. She is already taller than I.

13. I feel terrible[4]- I have a toothache, but I get dizzy from the thought that I will have to go to the dentist's.

14. Everything goes well for Nikolai, but, because of the exams in biology and physics, he has other things on his mind besides love affairs.[5]

15. My wife is getting medical treatment from Dr. Petrov. I hope that he will cure her of her mysterious[6] disease.

16. I translated John's poem from English into Russian, but he was not pleased with my translation, and got mad for no reason whatsoever.

17. How many Englishmen came? - Twenty-four.
And how many of them were at the ball? - Nineteen.

18. This dress is (made) of blue silk; it is made according to (after)[7] the latest fashion.

---

[3]Use the adjective *осенний*.
[4]Use the reflexive pronoun *себя*.
[5]*роман*
[6]*таинственный*
[7]Use *по* + dat.

G. *The Genitive Case after Certain Verbs, Adjectives, Adverbs and in Special Constructions*

1. Verbs with the Genitive:

	Noun
боя́ться/побоя́ться кого-/чего-нибудь *-to be afraid of*	боя́знь (Ж)
добива́ться/доби́ться чего-нибудь *-to strive for/to achieve*	
дожида́ться/дожда́ться[1] кого-/чего-н. (ожидать) *-to wait for (expect)*	
достига́ть/дости́гнуть чего-нибудь *-to reach, to attain*	достиже́ние
ждать[2] кого-/чего-нибудь *-to wait for*	ожида́ние
жела́ть[3]/пожела́ть чего-нибудь *-to wish for*	жела́ние
избега́ть/избежа́ть кого-/чего-н. *-to avoid*	
искать[3]/поискать[3] кого-/чего-н. *-to search for*	по́иски
каса́ться/косну́ться кого-/чего-н. *-to touch, to concern*	
лиша́ть(ся)/лиши́ть(ся) чего-н. *-to deprive of (be deprived of)*	лише́ние
опаса́ться кого-/чего-нибудь *-to be apprehensive of, to fear*	опасе́ние
остерега́ться кого-/чего-нибудь *-to be apprehensive of, to fear*	
приде́рживаться кого-/чего-нибудь *-to follow (a line, a principle, a conviction)*	
просить[3]/попросить кого-/чего-н. *-to ask for, request*	просьба

---

[1] *дождаться* = to wait long enough for an expected result to be achieved: *Наконец-то я дождалась тебя! Ты пришёл!*

[2] *ждать* + acc. in the case of an animate feminine noun: *Я жду сестру.*

[3] *искать, просить, тре́бовать, хотеть* + gen. if:

a) something abstract is in question: *сча́стья, ра́дости, по́мощи, сла́вы, ми́лости, помина́ния, сме́рти, проще́ния, поко́я.* (But *желать* always takes gen.)

b) an indefinite amount or a part of something is being considered (ex.- *колбасы, денег, солнца, дождя*).

пуга́ть(ся)/испуга́ть(ся) кого-/чего-н. испуг
-to frighten, be frightened

слу́шаться/послу́шаться кого-нибудь послушание
-to obey

сто́ить чего-нибудь
-to be worth something

страши́ться чего-нибудь страх
-to fear something

стыди́ться/постыди́ться чего-нибудь стыд
-to be ashamed of

тре́бовать/потре́бовать[3] чего-нибудь тре́бование
-to demand

хвата́ть/хвати́ть[4] чего-нибудь
-to suffice

хоте́ться/захоте́ться чего-нибудь
-to feel like something

---

[4]Both the positive and the negative forms take the genitive: *Нам хватает денег, нам не хватило денег.*

Exercise 18:

a) Study the following sentences.
b) Cover the Russian text and reconstruct it.

1. Я очень боюсь войны́ и её у́жасов.	- *I am very much afraid of war and its horrors.*
2. Иван долго добива́лся изве́стности и наконец доби́лся хорошего места.	- *For a long time, Ivan strove for fame, and finally achieved a good position.*
3. Человек всегда ищет сча́стья.	- *Man always searches for happiness.*
4. Чего вы дожида́етесь? -Прихода поезда.	- *What are you waiting for? -The arrival of the train.*
5. Я так и не достиг ничего в жизни.	- *I never achieved anything in life.*
6. Разреши́ мне пожелать тебе сча́стья.	- *Allow me to wish you luck.*

(continued)

7. Желаю вам счастливого пути́! - *I wish you a happy trip (= Bon voyage)!*

8. Разбогатев, он стал избега́ть своих старых друзей. - *Having gotten rich, he began to avoid his old friends.*

9. Мои слова каса́ются всех добрых людей. (Что меня каса́ется - то я согласен.) - *My words concern all kind people. (As far as I'm concerned - I agree.)*

10. Из-за войны многие лиши́лись дома. - *Because of the war, many people lost their homes.*

11. Надо опаса́ться глупых людей. - *One must be apprehensive of stupid people.*

12. Остерега́йся воров! - *Be apprehensive of thieves!*

13. Отец приде́рживался строгих пра́вил в жизни. - *Father followed strict rules in life.*

14. Попроси помощи у Александра! - *Ask Alexander for help.*

15. Ребёнок испуга́лся шума. - *The child got frightened of the noise.*

16. Дети слу́шались родителей. - *The children obeyed their parents.*

17. Эта поездка стоила больших денег. - *This trip cost a lot of money.*

18. Иногда Николай очень страши́лся бу́дущего. - *At times, Nikolai feared the future very much.*

19. Неужели ты стыди́шься своей семьи́? - *Is it possible that you are ashamed of your family?*

20. Служащий требовал себе прибавки. - *The employee demanded a raise.*

21. Я очень занят - мне просто не хвата́ет времени. - *I am very busy. I simply don't have enough time.*

22. Хватит этой ерунды́! - *Enough of this nonsense!*

23. Чего-же вам хо́чется! -Спокойной жизни. - *What would you like? A quiet life.*

2. Adjectives with the Genitive:

1. Теперь аристократия *лишена́* всех своих привиле́гий. - *The aristocracy has now been deprived of all its privileges.*
2. Президент США должен быть *досто́ин* своего высо́кого положе́ния. - *The President of the US must be worthy of his high position.*
3. Её глаза были *полны́* слёз. - *Her eyes were full of tears.*

3. Adverbial Constructions with the Genitive:

1. У тебя *дово́льно денег*? (or У тебя *доста́точно денег*?) - *Do you have money?*
2. *Накану́не праздника*, пришла телеграмма. - *On the eve of the holiday, a telegram came.*
3. *Третьего дня* я потерял свой паспорт. - *The day before yesterday, I lost my passport.*

4. Special Constructions with the Genitive:

1. Каких лет (= в каком во́зрасте) вы приехали в США? -Одиннадцати лет. - *At what age did you come to the US? -At the age of eleven.*
2. Какого он во́зраста? - *How old (=at what age) is he?*
3. Какого цвета у Нины глаза? -Зелёного (или: зелёные). - *What color are Nina's eyes? -Green.*
4. Мы встали в семь часов утра. - *We got up at seven in the morning.*
   -в шесть часов вечера - *-at 6 in the evening*
   -в три часа дня - *-at 3 p.m.*
   -в час ночи - *-at 1 a.m.*
5. В продолжение целого часа шёл град (или: в течение целого часа шёл град). - *In the course of an entire hour, it hailed.*
6. Какого ка́чества его работа? - *Of what quality is his work?*

Exercise 19:

Укажите правильную форму:

Максим Горький рано научился не бояться *(никакие трудности)* на жизненном пути. В возрасте *(15)* лет он уже был полон *(уверенность)* в том, что каждый должен сам добиваться *(такая жизнь)*, какая ему самому подходит лучше *(всё)*. Он всегда придерживался *(известные[1] правила и принципы)*, что давало ему достаточно *(нравственная сила[2])*, чтобы выжить[3] в тяжёлых обстоятельствах.[4] И как писатель, и как человек он добился *(большие успехи)*. Не дожидаясь *(инициатива)* со *(сторона)* других, он сам брался за дело.[5] В продолжение *(вся жизнь)* Горький фактически желал только *(одно)* - помочь людям, лишённым *(человеческие права[6])* и *(человеческое достоинство[7])*. Из-за *(это)* он стал *(революционный деятель[8])*. Что касается его *(личная[9] жизнь)*, то нам известно, что он нисколько не стыдился *(своё низкое происхождение)*, никогда не отрекался от *(данное слово)*, и ни разу не отказался от *(трудное задание)*. Но он требовал *(такие же принципы)* и *(такое же отношение)* к жизни и от *(свои сотрудники[10])*. Все, кто его знали, удивлялись его *(доброжелательность[11])* по *(отношение)* к людям. Он *(все)* желал *(всякое благополучие[12])*, *(счастье)* и побольше *(радость)*. Ему было, действительно, не до *(интриги)* и *(личное самолюбие[13])*. У него до конца жизни хватало *(оптимизм)* и *(энергия)* на всё. Так он в годы после революции великодушно[14] вступался за[15] тех, кто был лишён не только *(заработок[16])*, но и вообще *(всё)*. Многие обращались[17] к нему за *(помощь)*. Благодаря *(это)*, он пользовался *(уважение[18])* даже со *(сторона)* врагов. Накануне *(революция)*, когда политические враги были уверены, что им удастся[19] лишить его *(свобода)* и даже *(жизнь)*, он всё же был помилован[20] *(царским властями[21])*. Многие добивались его *(казнь[22])* и было время, когда Горький был уже приговорён[23] к смерти. Не прося ни *(милость[24])* ни *(прощение)*, он ждал *(смерть)*, но царскому правительству пришлось его освободить, так как общественное[25] мнение[26] было на стороне Горького - это вне *(всякое сомнение[27])*. Какое же из его *(литературные произведения)* является *(самое известное)*? Роман

---

[1] *certain* [2] *moral strength* [3] *survive* [4] *circumstances* [5] *he got himself busy (on sthg.)* [6] *human rights* [7] *dignity* [8] *activist* [9] *personal* [10] *co-workers* [11] *good will* [12] *well-being* [13] *vanity* [14] *magnanimously* [15] *backed* [16] *earnings* [17] *turned* [18] *respect* [19] *succeed* [20] *pardoned* [21] *authorities* [22] *execution* [23] *condemned* [24] *mercy* [25] *public* [26] *opinion* [27] *doubt*

(continued)

Мать и пьесу *На дне*[28] можно назвать *(произведе́ния)*, которые долго по́льзовались *(большая популя́рность)* ещё при *(жизнь)* Горького. Но и короткие его рассказы также полны́ и *(худо́жественная*[29]*)*, и *(жи́зненная правда)*.

[28]*bottom (Lower Depths)* [29]*artistic*

Exercise 20: COMPREHENSIVE REVIEW

1. I did not have any money, and wanted to borrow 10 roubles from my friend Katya. But she refused to lend me even one rouble. Most friends are such.[1] I don't need her friendship and I have no friends anymore.

2. Ivan Ivanovich had a bad toothache.[2] He asked me for advice. What should he do? He had never been treated for anything, and was afraid of doctors. I felt sorry for him and told him where to go, but he refused my advice.

3. "How much money do you need? Will one thousand dollars suffice? You must avoid unnecessary expenses.[3]" -"This concerns nobody - neither you nor my parents. I do have enough money (in order) to return to the university." -"Are you sure of that?[4] Or are you saying this out of stubbornness and pride?" -"Enough of empty words! I am leaving tomorrow at 6:30 in the morning!"

4. During the entire winter, from September on, Boris lived at his aunt's and uncle's in the Caucasus. But, on the eve of his birthday, on April 29th, he left them and went by train to his parents' (house), who lived somewhere in the North. He did this because of some quarrel between him and (his) uncle.

5. "How much did they charge you for[5] your evening[6] dress?" -"About one hundred dollars." -"What color is it? And of what material?" -"It's (made) of black velvet.[7]" -"on what date is the party?" -"On March 18th." -"Then you have enough time to add to the dress something like[8] a white lace[9] collar.[10]" -"Maybe, but it depends on (my) work at the office."[11]

---

[1]*такие* [2]literally: 'The teeth ached very much' [3]*расхо́ды* [4]use *в* + prep. [5]use *за* + acc. [6]use the adjective *вечернее* [7]*ба́рхат* [8]*вроде* [9]use the adjective *кружевно́й* [10]*воротни́к* [11]*контора*

6. We were all standing on the deck of the large ocean[1] liner.[2] The guide wished us a happy journey, waved his hand while walking slowly along the pier.[3] When we had moved a little (away) from the shore, I went (down) from the deck because of the strong wind. All of us[4] were soon sitting in the comfortable dining room, which was full of passengers.[5]

7. Sometimes it is hard to determine what people are looking for in life. Do they expect pure happiness without disappointment?[6] Some among us search for fame and wealth, others for a happy family[7] life. Who can know what will make us happy, especially as we, at times, ask for one thing, and, at times, again for something else. And who can tell what will come out of all our endeavors![8]

8. Professor Nikolayev's book is so well written that it is beyond[9] any[10] criticism. It is something like the Bible[11] for many readers. He has now reached great fame. I wish him success in the future. He is worthy of happiness.

9. When King Lear renounced his crown[12] and his throne,[13] he was deprived of his family. All his relatives, except his youngest daughter, turned away from him. He had not expected such a turn[14] of his affairs. He became disenchanted[15] with his friends and relatives. His youngest daughter was sorry for him, but did not want to flatter[16] him.

10. Gorki helped many[17] people, not only out of compassion and pity for[18] them, but because he firmly believed that each human being[19] (was) worthy of his respect[20] and therefore of his friendship, too.[21] Thanks to his help, many victims[22] of the revolution were saved from death.

11. Because of the revolution, which took place on October 25th, 1917, the civil war,[23] and industrialization, agriculture did not receive sufficient

(continued)

[1]Use the adjective *океанский* [2]*пароход* [3]*набережная* [4]lit.: 'we all' [5]*пассажир* [6]*разочарование* [7]use the adjective *семейная* [8]*старания* [9]*вне* [10]*всякий* [11]*Библия* [12]*корона* [13]*престол* [14]*поворот* [15]*разочароваться* + *в* + prep. [16]*льстить* + dat. [17]use dat. of *многие* [18]use *к* [19]*человек* [20]*уважение* [21]*тоже...и* [22]*жертва* [23]*гражданская война*

attention from the leaders[1] of the Communist Party. During the twenties[2] and even the thirties, the plows[3] were still made out of wood, and there was never enough food.[4]

12. During one of the voyages[5] from London to New York, a briefcase[6] was stolen from Mr. Petrov. Because of this, he lost[7] all his money and all his important documents. Several of the passengers demanded a thorough[8] investigation[9] and Mr. Petrov decided to seek help from the police.

---

[1]*вождь* [2]*двадца́тые го́ды* [3]*плуг* [4]*пи́ща* [5]*путеше́ствие* [6]*портфе́ль* [7]use *лиши́ться* [8]*подро́бное* [9]*иссле́дование*

Note: There is no equivalent in Russian for the English 'of' in the following expressions:

Город Ки́ев	- *The city of Kiev*
Остров Кипр	- *The island of Cyprus*
Село Степа́нчиково	- *The village of Stepanchikovo*
Деревня Сосно́вка	- *The village of Sosnovka*
все мы	- *all of us*
разные пилю́ли	- *different kinds of pills*
они оба	- *both of them*
всё	- *all of it*
всякая критика	- *every (any) kind of criticism*

But:

Консерватория имени Чайковского
- *the Tchaikovsky Conservatory*

Завод имени Кирова
- *the Kirov works*

CHAPTER 5

THE PREPOSITIONAL CASE

(Предложный падеж)

Reminder: The prepositional case is used:

a) with the preposition о (об, обо):

Question: О КОМ?
О ЧЁМ?

	Noun
беспоко́иться/забеспоко́иться о ком/чём-нибудь	
вспомина́ть/вспо́мнить о... *(to remember)*	
говорить о...	
думать/подумать о...	ду́ма[1]
забывать/забыть о...	
мечтать/помечтать о... *(to daydream)*	мечта́
писать/написать о...	
помнить о...*(to remember)*	
разговаривать о...	разгово́р
рассуждать о... *(to deliberate)*	рассужде́ние
свиде́тельствовать о... *(to bear witness)*	свиде́тель
спо́рить/поспо́рить о... *(to argue)*	спор
толкова́ть/потолкова́ть о.. *(to discuss informally)*	

b) with the prepositions в *(inside)* and на *(on, on top of)* to denote location. Remember also that на is often used to mean 'in' or 'at' rather than 'on top of':

на аэродро́ме	на вокзале
на балете	на войне
на богослуже́нии *(at a church service)*	на восто́ке

(continued)

---

[1] *ду́ма - a poetic expression for мысль*
Ду́ма - a political body not unlike the Parliament

на выставке

на за́паде

на кла́дбище *(at the cemetery)*

на конце́рте

на ку́рсе

на ле́кции

на мо́ре

на о́строве

на рабо́те

на репети́ции *(at a rehearsal)*

на пье́се *(at a play)*

на ро́дине *(in one's native country)*

на ры́нке *(in the market)*

на сва́дьбе *(at the wedding)*

на све́те *(in the world)*

на том свете *(in the other world)*

на се́вере

на слу́жбе *(at work)*

на собрании

на спе́вке *(at a singing rehearsal)*

на спекта́кле *(at the performance)*

на углу

на уроке

на факультете

на ю́ге

на Кавка́зе

на Камча́тке

на Ки́пре *(on Cyprus)*

на Ку́бе *(in Cuba)*

на Ура́ле *(in the Urals)*

на Цейло́не *(on Ceylon)*

и т.д.

c) Remember the ending у/ю in:

в аду́

на балу́

в бою́

на боку́

в бору́ *(pine forest)*

на борту́ *(on board ship)*

в бреду́

наверху́

на ветру́

на виду́ *(in sight)*

ввиду́[1] того, что *(in view of)*

внизу́

на возу́ *(cart-load)*

в глазу́

в году́

в гробу́ *(in a coffin)*

на углу *(at the corner)*

в шкафу

в долгу́ *(indebted)*

на Дону́

на духу́ *(during a religious confession)*

в пару́[2] *(in steam)*

на краю́ *(edge)*

в кругу́

See following page for footnotes.

в Крыму́

на льду́ *(ice)*

в лесу́

на лету́[3] *(while flying)*

на лбу́ *(forehead)*

на лугу́ *(meadow)*

в меду́[2]

в меху́[4]

в мозгу́ *(brain)*

на мосту́

на мху́ (мох - *moss)*

на, в носу́

в отпуску́ *(furlough, vacation)*

в плену́ *(in captivity)*

на полу́

в полку́ *(regiment)*

в порту́

в посту́ *(during Lent)*

в пруду́ *(pond)*

в раю́ *(Paradise)*

во рву́ (ров - *ditch)*

в ряду́[2] *(row)*

в саду́

в снегу́

в соку́ *(juice)*

на суку́ *(branch)*

в тылу́ *(rear)*

в углу́ *(in the corner)*

на часу́

в цвету́ *(in bloom)*

в чаду́[5] *(fumes)*

Note:

Этот ученик у нас на плохом счету́.
-This student is not considered to be a good one.

Он всегда спешит - даже ест на ходу́.
-He always hurries - he even eats on the run.)

Я даю уроки на дому́.
-I give lessons at home.

---

[1] *Имейте в виду́, что я опоздаю.* *-Keep in mind that I will be late.*
but:
Это было сказано в виде шутки. *-This was said as a joke.*

[2] But:
Я варю ягоды на меду, а овощи на пару. *-I cook berries in honey, and vegetables in steam.*
на ряду́ с... *-along with...*

[3] *Он поймал мячик на лету.* *-He caught the ball while it was still flying.*

[4] But:
Пальто было на меху. *-The coat was fur-lined.*

[5] Note:
Она как в чаду. *-She seems to be dazed.*

d) Memorize the following expressions:

на каждом шагу́	- *all the time, at every step*
на моих глазах	- *before my very eyes*
на своём веку́	- *in one's lifetime*
на краю́ ги́бели	- *on the edge of ruin*
на краю́ све́та	- *at the world's end*
Это ему было на роду́ написано.	- *This was his fate.*

A. Expressions with на + Prepositional Case

1. На + prep.:

на дворе́	- *in the yard*
на де́реве	- *in the tree*
на карти́не	- *in the picture*
на лице	- *on the face*
на небе	- *in the sky*
на свежом воздухе	- *in the fresh air*
на сердце	- *in one's heart (abstract)*
на улице	- *in (on) the street*
на уме́	- *in one's mind*
на языке	- *in the language*
Что у него на уме?	- *What does he have on his mind?*
Что у тебя на душе́?	- *What is bothering you?*
Что у тебя на со́вести?	- *What lies heavily on your conscience?*

2. На + prep.: играть на каком-нибудь инструме́нте

на а́рфе	на саксофо́не
на балала́йке	на скри́пке *(violin)*
на бараба́не *(drum)*	на трубе́ *(trumpet)*
на виолонче́ли	на фаго́те *(bassoon)*
на гита́ре	на фле́йте
на роя́ле	и т.д.

3. На + prep.: Time expressions

на этой неделе

на будущей неделе

на прошлой неделе

на первых пора́х - *in the very beginning*

на-днях - *of the these days, the other day*

4. На + prep.: Verbal constructions

	Noun
жениться на ком-нибудь - *to marry (of a man)*	женитьба
наста́ивать/настоя́ть на чём-нибудь - *to insist on*	
наста́ивать/настоя́ть на своём - *to insist of having it one's way*	
осно́вывать(ся)/основа́ть(ся) на чём-нибудь - *to found, to be founded, based*	основа
писать/написать на (пишущей) машинке - *to type*	

Note:

На Ольге было белое платье. = Ольга была в белом платье.

На нём был синий костюм. = Он был в синем костюме.

Exercise 1:

Ответьте полной фразой на следующие вопросы:

1. О чём вы любите мечтать? *(будущее; окончание университета; хорошая слу́жба)*

2. О чём вы рассуждали всю ночь? *(интересная лекция; трудное решение; игра на рояле)*

3. О чём старики и не мечтали на своём веку́? *(народное страхова́ние[1]; лёгкая жизнь; госуда́рственная подде́ржка[2])*

4. О ком Иван совершенно забыл? *(ожидающий товарищ; написавший ему письмо знакомый; заболевший ребёнок)*

[1] *social security* [2] *government support*

5. Где ты встречался с Наташей? *(Крым; Кавказ; юг; каждый шаг; двор; мост; лес; улица)*

6. Когда ты женишься на Наташе? *(будущая неделя; эта неделя)*

7. На каких языках она умеет говорить? *(немецкий; русский; итальянский)*

8. Что Михаил умеет? *(говорить - несколько[1] иностранные языки; играть - два инструмента; писать - пишущая машинка)*

9. На чём наста́ивают твои родители? *(моя женитьба - Софи́я)*

10. Где ты видел такую красоту́? *(вечернее небо; детские карти́нки; дальный север; каждый шаг; Крым)*

11. Где была осно́вана Петром Вели́ким новая столица России? *(река Нева́[2])*

12. На каких инструментах вы не умеете играть? *(ни какие - кроме как - флейта)*

13. Неужели Иван умер? Да, он уже давно *(тот свет)*.

---

[1]Put *несколько* in the necessary case.
[2]*Нева* must also be put in the prep. case.

Exercise 2:

Отвечая на следующие вопросы, обратите внимание на окончания и на предлоги *на*,*в*.

1. Где вы были вчера? Сначала *(рынок)*, потом *(вокзал)* и вечером *(балет)*.

2. Где Иван провёл целые су́тки?[1] Утром он загорал[2] *(берег)*, днём бродил *(лес)*, ночью веселился *(порт)*.

3. Где вы провели о́тпуск? Первую неделю *(Крым)*, а остально́е время *(Кавказ)*.

4. Где Наташа раньше жила? Она родилась *(Дон)*, училась *(Камчатка)*, вышла замуж за дипломата *(Кипр)*.

5. Где дети были весь день? Они играли *(снег)*, катались на коньках *(лёд)*, а потом были у кого-то *(гости)*.

---

[1]twenty-four hours
[2]get a tan

6. Где ты хотел бы жить? Пожалуй где-нибудь *(юг)*, *(берег)* моря, но только не *(крайний север)*, потому что там встречаются *(каждый шаг)* разные тру́дности.

7. Где Миша? Его сегодня не было *(собрание)*, и не будет *(лекция)*, потому что ему сделали операцию *(правый глаз)*. Когда он был *(отпуск)*, он повредил себе глаз.

8. Где Ваня пойма́л эту щуку?[3] Вероятно *(наш пруд)*, который *(сад)* за домом. Там я его видел стоящим *(мост)*.

9. Где твой брат встретился с моим? Они познако́мились *(война)* и оба участвовали *(один и тот же бой)*, а в конце войны работали вместе где-то *(тыл)*.

10. Где по тво́ему красивее всего? Конечно *(Крым)*, потому что там 10 месяц *(год)* всегда какие-нибудь расте́ния[4] *(цвет)*.

11. Где же новые картины? Те, которые я купил *(выставка)* пока ещё[5] лежат у меня *(шкаф)*.

12. Где умер Бори́с? Когда я служил *(полк)* генерала Краснова, я слышал, что Бори́с находился *(плен)* у немцев - а больше я ничего не знаю.

---

[3]*pickerel* [4]*plant* [5]*for the time being*

5. На + prep.: Transportation expressions

Как вы больше всего любите путешествовать?

на автобусе

на автомобиле

на машине

на по́езде

на самолёте

на трамвае

на аэроплане

и т.д.

[The Instrumental Case can also be used: поездом, etc.]

Memorize the following expressions:

Я больше всего люблю...

кататься на конька́х	- *to skate*
кататься на лы́жах	- *to ski*
кататься на ро́ликах	- *to roller skate*
кататься на саня́х	- *to go sledding*
кататься на ло́дке	- *to go boating*
кататься на душегу́бке " " байда́рке	- *to go canoeing*
кататься на велосипе́де	- *to go bicycling*
кататься на мотоцикле́тке	- *to go motorcycling*

B. Expressions with в + Prepositional Case

1. В + prep.: Time expressions

в этом месяце, году	
в бу́дущем[1]	- *in the future*
в про́шлом	- *in the past*
в про́шлом месяце, году	
в январе́, в феврале́, в ма́рте, и т.д.	
в тысяча девятьсот сорок первом году	
в 1977-ом году	
в котором часу́?	
в половине пятого	- *at 4:30*
в скором времени	- *soon*
в ближайшем будущем	- *in the near future*

[1]But: *в настоя́щее время* (acc.) - *at the present time*

2. В + prep.: Idiomatic constructions

в са́мом деле?	- *really?*
в чём дело?	- *What's the matter?*
в кра́йнем слу́чае	- *if worse comes to worst; failing this*
ни в каком слу́чае	- *absolutely not*

в чём ты винова́т?	- *what are you guilty of?*
ты в своём (ли) уме?	- *are you crazy?*
никто в этом не винова́т	- *nobody is guilty of this*
Ольга была в белом платье	- *Olga was wearing a white dress*
Николай согласился принять участие в нашем концерте.	- *Nikolai agreed to take part in our concert.*
в це́лом	- *as a whole*
никогда в жизни	- *never in my[1] life*
в после́дствии	- *later on*
мы живём в десяти́ милях отсюда.	- *we live 10 miles from here.*
" " в двух шагах.	- *" " very close.*
Вчера мы были в гостях у Петровых.	- *Yesterday we were visiting the Petrovs.*

[1] No possessive pronoun is used in Russian

Exercise 3:

Ответьте полной фразой на следующие вопросы:

1. Когда Ольга окончит университет? *(декабрь; май; 1977 г.; 1980 г.)*
2. В котором часу вы вернётесь домой? *(Ещё не знаю - или 4:30, или 5:30, или 6:30)*
3. Сколько лет Коле? *(ему исполнилось - прошлый месяц - 12 лет)*
4. В чём была Наташа на балу? *(голубо́е платье и сере́бряные туфли)*
5. Вы в са́мом деле не далеко отсюда живёте? *(Да, только - 5 миль)*
6. Ты ведь живёшь близко от нас? *(2 шага)*
7. В чём этот человек виноват? *(ужасное преступле́ние;[1] ни что; какое-то воровство́;[2] нече́стность[3])*
8. Когда Иван Иванович переехал на Кавказ? Кажется только *(этот год)*, а может быть уже *(прошлый год)*.
9. Как Борис ездит в школу? Или *(трамвай)*, или *(велосипе́д)*.

[1]*crime* [2]*theft* [3]*dishonesty*

10. Что вы делаете в свободное время? Ката́емся *(сани)* и *(лыжи)* или *(коньки)*.

11. Когда Катя получит место?[4] *(будущая неделя)*

12. Николай уже поступил в университет? Да, уже *(прошлый год)*.

---

[4] *job*

---

3. В + prep. with certain verbs:

	Noun
кля́сться в чём-нибудь *-to swear*	кля́тва
испове́доваться в чём-н. *-to confess (to a priest)*	и́споведь
нужда́ться в ком-/чём-н. *-to need*	нужда́
обвиня́ть/обвини́ть в чём-н. *-to accuse of*	обвине́ние
обма́нывать(ся)/обману́ть(ся) в чём-н. *-to deceive (be deceived)*	обма́н
опра́вдывать(ся)/оправда́ть(ся) в чём-н. *-to justify (oneself)*	оправдание
отка́зывать/отказа́ть в чём-н. *-to deny someone something*	отка́з
ошиба́ться/ошиби́ться в чём-н. *-to be wrong*	оши́бка
признава́ться/призна́ться в чём-н. *-to admit (a mistake)*	призна́ние
разочаро́вывать(ся)/разочарова́ть(ся) в ком-/чём-нибудь *-to disappoint (be disappointed in)*	разочарова́ние
раска́иваться/раска́яться в чём-н. *-to repent of*	раска́яние
сознава́ться/созна́ться в чём-н. *-to confess (something shameful)*	
сомнева́ться в чём-нибудь *-to doubt*	сомне́ние
соревнова́ться в чём-нибудь *-to compete in*	соревнова́ние
убежда́ть(ся)/убеди́ть(ся) в чём-н. *-to convince (be convinced)*	убежда́ние

уверя́ть/уве́рить в чём-нибудь
-to assure someone of

уча́ствовать в чём-н. (или принимать участие в чём-нибудь) — уча́стье
-to participate in

упрека́ть/упрекну́ть в чём-нибудь — упрёк
-to reproach

<u>Exercise 4</u>:

a) Study the following sentences;
b) Cover the Russian text and reconstruct it.

1. Като́лики и правосла́вные должны́ исповедоваться свяще́ннику в своих грехах. - *Catholics and Orthodox people must confess their sins to a priest.*
2. Люди нужда́ются друг в друге. - *People need each other.*
3. Женщина обвиня́лась в убийстве. - *The woman was accused of murder.*
4. Молодые нередко обманываются в своих ожида́ниях. - *Young people are often badly disappointed in their ex- expectations.*
5. В чём ты стара́ешься оправда́ться? - *In what are you trying to justify yourself?*
6. Трудно отка́зывать в помощи нужда́ющимся. - *It is hard to refuse help to the needy.*
7. Иван Иванович во многом ошибался. - *Ivan Ivanovich was wrong in many things.*
8. Мальчик признался во лжи. - *The boy admitted his lie.*
9. Иван разочаровался в жизни. - *Ivan is disenchanted with life.*
10. Престу́пник раска́ялся в своём преступле́нии. - *The criminal repented of his crime.*
11. Подсуди́мый так и не созна́лся ни в чём. - *The defendant never confessed anything.*
12. Не́которые люди сомнева́ются в существова́нии Бо́га. - *Some people doubt God's existence.*

(continued)

13. Ученики́ соревнова́лись в бе́ге. - *The (secondary school) students competed in the dash.*

14. Судья́ убеди́лся в неви́нности подсуди́мого. - *The judge became convinced of the innocence of the defendant.*

15. Подсуди́мый уверя́л всех в своей неви́нности. - *The defendant assured everyone of his innocence.*

16. Иногда пациенты упрекают врачей в безразли́чии к ним. - *At times, the patients reproach the doctors for their indifference towards them.*

17. В этом году многие страны не уча́ствуют в Олимпи́йских и́грах. - *This year, many counaren't participating in the Olympic Games.*

---

4. B + prep. with certain adjectives:

Мы можем быть *уве́рены в нём* - он не преда́ст нас. - *We can be sure of him - he will not betray us.*

Я не *уве́рена в и́скренности* твоих слов. - *I am not convinced of the sincerity of your words.*

Да, я *в этом уве́рен*. - *Yes, I am sure of this.*

Вы *убежде́ны в его надёжности?* - *Are you convinced of his reliability?*

Ты *прав (неправ) в этом*! - *You are right (wrong) about this!*

Exercise 5:

Ответьте полной фразой на следующие вопросы:

1. В чём испове́довались[1] люди свяще́ннику? *(...все свои нехорошие поступки[2] и грехи[3])*

2. В ком и в чём нуждается больной человек? *(...хороший врач; лека́рство[4]; доброе отноше́ние)*

---

[1] *confess* [2] *actions* [3] *sins*
[4] *medicine*

3. В чём обвиня́ется вор, уби́йца, граби́тель?[5] *(воровство́; уби́йство; грабёж[6])*

4. Что самое печа́льное в жизни? *(обману́ться и разочарова́ться...близкий человек)*

5. Раска́ивается ли Раскольников,[7] в самом деле, в конце романа *Преступление и Наказание*?[8] Он не раска́ивается ни *(что)*.

6. Что сделал Раско́льников? Он созна́лся *(своё преступле́ние)*.

7. Есть ли что-нибудь, в чём нельзя сомнева́ться? Нет, так как можно сомнева́ться абсолю́тно *(всё)*.

8. На какое спортивное соревнова́ние вы собира́етесь идти? Я люблю смотреть, как соревну́ются *(лыжный спорт)*.

---

[5] *robber* [6] *robbery (no ё in prep. case)* [7] Raskol'nikov is the main character in Dostoevsky's novel. He kills two women. [8] *Crime and Punishment*

Exercise 6:

Укажите правильную форму:

1. Престу́пнику так и не[1] удалось убеди́ть судью́ *(своя неви́нность)*.

2. Муж и жена не должны ни в каком случае упрека́ть друг друга *(что бы то ни было)*.[2]

3. В крайнем слу́чае и я смогу участвовать *(этот спектакль)*, хотя я никогда в жизни не играла на сце́не.

4. Нехорошо всегда наста́ивать *(своё)*, так как в после́дствии часто приходится раска́иваться *(это)*.

5. Конечно, никто ни в каком случае не должен считать себя винова́тым *(то)*, что ему не везёт[3] в жизни, но всётаки каждый из нас в какой-то мере[4] сам винова́т *(свои неуда́чи)*.[5]

6. Подумай, дедушка отказал мне даже *(маленькая сумма)* денег, - *(какие-то сто[6] доллары)*.

7. Иван хорошо учится *(скорое время)* он уже станет юри́стом.

---

[1] *never* [2] *anything at all* [3] *has bad luck* [4] *in some measure* [5] *failure* [6] Prep. case: *ста*

8. В начале войны немцы были уверены *(непобеди́мость*[7]*)* их армии.

---

[7] *invincibility*

C. *Expressions with По, При + Prepositional Case*

1. По + prep.:

По приезде домой отец заболел.	- *After his arrival home, Father got sick.*
По оконча́нии университета Иван поедет на дальный север.	- *After graduation from the university, Ivan will go to the far North.*
По истече́нии года его выпустили снова на свобо́ду.	- *After a year had passed, he was again set free.*

Memorize:

По чём сегодня яблоки?	- *How much are apples today?*
По чём сегодня продаются ягоды?	- *For how much are berries (being) sold today?*
Пройдя 10 миль, все устали, а Ивану как будто не *по чём*!	- *Having covered ten miles, we were all tired, but Ivan, it seemed, did not feel it at all (= this was nothing to him).*

2. При + prep.:

a) 'in the time of'

При Петре́ Вели́ком Россия сделалась великой держа́вой.	- *In the time of Peter the Great, Russia became a great power.*

b) 'in the presence of'

Не говори этого *при мне*.	- *Don't say that in my presence.*

Доктор никогда не курит *при больном.* - *The doctor never smokes in the presence of a patient.*

c) 'near/attached to'

При доме был красивый сад. - *Near (attached to) the house, there was a beautiful garden.*

При нашем университете есть хорошая библиотека. - *Attached to our university, there is a good library.*

d) 'in spite of'

При всём его бога́тстве он очень несчастен. - *In spite of all his wealth, he is very unhappy.*

При всей его эне́ргии ему не удалось ничего сделать. - *In spite of all his energy, he did not succeed in doing anything.*

e) comparable to the preposition 'bei' in German (there is no uniform translation in English)

При наступле́нии темноты нам пришлось остановиться. - *At the setting-in of darkness, we had to stop.*

При са́харной боле́зни надо обратиться к специалисту. - *In case of diabetes, a specialist must be consulted.*

При таком характере как у тебя - трудно найти место. - *With such a character as you have, it is difficult to find a a job.*

При луне всё было хорошо видно. - *In the moonlight, everything could be seen very well.*

Боюсь, что *при таких обстоя́тельствах* ничего нельзя сделать. - *I am afraid that in such circumstances nothing can be done.*

При виде друга Борис обра́довался. - *At the sight of his friend, Ivan felt very happy.*

f) 'at that time' ('at the same time')

При этом она заплакала. - *At the same time (while something else was happening) she began to cry.*

g) Idiomatic constructions (to be memorized)

При чём ты тут? - *What have you to do with it?*

Я тут *не при чём*. - *I have nothing to do with it.*

Он ничего не знал, *при чём* совершенно и не хотел ничего знать. - *He did not know anything and moreover did not even want to know anything.*

Вот тебе книга - *при слу́чае* верни́ мне её. - *Here is the book for you. Return it to me at your convenience.*

Я прису́тствовал *при казни*. - *I was present at the execution.*

Exercise 7:

a) Прочитайте следующий отры́вок несколько раз вслух; обратите при этом внимание на констукции с различными падежа́ми.
b) Переведите отры́вок на английский язык а потом сно́ва на русский.

Рассказ эмигранта

В тысяча восемьсот сорок девятом году - кажется это было в декабре - мы приехали на огро́мном шведском пароходе в Соединённые Штаты Америки и оказались в половине десятого утра в гавони[1] Нью-Йорка. Пока пасса́жиры приготовля́лись к высадке,[2] музыканты на прощание играли на своих инструментах что-то весёлое. Под эту музыку мы и сошли с парохода на берег. На улицах было шу́мно, на небе ничего не было ви́дно - оно было покры́то тяжёлыми ту́чами. Люди двигались то́лпами: при всём желании невозможно было спеши́ть, и по-этому создавалось впечатле́ние, что не́куда и было спешить. На людях была самая разнообра́зная одежда. В глаза нам

---

harbor *landing*

била[3] пестрота́[4] толпы́. При ви́де её, каждый нево́льно задавал себе разные вопросы, и в голову приходили самые удиви́тельные мы́сли вроде следующей: Ведь все эти тысячи и тысячи говорят на одном и том же языке!

Сразу по приезде в Америку надо было заняться вопросом - что дальше? Еди́нственным нашим ро́дственником на этом контине́нте был дядя Коля. Он работал при каком-то университете далеко на за́паде. Он и явля́лся нашей еди́нственной подде́ржкой[5] - пока лишь нра́вственной.[6] При этом даже его а́дрес не был нам точно изве́стен, хотя мы ни минуты не сомнева́лись в его хорошем к нам отноше́нии. Однако мы боялись созна́ться друг-другу в каком-то страхе, начавшем овладева́ть[7] нашими сердцами. Но обвинять в чём-нибудь было не́кого - кроме самих себя - и мы продолжали дви́гаться по направле́нию к це́нтру го́рода, всё время толку́я о том, что нам сделовало бы предпринять.[8]

Вдруг перед нами каким-то о́бразом появи́лся человек, который при виде нас по какой-то причи́не очень обрадовался. „В чём дело?" в изумле́нии[9] спросила жена. При зву́ке её го́лоса незнако́мец стал наста́ивать на том, чтобы мы познакомились. „Позвольте мне помочь вам на первых пора́х!" кричал он разма́хивая руками. „Я так и думал, что вы русские. Я не сомневался в этом ни минуты. Ну, думал - в крайнем случае они украи́нцы. А вы оказа́лись не только бра́тушками - славя́нами, а ещё и настоящими русскими!" - Я много видел и испыта́л[10] разного на своём веку́, но должен сознаться в не́которой сла́бости,[11] охвати́вшей[12] меня при словах нового знакомого. При всём удивле́нии, при всей неожи́данности этой встре́чи я почувствовал облегче́ние[13] и даже благода́рность по отноше́нию к нему. И вот - по истече́нии всего[14] нескольких минут мы уже сидели вместе с ним в небольшом ресторанчике здесь же при гавони... А в скором времени пришлось при нём же открыть бума́жник[15] и сосчитать свои доллеры, чтобы убедить его в нашей обеспе́ченности.[16].. А ведь этого-то нам и не следовало бы делать! В после́дствии мы горько раскаялись в этой нашей неосторо́жности и даже упрекали друг-друга не раз[17] в легкомы́сленности.[18] Ведь нам пришлось убедиться в нече́стности человека, обрати́вшегося к нам по-русски в нью-йоркском порту́. Тем не менее,[19] ли́чно[20] я всегда буду вспоминать о том, как он принял уча́стие в наших делах и́менно[21] тогда, когда

(continued)

---

[3]*struck* [4]*colorfulness* [5]*support* [6]*moral* [7]*take possession* [8]*undertake* [9]*in astonishment* [10]*experience* [11]*weakness* [12]*get hold of* [13]*relief* [14]*only* [15]*wallet* [16]*being well off* [17]*many times* [18]*thoughtlessness* [19]*all the same* [20]*personally* [21]*just, exactly*

мы больше всего нуждались в чьей-то помощи, в чём-то совете.[22] А как и почему мы разочаровались в нашем самом первом знакомом в США - об этом я расскажу вам при случае, как-нибудь в другой раз.

[22] *advice*

Exercise 8:

a) Перескажите прочитанное как можно точнее.
b) Придумайте сами и напишите продолжение к прочитанному.

Exercise 9: REVIEW

Ответьте полной фразой на следующие вопросы:

1. В каком году и как вы приехали в США? *(1952, большой пароход)*
2. В котором часу вы встаёте по утрам? *(6:30; 7:30; 8:30)*
3. В каком месяце празднуется[1] Рождество по старому стилю?[2] *(январь)*
4. В чём вы пришли на спектакль? *(синяя шёлковая юбка, белая вышитая[3] блузка, синие туфли)*
5. А что было на Ольге Петровне? *(чёрная бархатная жакетка)*
6. Где видны луна и звёзды? *(небо)*
7. Когда приедет ваш брат? *(эта неделя; этот месяц; будущий год)*
8. Где играют дети? *(берег; двор; лес; улица; сад)*
9. Где учится Владимир? *(юридический факультет, Колумбейский университет)*
10. Когда вы поедете на Кавказ? *(сразу - окончание)* занятий.
11. Вы бросили[4] курить? Нет, но вы больны, и я никогда не курю *(больной человек[5])*.
12. В чём дело? Это ты опять что-то наделал? Нет, я тут не *(что[6])*.

[1] *celebrate* [2] The Russians use this expression to refer to the Julian calendar [3] *embroidered* [4] *stopped* [5] *in the presence of a sick person* [6] *I have nothing to do with it*

13. В чём вы нуждаетесь? *(медицинская помощь; деньги)*

14. Кто-нибудь признался в чём-нибудь?
    а. Нет, никто не признался ни *(что)*.
    б. Да, вор признался *(кра́жа)*.[7]

15. В чём ты сомневаешься? *(успе́шный[8] конец этого предприятия[9])*.

16. Маша, в чём ты упрека́ешь мужа? *(плохой характер, нетактичность[10])*.

17. Что сказал адвокат? Он убеждён *(твоя неви́нность)*.

18. Для чего ты едешь в Москву? Я буду там участвовать *(междунаро́дный конгресс)* журналистов.

19. Неужели в посо́льстве[11] тебе отказали в визе? Да, консул мне отказал *(всё)*.

20. Неуже́ли тебе ещё не надоели занятия? Да, я разочарова́лась и *(моя профессия)*, и *(сама наука)*.

---

[7] *theft* [8] *successful* [9] *undertaking* [10] *tactlessness*
[11] *embassy*

Exercise 10: COMPREHENSIVE REVIEW

Переведите на русский язык:

1. Last week, I read a long chapter about Empress Catherine the Great. At the time of her reign, there were many foreign guests at the court in St. Petersburg. She herself was talented[1] and well-educated.[2] But, with all her good qualities,[3] the Russians got disenchanted with her.

2. I am 19 years old, and everyone finds me rather smart,[4] for I know how to type in Russian. In the evenings, I like to play the guitar when friends come to visit me. Unfortunately, they don't always call me up when they feel like coming.

3. Where is Katya? On vacation in the Crimea. She went by train. Last year, she was there 2 weeks, but this year she has a new boss.[5] Under such circumstances, she will have to return earlier than last year. She will be back next week already.

---

[1] *тала́нтливая* [2] *образо́ванная* [3] *ка́чество* [4] *у́мный*
[5] *нача́льник*

(continued)

4. On Monday, my friend Ivan met me in the street and we went to the art exhibit.[6] For some reason, I was disappointed in it. I could not admit this to Ivan, for he would have reproached me for (my) stupidity. For some reason, I don't see anything special in all these modern pictures. I don't want to deny[7] contemporary art, but what is the matter with the artists? Why don't they take into consideration the taste of ordinary people?

5. Leo Tolstoy was born in the year 1828. As a young man of 17, he studied law[8] at the University of Kazan![9] Unfortunately, he began to doubt the necessity[10] of studying at an institution[11] of higher education and soon became disenchanted with everything that he saw in Kazan! What was he to do?

6. Anton Chekhov was born in the south of Russia as the oldest son of a merchant. The family was always in need of money, and Chekhov, while[12] still a child, came to know (= got acquainted with) great difficulties. After he had graduated from[13] the Gymnasium, Chekhov studied medicine at Moscow University.[14] He busied himself with literature, also.[15] He called medicine his 'lawful[16] wife' and literature his 'mistress'.[17] In his own[18] words, literature became his great passion[19] in life.

7. At the court of Peter the Great, one could see many faces. He did not trust the friends of his predecessors,[20] and doubted their sincerity.[21] During his reign, many things changed. Peter built a new capital on the Neva. Peter himself became the symbol[22] of this city, and, although many people considered him (to be) the Antichrist,[23] the inhabitants[24] of his city have always been proud of St. Petersburg and Petrograd. Today, Peter's city is called Leningrad.

8. It is a great pleasure to sit on the shore of the Black Sea or on the edge of a rock daydreaming about something pleasant. When the moon is shining,[25] it is also pleasant to admire[26] the

---

[6] *выставка* [7] *отвергáть* [8] *на юриди́ческом факультете* [9] *Казанский университет* [10] *необходи́мость* [11] *заведение* [12] *будучи* - while being [13] *окóнчить* [14] *Московский университет* [15] *тоже...и* [16] *закóнная* [17] *любóвница* [18] *сóбственные* [19] *страсть* [20] *предшéственник* [21] *и́скренность*

beauty of the Black Sea even from a balcony. The view reminds[27] one of a picture; in the sky, there is the moon, down below,[28] the peaceful water.

9. What are you worrying about? After graduation from secondary school, you will study in medical school at the University of Leningrad. After that, you will become a good doctor, and will work as a physician in some village in the south. You will participate in the life of this village, and discuss its problems with the people. Every one will need your help and your advice.

10. "How much are tomatoes[29] today?" "They cost a rouble each." "What?! Don't talk about such prices in my presence!" "But to pay a little more is nothing to you. You have rich parents." "What have my parents to do with this?"

---

[22]*си́мвол* [23]*антихри́ст* [24]*жи́тели* [25] use *при*
[26]*любова́ться* [27]*напомина́ть* + acc. [28]*внизу́*
[29]*помидо́р*

Exercise 11: GENERAL REVIEW OF THE CASES

Укажите правильную форму:

1. Граф Шереме́тьев облада́л *(большие деньги)*, *(огро́мные име́ния)*.
2. Иван пожелал *(я)* всего хорошего *(день рождения)*.
3. Иван грусти́т, потому что разочарова́лся *(свои друзья)* и *(семе́йная жизнь)*.
4. Маша плачет, потому что Иван упрека́ет её *(многое)*, *(лень)*, *(неуме́ние[1] вести хозя́йство)*.
5. Я очень за́нят, ведь я заве́дую *(большая экспортная фирма)*.
6. Во время больших эпидемий врачи́ нередко же́ртвовали *(жизнь помогая больные)*.
7. Иван Иванович преподаёт *(свои ученики)* русскую литературу и учит их *(русский язык)*.
8. Я должна позвонить *(друг)* и посове́товать *(он)* что делать, так как он нуждается *(большая сумма)* денег.

---

[1]*not knowing how*

9. У Петровых нас угостили *(отличный ужин)*, *(французское вино)* и *(какое-то особенное сладкое[2])*.

10. Студенты не пришли *(учитель)*, боясь помешать *(он)*.

11. В нынешнее время нелегко́ заведовать *(средняя школа)*, *(торго́вые дела[3])*.

12. Бедная Катюша обманулась *(все свои ожида́ния)*.

13. Ивана дома нет: он или *(университет)*, или *(лекция)* или *(репети́ция)*.

14. В кухне пахло *(варёная фасо́ль[4], цветная капу́ста[5], щи[6], лук[7])*.

15. Экскурсово́д должен говорить *(какой-нибудь иностранный язык)*; лучше всего, если он может объясняться *(несколько языков)*.

16. Ребёнок заболел снача́ла *(скарлати́на[8])*, потом *(корь[9])*, потом *(воспале́ние лёгких[10])*.

17. Если *(ты)* нездоро́вится, то лучше всего пойти *(доктор)*, *(совет)*[11] и *(лекарство)*[12].

18. Михаил Иванович будет проводит свой отпуск *(этот год)*, *(Крым)*.

19. По окончании средней школы Борис будет учиться *(медицинский факультет)*, чтобы стать *(детский врач)*. Он не хочет быть *(учитель)*.

20. Как я зави́дую *(ты)*! Ведь ты будешь путешествовать *(весь Советский Союз)*.

21. Шведы были побеждены́ русскими *(Петр Великий)*[13], а турки *(Екатерина Вторая)*[13].

22. Мальчиков назвали так: старшего *(Иван)*, среднего *(Евгений)*, а младшего *(Серёжа)*.

23. Эту книгу я теперь действительно нашёл *(интересная)*, а когда я был *(два года)* моложе, она не понравилась *(я)*.

24. Страны бли́жнего восто́ка торгу́ют главным о́бразом *(нефть)*[14].

---

[2] *dessert* [3] *business* [4] *beans* [5] *cauliflower* [6] *cabbage soup* [7] *onions* [8] *scarlet fever* [9] *measles* [10] *pneumonia* [11] *for advice* [12] *medicine* [13] *under the reign of* [14] *oil*

CHAPTER 6

THE NOMINATIVE CASE

(Имени́тельный паде́ж)

Reminder: The subject is always in the nominative case.

A. *Irregular Nominative Plural Endings*

1. Masculine

a. Endings in а/я (always stressed):

а́дрес - адреса́

бе́рег - берега́

бок - бока́
(*side*)

борт - борта́
(*board of ship*)

век - века́

ве́чер - вечера́

глаз - глаза́

го́лос - голоса́

го́род - города́

дире́ктор - директора́

дом - дома́

же́мчуг - жемчуга́
(*pearl*)

ко́локол - колокола́
(*church bell*)

конду́ктор - кондуктора́

край - края́
(*edge, region*)

ку́пол - купола́

ла́герь - лагеря́
(*camp*)

лес - леса́

луг - луга́
(*meadow*)

ма́стер - мастера́

мех - меха́
(*fur*)

но́мер - номера́
(*number, hotel room*)

о́стров - острова́
(*island*)

о́тпуск - отпуска́
(*furlough, vacation*)

па́рус - паруса́
(*sail*)

по́вар - повара́
(*male cook*)

по́греб - погреба́
(*cellar*)

по́езд - поезда́

по́яс - пояса́
(*belt, waist*)

про́вод - провода́
(*wire*)

профе́ссор - профессора́

снег - снега́

сорт - сорта́
(*kind, brand, variety*)

сто́рож - сторожа́
(*watchman*)

счёт - счета́
(*bill*)

том - тома́
(*tome*)

то́рмоз - тормоза́
(brake)

учитель - учителя́

хо́лод - холода́

цвет - цвета́

шёлк - шелка́

ште́мпель - штемпеля́
(seal)

тон - тона́
(tone)

NOTE: господин - господи́на. Господин means 'Mister' or 'gentleman', or it can mean 'master'. (Compare with Господь - 'Lord'.) Господа́ is used in addressing a group. Also: Господа́ Ивановы - 'Mr. and Mrs. Ivanov'.

b. -анин → -ане:

англича́нин - англича́не

армяни́н - армя́не

боя́рин - боя́ре

граждани́н - гражда́не

крестья́нин - крестья́не

христиани́н - христиа́не

c. -ья:

брат - бра́тья

друг - друзья́

лист - ли́стья

муж - мужья́

прут - пру́тья
(twig)

стул - сту́лья

сук - су́чья

сын - сыновья́

d. -ок → -ята:

бесёнок - бесеня́та
(little devil)

волчо́нок - волчата
(wolf-cub)

котёнок - котята
(kitten)

жеребёнок - жеребя́та
(colt)

поросёнок - порося́та
(piglet)

слонёнок - слоня́та
(baby elephant)

телёнок - теля́та
(calf)

утёнок - утя́та
(baby duck)

цыплёнок - цыпля́та
(baby chick)

чертёнок - чертеня́та
(little devil)

щено́к - щеня́та
(puppy)

ребёнок - ребя́та
(child - boys)

e. Other:

ребёнок - дети

человек - люди

сосед - соседи
(neighbor)

чёрт - че́рти
(devil)

хозя́ин - хозяева

цвето́к - цветы́
(flower)

2. Feminine

мать - матери

дочь - дочери

курица - куры

3. Neuter

a. -мя → -мена:

время - времена́

зна́мя - знамёна
(banner)

пле́мя - племена́
(tribe)

имя - имена́

се́мя - семена́
(seed)

стре́мя - стремена́
(stirrup)

b. -о → -и:

ве́ко - ве́ки
(eyelid)

дитя́ - дети

коле́но - коле́ни
(knee)

я́блоко - я́блоки
(apple)

плечо́ - пле́чи

у́хо - у́ши

c. Other:

де́рево - дере́вья

крыло́ - кры́лья

перо́ - пе́рья

звено́ - зве́нья
(link)

су́дно - суда́
(vessel)

не́бо - небеса́

чу́до - чудеса́

B. Uses of the Nominative Case

1. Nominative Case as Predicate: In the present tense,[1] the predicate (adjective, noun, or pronoun) must be in the nominative case.

[1] In the past, future, and conditional, the Instrumental Case can also be used. (See Chapter 2)

Это мой лучший друг. - *This is my best friend.*

Эти люди - хра́брые. - *These people are brave.*

Николай был хороший человек. - *Nicolas was a good person.*

Эта книга будет дорогая. - *This book will be expensive.*

Наташа была бы теперь уже большая девочка, если бы осталась в живых. - *Natasha would be a big girl now, if she had remained alive.*

WARNING: Do NOT carry over into Russian the construction with the accusative often used in English:

	Use instead:	
It is me	→ *It is I*	→ это *я*
It is him	→ *It is he*	→ это *он*
It was her	→ *It was she*	→ это была *она*
It will be us	→ *It will be we*	→ это будем *мы*
It would be them	→ *It would be they*	→ это будут *они*

Compare with Chapter 3, Accusative Case.

---

2. Что + за + Nominative Case:[1] The construction is the same in all genders, singular and plural.

Questions or Exclamations:

Что это за человек?! - *What kind of person is this?*

Что это была за книга?! - *What kind of book was that?*

Что это будет за дело?! - *What kind of business will this be?*

Что это за люди?! - *What kind of people are these?*

Exclamations:

Что за вопрос! - *What a question!*

Что за ужасная комната! - *What a horrible room!*

---

[1] *Что за...* can also be used with the accusative: *Что за людей ты встретил!?*

Что за пре́лесть! - *How delightful!*

Что за чудеса́?! - *What kind of miracles?!*

---

3. The Verb звать *(to be called)* + Nominative Case:

Как вас зовут? - Иван Соколов.

Как тебя зовут? - Маша.

Как его зовут? - Ваня.

[1]The Instrumental Case may also be used.

---

4. The 'Having' Construction + Nominative Case:

у меня есть
у тебя был, была, было, были
у него будет, будут
у нас был бы, была бы,
было бы, были бы + Nominative Case

у человека есть
у матери был, и т.д.
у людей будет, будут, и .д.

---

5. Nominative Case as Vocative: The Vocative Case is identical to the Nominative Case in Modern Russian.

Иван, дай мне доллар!
Дети, идите домой!

However, there are a few remnants of the original vocative which was used regularly in Old Russian:

Боже, помоги мне! - *God, help me!*
Господи, где Ты? - *Lord, where art Thou?*
Влады́ко, поми́луй меня! - *Lord, have mercy on me!*

The following examples are still used in Church Slavonic services:

Отче наш, яко еси на небесе... - *Our Father, who art in heaven...*
Іисусе, *сыне* Божий, услыши мя. - *Jesus, Son of God, hear me.*

In fables and folklore, such Old Russian vocatives as *друже (friend)* are occasionally used.

Exercise 1:

Поставьте во множественное число курсивные слова.

1. У нас в деревне *был очаровательный*[1] *щенок* и совсем *чёрный котёнок*.
2. У нашей лошадки Милки *родился длинноногий жеребёнок*.
3. Это не *ребёнок*, а настоящий *бесёнок*!
4. *Крестьянин* нам крикнул: Смотрите, вот там *волчёнок*!
5. Всё то, что мы здесь видим - *настоящее чудо*.
6. *Теперешнее время* - очень *трудное*.
7. *Это индейское племя* мне *незнакомо*.
8. *Христианин должен* стараться жить по-христиански.
9. Что за *интересное семя*!
10. У пациента *болел глаз*, и *болело ухо*.
11. Покажи мне на карте, где *находится этот остров*!
12. Что за *грязный номер*![2]
13. Вдали *виднелся белый па́рус* и *слышался чей-то голос*.
14. *Сук был покрыт* чистым, мягким снегом.
15. *Жёлтый лист упал* на землю.
16. У меня очень *болело коле́но* от ревмати́зма.
17. Вот вам *красное яблоко*.
18. В о́зере *плавал утёнок*, а по берегу весело *бегал жеребёнок*.
19. И *лес*, и *луг* мне очень *понравился*.
20. Ни *муж*, ни *сын*, не *может* этого понять.
21. Ах *ты чертёнок* - вон отсюда![3]
22. *Дочь* Александры Ивановны *пришла* и *сказала*: Вот *последний цветок* из сада.
23. *Мой брат окончил* Колумбийский университет. *Он* теперь *доктор*.

---

[1] *charming* [2] *hotel room*
[3] *out of here!*

6. Notice the nominative plural in the following constructions:

Мы с братом (= я и брат) рано легли спать.	- *My brother and I went to bed early.*
Маша, *вы* с папой (= ты и папа) когда придёте?	- *Masha, when are you and Father coming?*

CHAPTER 7

REMARKS ON THE NOUN

A. Remarks on Number

1. Certain nouns are used only in the singular.

a. Various materials and substances:

вода́ - *water*
желе́зо - *iron*
зо́лото - *gold*
медь (f.) - *copper*
соль (f.) - *salt*
чугу́н - *cast iron*
и т.д.

But:
лече́бные во́ды - *medicinal waters*
минера́льные соли - *mineral salts*

b. Collective nouns:

большинство́ - *majority*
бра́тия - *monastic brotherhood*
меньшинство́ - *minority*
молодёжь - *youth, young people*
крестья́нство - *peasantry*
студе́нчество - *students (as a group)*
тво́рчество - *creative works (in a bulk)*
детвора́ - *kids (as a group; colloq., expressing affection)*
бабьё - *women (colloq., expressing contempt)*
тема́тика - *themes (as a whole)*

c. Certain abstract concepts:

грусть - *sadness*
мо́лодость - *youth*
не́нависть - *hatred*

счáстье - *happiness*

энéргия - *energy*

ю́ность - *youth*

дрýжба - *friendship*

любóвь - *love*

и т.д.

d. Vegetables and berries:

горóх - *peas*

горóшина - *one pea, with regular feminine declension*

картóфель (f.) - *potatoes*

картóшка - *either potatoes or one individual potato*

лук - *onion(s)*

моркóвь - *carrot(s)*

моркóвка - *either carrots or one individual carrot*

рéдька - *turnip(s)*

свёкла - *beet(s)*

фасóль - *beans*

земляни́ка - *strawberries (wild)*

клубни́ка - *strawberries*

мали́на - *raspberries*

сморóдина - *currants*

крыжóвник - *gooseberries*

черни́ка - *blueberries*

Also:

едá - *food (various dishes served:* кýшанье, кýшанья*)*

пи́ща - *food*

óбувь (f.) - *footwear*

сырьё - *raw materials*

обстанóвка - *furniture*

сирéнь (f.) - *lilacs*

e. Singular in Russian, Plural in English:

бино́кль - *binoculars*
гене́тика - *genetics*
матема́тика - *calisthenics, gymnastics*
меха́ника - *mechanics*
поле́мика - *polemics*
поли́тика - *politics*
приве́т - *greetings*
спорт - *sports*
стати́стика - *statistics*
фи́зика - *physics*
чёлка - *bangs*
чешуя́ - *(fish) scales*
эконо́мика - *economics*
электро́ника - *electronics*

Note especially:

оде́жда - *clothes*
посу́да - *dishes*
Прибалтика - *the Baltic countries*

Important: At times, nouns (mostly abstract) are in the singular where it is logical in English to use the plural:

Во время землетрясе́ния[1] многие люди лиши́лись жизни (gen. sg.) - *During the earthquake, many people lost their lives* (pl.).

В душе (sg.) мы, конечно, знали, что не́чего было больше делать. - *In our hearts* (pl.) *we knew, of course, that there was nothing left to do.*

Что у этих людей на уме́ (sg.)? - *What do these people have on their minds* (pl.)?

Слу́шатели только качали головой (sg.) и молчали. - *The listeners only shook their heads* (pl.) *and remained silent.*

---

[1]*earthquake*

2. Certain nouns are used only in the plural.

a. Objects that consist of two similar parts:

брю́ки, - - *trousers (breeches)*
весы́, -ов - *scales*
воро́та, - - *gate(s)*
но́жницы, - - *scissors, shears*
очки́, очков[1] - *spectacles*
уста́, -[2] - *mouth*
штаны́, -ов - *trousers*
штани́шки, -ек - *a child's trousers*
щипцы́, -ов - *tongs*

[1] *очки́* can also mean 'points' that one wins in a game. In that case there is a singular: *одно очко́*

[2] *уста́* is used only in poetry or in a very solemn style; it is a remnant of the old dual. Today, it takes the plural declension of an ordinary neuter noun.

b. Certain geographical names:

А́льпы - *the Alps*
Афи́ны - *Athens*
Балка́ны - *the Balkans*
Карпа́ты - *the Carpathians*
Пирене́и - *the Pyrenees*

[1] Throughout Russia, many suburbs, villages, and towns have names that appear only in the plural: *Петушки, Соловки,* etc.

c. Plural in Russian, Singular in English:

гра́бли, -ей - *rake*
деньги, - - *money*
джу́нгли - *jungle*
дрова́, - - *firewood*
дро́жжи, -е́й - *yeast*
духи́, -о́в - *perfume*

имени́ны, -	- *feast day, name day (party)*
кани́кулы, -	- *vacation (school)*
крести́ны, -	- *baptism, christening party*
обо́и, -ев	- *wallpaper*
пери́ла, -	- *hand-railing*
по́иски, -ов	- *search*
по́хороны, -	- *funeral*
са́ни, -е́й	- *sled*
сли́вки, -	- *cream*
су́мерки, сумерек	- *dusk*
счёты, -о́в	- *abacus*
су́тки, -[1]	- *twenty-four-hour period*
часы́, -ов	- *clock, watch*
черни́ла, -	- *ink*
ша́хматы, -ов	- *chess*
щи, -ей	- *cabbage soup*
я́сли, -ей	- *day care center for young children*

These nouns have plural modifiers. If the modifier is 'one', *одни* must be used. If it is a numeral from 2-10, the collective form must be used where applicable: *дво́е, тро́е, че́тверо, пя́теро, ше́стеро, се́меро, во́семеро, девя́теро, де́сятеро* + gen.pl. (Ex.- тро́е саней, двое часов).

NOTE: Both *одни́* and the collective numerals must agree with the oblique cases (other than Nom.) of the noun which they modify:

Они ещё долго говорили о трои́х укра́денных часа́х. - *They spoke about three watches which had been stolen.*

NOTE: во́лос/во́лосы - *hair*

У неё краси́вые во́лосы. - *She has beautiful hair.*

Она вы́дернула один во́лос. - *She pulled one hair.*

NOTE: бу́дни[2] - *work day(s), week day(s), as opposed to holidays.*

[1] *кру́глые су́тки* - *around the clock*

[2] *бу́дний день, бу́дние дни* also exist.

Examples:

Скучно говорить о бу́днях - поговори лучше о пра́здниках. - *It is no fun to talk about our work days - let's rather talk about the holidays.*

Новые гра́бли слома́лись. - *The new rake broke.*

Без денег никому не обойти́сь. - *Without money, no one can survive.*

Принеси ещё сухи́х дров! - *Bring some more dry firewood.*

Это те́сто[1] сделано на свежих дрожжа́х. - *This dough has been made with fresh yeast.*

Вот тебе буты́лка французских духо́в. - *Here is a bottle of French perfume for you.*

На имени́нах у меня всегда много гостей. - *On my name day, I always have many guests.*

Летние кани́кулы продолжаются три месяца. - *Summer vacation lasts three months.*

На этих крести́нах мало кто прису́тствовал. - *Few were present at this baptism.*

Я купил красивые обо́и - одни се́рые, другие зелёные. - *I bought beautiful wallpaper - some gray and some green.*

Не держись за перила! Они очень ско́льзкие. - *Don't hold on to the railing! It's very slippery.*

По́иски уби́йцы начались сра́зу же. - *The search for the murderer began immediately.*

На этих торже́ственных похорона́х было много народу. - *At this solemn funeral, there were many people.*

Дети любят ката́ться на саня́х. - *The children like sledding.*

Подали земляни́ку и мали́ну с би́тыми сли́вками. - *Strawberries and raspberries were served with whipped cream.*

---

[1] *dough*

В сумерках ничего не было видно.	- *Nothing could be seen in the dusk.*
Он не спал трое суток.	- *He did not sleep for 72 hours.*
Отец купил двое золотых часов.	- *Father bought two gold watches.*
У нас нет красных чернил.	- *We have no red ink.*
Нас угостили вкусными щами.	- *We were treated to tasty cabbage soup.*
Чтобы тесто поднялось, к свежим дрожжам надо прибавить немножко тёплой воды.	- *So that the dough will rise, it is necessary to add some warm water to the fresh yeast.*

Exercise 1:

a) Study the above examples.

b) Cover the Russian text and reconstruct it.

c) Memorize as many examples as you can in order to use them as patterns.

Exercise 2:

Вставьте правильную форму:

1. Очень вкусное варе́нье[1] можно свари́ть из *(black currents and gooseberries)*.
2. Чтобы получи́лся хороший борщ, надо положить поря́дочно[2] *(onions, carrots, and beets)*.
3. Мы останови́лись на месяц *(in Athens)*.
4. Дети разрезали бумагу *(small scissors)*.
5. Кто вымоет сегодня *(dirty dishes)*?
6. Мы теперь занимаемся *(statistics, mathematics, sports)*.
7. Я совсем промо́кла[3] от дождя́. Посмотри на *(my clothes)*.
8. Кто-то подъехал к *(our gate)*.

---

[1] *jam* [2] *quite a bit* [3] *I'm drenched*

9. У девочки были длинные коси́чки и *(short bangs)*.
10. В бу́дни отец приезжает домой *(at dusk)*.[4]
11. Мы неожи́данно попали с *(funeral)* на *(name day party)*.
12. Разве можно не спать *(96 hours)*?
13. *(On my watch)* уже половина первого.
14. Он вернулся из грани́цы с *(big money)*.
15. В этом году у нас трудности с *(firewood)*.

---

[4] use *в* + acc.

Exercise 3:

Переведите на русский язык:

1. I am going to a funeral.
2. During the search, which lasted almost 48 hours, the policeman had no time to rest.
3. I drink coffee without cream.
4. Don't write anything on the new wallpaper!
5. Are you afraid of dusk?
6. What's the time on your watch?
7. I don't want cold cabbage soup.
8. Can you clear[1] the garden with the rake?
9. The letter was written in red ink.[2]
10. After the solemn[3] funeral, the young people left.
11. Do you play chess?
12. How much yeast did you buy?
13. On week days,[4] we always eat in the kitchen.
14. I will not have any winter vacation this year.
15. What are you going to do with the blueberries?

---

[1] *убрать*
[2] use Instrumental Case
[3] *торже́ственный*
[4] use *в* + acc.

B. Remarks on Gender

1. Masculine nouns declined like feminine.

a. Masculine nouns ending in а/я:

бедня́га	- *the poor one, the unfortunate one*
вельмо́жа	- *an important person (archaic)*
воево́да	- *military commander in medieval Russia*
дедушка	- *grandfather*
дя́дя	- *uncle*
влады́ка	- *ruler, lord (used to address a bishop)*
мужчи́на	- *man or male*
слуга́	- *male servant*
ста́роста	- *village elder; spokesman for a group; church warden*
старшина́	- *foreman*
судья́	- *judge (instr. sing.* - судьёй*)*
ю́ноша	- *youth (young man)*

b. Masculine nouns with diminutive suffixes:

ба́тюшка	- *used to address a priest*
дя́денька } дя́дюшка	- *uncle (affectionate)*
ма́льчишка } ма́льчишечка	- *boy*
мужечо́нка	- *miserable peasant*
старика́шка	- *wretched old man*

c. Diminutives of personal masculine names:

Алёша	- *from* Алексе́й
Ва́ня	- *from* Иван
Илью́ша	- *from* Илья́ *(instrumental* - Ильёй*)*
Ко́ля	- *from* Николай
Миша	- *from* Михаи́л
Воло́дя	- *from* Влади́мир
Саша	- *from* Александр
Серёжа	- *from* Серге́й

NOTE: Masculine nouns can also take the augmentative suffix -ище, which indicates large size:

домище - *a huge house*

дружище - *a great friend (coll.)*

NOTE: Masculine nouns can also take the diminutive suffix -ишко, which conveys a slighting attitude:

Этот домишко мне совсем не нравится (gen.- этого домишка,[1] и т.д.). - *This miserable little house is not to my liking.*

---

[1]Colloquially, the form *домишки* is sometimes used.

REMINDER: All nouns falling into the categories discussed above must, of course, take masculine modifiers:

Наш старый дедушка умер в прошлом году.

Твой милый дяденька уехал заграницу.

Здешний судья - очень умный человек.

молодой подмастерье *(young apprentice)*

---

2. Nouns belonging to the 'Common Gender' have the ending а/я:

выскочка - *upstart*

жадина - *greedy person*

зевака - *idler*

калека - *cripple*

малютка - *little one*

невежа - *boor; someone lacking good manners*

невежда - *ignoramus*

неряха - *sloven*

обжора - *glutton*

пьяница - *drunkard*

плакса - *cry-baby*

разиня - *gawk*

сирота - *orphan*

тупица - *very stupid person*

у́мница - *clever person*

шантрапа́ - *good-for-nothing*

With the exception of малю́тка and у́мница, these nouns have negative connotations, and are more or less colloquial, except for сирота́. *They all refer to both sexes, and their modifiers (adjectives, pronouns, and verbs) in the present tense must agree accordingly.*

FEM.: Бедная женщина - *она была настоя́щей кале́кой; такой кале́ке* трудно жить. *Эта кале́ка, которая жила* среди нас, и *которую* мы все хорошо знали, *умерла* совсем неда́вно.

MASC.: Бедный Андрей - *он был настоя́щим кале́кой; такому кале́ке* было трудно жить. *Этот кале́ка, который жил* среди нас, и *которого* все мы хорошо знали, умер совсем недавно.

FEM.: В нашем доме жила Анна - *кру́глая*[1] *сирота.*

MASC.: В нашем доме жил Иван - *круглый сирота.*

However, if a person of male sex is referred to, the modifiers may take either a feminine or a masculine ending:

Николай - ужасн*ый* пла́кса.

OR: Николай - ужасн*ая* пла́кса.

NOTE: Дитя *(child)* is neuter and has a special declension:

дитя́
дитя́ти
дитя́ти
дитя́
дитя́тей
дитя́ти

Today, it is used only in poetry.

REMINDER: a) Nouns denoting members of a profession are commonly used for both men and women:

Он о́пытный врач.
Она о́пытный врач.

b) The masc. nouns *человек, друг,*[2] *товарищ* have no feminine counterparts:

Анна Ива́новна - хороший человек; она мой лучший друг и замечательный товарищ.

---

[1]*complete* [2]*Друг* in Russian is a true friend, as opposed to *приятель, товарищ, знакомый* which also translate as friend, but don't mean the same to a Russian as *друг*.

3. Indeclinable nouns are all loan words. Those that denote inanimate objects are neuter (except *кофе*, which is masc.). Those that denote living beings (birds, animals) are generally masculine. If, however, it is to be stressed that the animal in question is female, the verb will express this:

   Кенгуру корми́ла детёныша.

Indeclinable nouns

бо́а - *boa constrictor*

бюро́ - *office, bureau*

ви́ски (n.) - *whisky*

жюри́ (n.) - *jury*

интервью́ (n.) - *interview*

какаду́ - *cacado (bird)*

кино - *movie theater*

коли́бри - *hummingbird*

ко́фе (m.) - *coffee*

купе́ (n.) - *train compartment*

мадам (f.) - *madam*

меню́ (n.) - *menu*

метро (n.) - *subway*

пальто́ - *overcoat*

пари́ (n.) - *bet*

радио (n.) - *radio*

такси (n.) - *taxi*

шимпанзе́ - *chimpanzee*

шоссе́ (n.) - *highway*

REMEMBER: The above nouns never change in form, but their modifiers indicate their number and gender (where applicable), as well as the case in question:

Она купила себе пять новых пальто.

Это очень вку́сное виски.

Зоо́лог наблюда́л[1] за молодым шимпанзе́.

[1] *watched*

4. Gender of nouns denoting animals, birds, fishes, and insects:

- In most cases, the same word is used for males and females, whereby its nominative form determines the gender:

  дя́тел (m.) - *woodpecker*

  куку́шка (f.) - *cuckoo*

  кит (m.) - *whale*

  аку́ла (f.) - *shark*

  жук (m.) - *beetle*

  ба́бочка (f.) - *butterfly*

- But the nouns denoting certain species of animals and birds (mainly domestic) have two different forms to indicate male and female. The most common ones are:

DOMESTIC

Masc.		*Fem.*	
бара́н	- *ram*	овца́, овечка (dim.)	- *ewe*
бык	- *bull*	коро́ва	- *cow*
бо́ров	- *boar*	свинья́	- *sow*
кобе́ль	- *male dog*	су́ка	- *bitch*
пету́х	- *cock, rooster*	ку́рица	- *hen*
се́лезень	- *drake*	у́тка	- *duck*

WILD

Masc.		*Fem.*	
волк	- *he-wolf*	волчи́ца	- *she-wolf*
индю́к	- *turkey cock*	индю́шка	- *turkey hen*
лев	- *lion*	льви́ца	- *lioness*
медве́дь	- *bear*	медве́дица	- *she-bear*
слон	- *elephant*	слони́ха	- *elephant cow*
тигр	- *tiger*	тигри́ца	- *tigress*

5. Nouns that are actually other parts of speech (adjectives, participles, and sometimes pronouns) change gender and number to agree with their 'understood' noun.

a. 'Adjective-Nouns':

один мой хороший знако́мый (человек) одна знако́мая (дама) одни наши знако́мые (люди)	-*acquaintance(s)*
правосла́вный, правосла́вная, правосла́вные	-*Orthodox Christian(s)*
посторо́нний, посторо́нние	-*outsider(s)*
больной, больная, больные	-*patient(s)*
вое́нный, вое́нные	-*military person(s)*
лесни́чий, лесни́чие	-*forester(s)*
русский, русская, русские	-*Russian(s)*
другой, другая, другие	-*another, other, or different one(s)*
учёный, учёные	-*scientist(s); scholar(s)*
рабочий, рабочие	-*laborer(s)*
ссы́льный, ссы́льные	-*person(s) in exile*
чужой, чужие	-*stranger(s)*
гла́сный, гласные (зву́к, зву́ки)	-*vowel(s)*
согла́сный, согласный (")	-*consonant(s)*
ва́нная (комната)	-*bathroom*
гости́ная (")	-*living room*
де́тская (")	-*children's room; nursery*
заку́сочная (")	-*snack bar*
кофе́йная (")	-*coffee shop*
мастерска́я (")	-*workshop*
операцио́нная (")	-*operating room*
пере́дняя (")	-*front hall*
пивна́я (")	-*pub*
пельме́нная (")	-*place that serves* пельмени *(Russ.-style ravioli)*

приёмная (комната) - *reception room*

прихо́жая (") - *front hall*

столо́вая (") - *dining room*

убо́рная (") - *powder room*

учи́тельская (") - *teacher's room*

ча́йная (") - *tea-room*

бу́лочная - *bakery*

конди́терская - *pastry shop*

моло́чная - *milk store*

мясна́я - *meat store*

го́рничная - *chambermaid (from* го́рница- *room, archaic)*

мостова́я - *pavement*

на́бережная - *quay, waterfront*

крива́я (линия) - *curve*

The following are commonly used in the pl.:

бедные - *paupers*

белые - *the Whites*

близкие - *relatives*

взро́слые - *grown-ups*

други́е - *other people*

кра́сные - *the Reds*

молоды́е - *newlyweds*

NOTE: Живы́е и мёртвые - *a war novel by K. Simonov*

Neuter adjective-nouns:

жарко́е - *roast meat*

живо́тное - *animal*

моро́женое - *ice cream*

насеко́мое - *insect*

пиро́жное - *pastry*

про́шлое - *the past*

сла́дкое - *dessert*

Neuter adjective-nouns frequently render the English 'thing':

самое гла́вное	- *the main thing*
что-нибудь друго́е	- *something different*
что-то но́вое	- *something new*
всё дорого́е мне	- *everything that is dear to me*
всё хорошее	- *everything that is good*
ничего хорошего	- *nothing good*
мало интересного	- *little that is of interest*
Я мог бы рассказать вам многое.	- *I could tell you many things.*
Я согласен с вами во многом.	- *I agree with you on many things.*

Memorize:

Что у вас нового?	- *What's new?*
Ничего подо́бного!	- *Nothing of the sort*
Что ж тут смешного?	- *What's so funny?*
Надо отдавать до́лжное даже врагу.	- *Even one's enemy must be given his due.*

---

b. 'Participle-Nouns':

заве́дующий,-ая,-ие	- *manager(s)*
пле́нный, пленные	- *prisoner(s)*
подсуди́мый,-ая,-ые	- *defendant(s)*
слу́жащий,-ая,-ие	- *employee(s)*
сумасше́дний,-ая,-ие	- *mentally ill person(s)*
NOTE: Унижённые и оскорблённые	- *a novel by Dostoevsky (<u>The Insulted and Injured</u>)*
бу́дущее	- *the future*
настоя́щее	- *the present*
проше́дшее	- *the past*
ископа́емое,-ые	- *mineral(s)*

The following are commonly used in the pl.:

начина́ющие	- *beginners*
отдыха́ющие	- *vacationers*

трудя́щиеся	- *workers*
уча́щиеся	- *students*
да́нные	- *facts*
Объявля́ется приём уча́щихся.	- *student registration*
Для куря́щих	- *for smokers*

c. 'Pronoun-Nouns':

наши (ваши):

Наши уже уехали на дачу.	- *The members of our family have already left for the country house.*

каждый,-ая,-ые:

Каждый (из нас) дал по доллару.	- *Each of us gave a dollar.*
У каждого свои трудности.	- *Each one has his own difficulties.*

ино́й,-ая,-ы́е:

Иной - хоть и не знает ничего - а всё-таки говорит.	- *Some people speak even if they don't know anything.*

не́которые:

Не́которые среди публики громко аплодировали.	- *Some people in the audience applauded loudly.*

многие:

Я уверен, что многие согласятся с тобой.	- *I am sure that many (people) will agree with you.*

свой,-ая,-и:

Передай привет своим.	- *Give my regards to your family.*

Exercise 4:

Укажите правильную форму:

1. Старый судья́ вошёл в *(приёмная)* и начал расспрашивать *(служащий)* о *(defendant)*, который казался ему совсем *(юноша)*.
2. В монастыре́ мы встретились с *(владыка Серафим)*.
3. Мы жили с *(дядя Серёжа)* и *(двоюродный брат Фома)*.
4. Ваня был *(круглая сирота - use instr.)*, но *(большой у́мница)*.

5. В *(чайная)* шёл спор среди *(мои знакомые)*.

6. Приятно поговорить о *(будущее)*.

7. Я слышал от *(многие учёные)*, что без *(точные данные)* ничего *(хорошее)* не выйдет из этих опытов.[1]

8. В Сибири нашли много *(разные ископаемые)*.

9. *(Русский)* бывает трудно выговорить некоторые *(гласный)* на иностранных языках.

10. *(Больной)* повезли в *(операционная)*. Будем надеяться, что он не останется *(калека)*.

11. Очень скучно разговаривать с *(типичный невежда)*.

---

[1]*experiment*

Exercise 5:

Переведите:

1. I have not yet read Dostoevsky's novel, *The Insulted and Injured*.

2. Many among his friends are drunkards and he himself is a typical upstart.

3. What kind of a bet was this?

4. We must put together[1] a good menu for everyone - for the employees and the managers.

5. Run[2] to the bakery for fresh bread and to the pastry shop for a cake with whipped cream.

6. In the past, when I traveled all over Russia with famous scientists, I saw many interesting things (= much that was interesting) - animals and insects. Have you ever seen a young kangaroo?

7. In the workshop was only a young apprentice.

8. The defendants were no mentally ill people.

9. Let us talk about the interesting facts that you have found out.

10. For some grown-ups it is hard to spend[3] a whole day in a nursery; others again like to be with children.

---

[1]*составить* [2]a quick round trip is implied; therefore use *сбегать* [3]*провести*

11. How many beginners do you usually have in Russian? According to statistics, only a small percentage of the students want to study the Russian language.

12. Are your teachers Russians? Some of them are,[4] others are not.[4]

13. Someone was standing in the front hall and was knocking on the door.[5]

14. I am going to tell you something horrible.
 - No, tell me something funny instead.[6]

15. Each animal has[7] something typical - the lion, the tigress, the monkey, and even a new-born chimpanzee.

16. May I pour you a glass of Italian wine or of Scotch[8] whisky?

17. Give me some ice cream and some pastry.

18. The doctor looked at the curve, which indicated[9] the temperature of the patient, and shook his head.

19. Ivan called me 'good-for-nothing'! He is such a boor.

20. Among the vacationers we met many friends (acquaintances).

---

[4] use *да* & *нет* [5] *в* + acc. [6] *вместо этого*
[7] use *есть* [8] *шотла́ндский* [9] *показывать*

C. Declension of Surnames

1. Surnames ending in -ов/ев, -ова/ева, -овы/евы:

	Masc.	*Fem.*	*Pl.*
N.-	Иванов	Иванов*а*	Иванов*ы*
G.-	Иванова	Ивановой	Ивановых
D.-	Иванову	Ивановой	Ивановым
A.-	Иванова	Иванов*у*	Ивановых
I.-	Иванов*ым*	Ивановой	Ивановыми
P.-	Иванове	Ивановой	Ивановых

COMMENTS:

Иванов is declined like a noun, except in the

Instr. Case, which has the adjective ending *ым*.

Иванова takes adjective endings in all cases except the Nom. and Acc.

Ивановы is declined like a plural adjective except in the Nom.

2. Surnames ending in -ын/ин, -ына/ина, -ыны/ины:

	Masc.	*Fem.*	*Pl.*
N.-	Пушкин	Пушкин*а*	Пушкин*ы*
G.-	Пушкина	Пушкиной	Пушкиных
D.-	Пушкину	Пушкиной	Пушкиным
A.-	Пушкина	Пушкин*у*	Пушкиных
I.-	Пушкин*ым*	Пушкиной	Пушкиных
P.-	Пушкине	Пушкиной	Пушкиных

COMMENTS:

Same as above.

NOTE: Masculine and neuter names of towns and settlements ending in -ов/о, -ев/о, -ин/о, -ын/о are declined as ordinary nouns. Thus they take the ending *-ом* in the Instrumental Case (in contrast to surnames with similar endings which take the adjectival ending *-ым* in the Instrumental):

Мы очень гордимся нашим красивым городом Саратав*ом*.

---

3. Surnames with ordinary adjectival endings are declined like adjectives:

	Masc.	*Fem.*	*Pl.*
N.-	Толстой	Толстая	Толстые
G.-	Толстого	Толстой	Толстых
D.-	Толстому	Толстой	Толстым
A.-	Толстого	Толстую	Толстых
I.-	Толстым	Толстой	Толстыми
P.-	Толстом	Толстой	Толстых

---

4. South Russian (Ukrainian) surnames ending in -енко (or -ко) are indeclinable:

У Короле́нко есть замечательные рассказы о жизни в Сибири.

Мы поедем на именины *к госпоже Максименко*.

Вы знакомы *с профессором Надеждой Поплюйко*?

---

5. Masculine surnames ending in -ич, -ович, or -ь are declined as nouns with the same endings. But *feminine* surnames with these endings are indeclinable.

Masculine

Серге́й Богдано́вич	Николай Го́голь
Сергея Богдано́вича	Николая Гоголя
Сергею Богдано́вичу	Николаю Гоголю
Сергея Богдано́вича	Николая Гоголя
Сергем Богдано́вичем	Николаем Гоголем
Сергее Богдано́виче	Николае Гоголе

Feminine

Тама́ра Богдано́вич	Мария Гоголь
Тамары Богданович	Марии Гоголь
Тамаре Богданович	Марии Гоголь
Тамару Богданович	Марию Гоголь
Тамарой Богданович	Марией Гоголь
Тамаре Богданович	Марии Гоголь

Plural

Богдано́вичи	Гоголи
Богдано́вичей	Гоголей
Богдано́вичам	Гоголям
Богдано́вичей	Гоголей
Богдано́вичами	Гоголями
Богдано́вичах	Гоголях

---

6. Foreign masculine surnames ending in a consonant are declined as nouns. However, foreign *feminine* surnames ending in a consonant are indeclinable:

Masc.	*Fem.*	*Pl.*
Дави́д Джонсон	Марион Джонсон	Джонсоны
Дави́да Джонсона	Марион Джонсон	Джонсонов
Дави́ду Джонсону	Марион Джонсон	Джонсонам
Дави́да Джонсона	Марион Джонсон	Джонсонов
Дави́да Джонсон	Марион Джонсон	Джонсонами
Дави́де Джонсоне	Марион Джонсон	Джонсонах

COMMENT:

Whenever a surname (foreign or not) has an ending which can be integrated into the Russian declension system, it is treated like a Russian noun. However, if the ending of a name is incompatible with the Russian system of declensions (such as a hard consonant for a feminine name or -o for a masculine or feminine name), the name is left undeclined.

---

7. Russian surnames with endings uncommon in the Russian language and non-Russian surnames and first names ending in a vowel are indeclinable:

Жива́го	Гариба́льди	Гё́те
Кручёных	Джугашви́ли	Золя́
Ду́рново		

Names of towns and settlements ending in -у, -и, -е, -о are indeclinable:

Баку́	Чикаго	Со́чи

COMMENT:

To avoid possible misunderstandings in case of indeclinable surnames, an appropriate declinable indicator may be inserted:

Мы идём к Вер*е* и Иван*у* Дурново.

Вчера мы обедали у господ (товарищей) Дурново.

---

8. First names and patronymics are declined separately, each one as a noun, with corresponding case endings. (*Remember*: the patronymic from Илья- Владимир *Ильи́ч* but Вера *Ильи́нична*):

N.- Иван Ива́нович Со́болев
G.- Ивана Ивановича Со́болева
D.- к Ивану Ивановичу Со́болеву
A.- Ивана Ивановича Со́болева
I.- с Иваном Ивановичем Со́болевым
P.- об Иване Ивановиче Со́болеве

N.- Ири́на Алекса́ндровна Бу́лич
G.- Ирины Александровны Бу́лич
D.- Ирине Александровне Бу́лич
A.- Ирину Александровну Бу́лич
I.- с Ириной Александровной Бу́лич
P.- об Ирине Александровне Бу́лич

D. Miscellaneous Remarks on Nouns

1. The singular declension of the masculine noun путь *(road)*:

путь
пути́
пути́
путь
путём
пути́

---

2. Names of kinds of meat:

бара́нина - *lamb* (бара́н)
говя́дина - *beef*
медвежа́тина - *bear's flesh* (медве́дь)
свини́на - *pork* (свинья́)
теля́тина - *veal* (телёнок)
оле́нина - *venison* (оле́нь)

3. Neuter 'Verbal Nouns' express *the process of an action*; this corresponds to the gerund ending '-ing' in English:

-ание/ение

иска́ние	-	*(the) searching*
пе́ние	-	*(the) singing*
пла́вание	-	*(the) swimming*
понима́ние	-	*(the) understanding*
писа́ние	-	*(the) writing*
преподава́ние	-	*(the) teaching*
страда́ние	-	*(the) suffering*
уче́ние	-	*(the) learning*
хожде́ние	-	*(the) walking*

и т.д.

NOTE: These 'verbal nouns' are mostly formed from the infinitive of the imperfective aspect of the verb.

---

4. If a noun gains an adverbial meaning in combination with a preposition, it may lose its original stress, which is placed on the preposition instead:

Я живу *за́ городом.* -*I live outside the city (in the suburbs).*	*as opposed to:*	Дорога проходила за го́родом. -*The road led behind (outside of) the city.*
Он берет работу *на́ дом.*	→	Посмотри на до́м!
Борис довёл меня *до́ дому.*	→	До до́му оставалось ещё два километра.
Мы гуляли *по́ полю.*	→	Трактор медленно шёл по по́лю.

Memorize:

Он взял меня за́ руку. - *He took my hand.*

Он взял меня по́д руку. - *He took me by the arm.*

Он схватил меня за́ ногу (за́ косу). - *He grabbed me by my leg (my braid).*

Мать взяла ребёнка на́ руки. - *The mother took her child into her arms.*

Мы бежали по́д гору. - *We ran downhill.*

Дети бегали по́ двору. - *The children were running in the yard.*

Дети бегали по́ полю. - *The children were running in the field.*

Кот ударил собаку по́ носу. - *The cat hit the dog on the nose.*

Маша схватилась за́ голову. - *Masha clutched her head.*

Он потащил её за́ волосы. - *He dragged her by her hair.*

Мы приехали во́-время. - *We came on time.*

Ешь до́-сыта! - *Eat until you're full!*

Пусти́ть кого-нибудь по́ миру - *to utterly ruin someone (coll.)*

---

5. The 'Fleeting Vowel' *o/e*:

   a. The 'fleeting vowel' appears in all masculine nouns with the nom. sg. ending -*ок* or -*ец* (Exceptions: восто́к - восто́ка, мертве́ц[1] - мертвеца́).

като́к - катка́ - *skating rink*

кружо́к - кружка́ - *circle*

кусо́к - куска́ - *piece*

пирожо́к - пирожка́ - *pie*

пода́рок - пода́рка - *present*

подро́сток - подро́стка - *teenager*

поря́док - поря́дка - *order*

ребёнок - ребёнка - *child*

американец - американца - *an American*

безу́мец - безу́мца - *insane person*

бое́ц - бойца́ - *fighter*

---

[1] *dead person*

вене́ц	- венца́	- *crown*
иностра́нец	- иностра́нца	- *foreigner*
кита́ец	- кита́йца	- *a Chinese*
комсомо́лец	- комсомо́льца	- *member of the Young Communist League*
коне́ц	- конца́	- *end*
коре́ец	- коре́йца	- *a Korean*
купе́ц	- купца́	- *merchant*
оте́ц	- отца́	- *father*
па́лец	- па́льца	- *finger*
пе́рец	- пе́рца	- *pepper*
украи́нец	- украи́нца	- *a Ukrainian*
швейца́рец	- швейца́рца	- *a Swiss*
япо́нец	- япо́нца	- *a Japanese*

и т.д.

b. Other masculine nouns which have a 'fleeting vowel':

-ер:

ветер	- ветра	- *wind*
ковёр	- ковра	- *rug*
костёр	- костра	- *bonfire*

и т.д.

-ен:

день	- дня	- *day*
ка́мень	- ка́мня	- *stone*
ко́рень	- ко́рня	- *root*
пень	- пня	- *tree stump*
сон	- сна	- *sleep, dream*

и т.д.

-ол/ел:

орёл	- орла́	- *eagle*
Па́вел	- Па́вла	- *Paul*
посо́л	- посла́	- *ambassadors*
у́гол	- угла́	- *corner*
у́голь	- угля́	- *coal*

Misc.:

лев	- льва	- *lion*
лёд	- льда	- *ice*
лоб	- лба	- *forehead*
рот	- рта	- *mouth*
руче́й	- ручья́	- *brook*
у́ровень	- у́ровня	- *level*

c. The nom., acc., and instr. sing. of a few feminine nouns in -ь also have 'fleeting vowels':

ложь	- лжи	- ло́жью	- *lie*
рожь	- ржи	- ро́жью	- *rye*
любо́вь	- любви́	- любо́вью[1]	- *love*
це́рковь	- це́ркви	- це́рковью	- *church*

[1]*Любовь* - a female name - keeps the *о* in all cases: *Любо́ви, и т.д.*

---

d. The 'fleeting vowel' also appears in nouns of all genders in the genitive plural to break up a consonant cluster:

Masc.:

When the noun ends in the diminutive ending -ко:

доми́шко - много домишек

Fem.:

In nouns ending in -ка, -ня, -ля:

-ко:

звёздочка	- много звёздочек	- *little star*
ска́зка	- много ска́зок	- *fairy tale*
таре́лка	- много таре́лок	- *plate*
ча́шка	- много ча́шек	- *cup*

-ня, -ля:

ви́шня	- много ви́шен	- *cherry*
пе́сня	- много пе́сен	- *song*
бары́шня	- много бары́шень[1]	- *young unmarried lady*
дере́вня	- много дереве́нь[1]	- *village*
ку́хня	- много ку́хонь[1]	- *kitchen*
земля́	- много земе́ль[1]	- *land*

Note:

сестра - много сестёр

Neuter:

окно́	- много око́н
кре́сло	- много кре́сел
слове́чко	- много слове́чек

[1]This soft sign ending is an exception. Ordinarily, if is preceded by a consonant, the gen. pl. ending is hard, as in: *вишен*
песен

Note: The consonant cluster is kept unbroken in such words as the following, and in all other nouns ending in -ство.

звезда́	- много звёзд	- *star*
изба́	- много изб	- *hut*
и́скра	- много искр	- *spark*
бога́тство	- бога́тств	- *wealth*
сво́йство	- несколько сво́йств	- *characteristics*
существо́	- несколько суще́ств	- *being*

Exercise 6: QUIZ

1. Name as many nouns as possible that are used only in the singular.
2. Name as many nouns as possible that are used only in the plural.
3. Give examples of nouns that belong to the 'common gender'.
4. Name as many indeclinable nouns as possible.
5. Name 10 'adjective-nouns'.
6. Name 10 'participle-nouns'.
7. Give 5 examples of 'verbal nouns'. How are they translated into English?
8. Make up 5 sentences using collective numerals.
9. Name 10 masculine nouns ending in а/я. Make up complete sentences (with modifiers) using these nouns in different cases.
10. How can 'thing' in English be expressed in Russian? Give examples.

Exercise 7:

a) Read the following passage aloud several times.
b) Learn all new vocabulary and pay special attention to the grammatical items discussed in this chapter.
c) Retell the passage, giving as much information as possible (memorize parts of the passage if necessary).

d) Translate the passage into English and then back again into Russian; or
Write down 8-12 questions pertaining to the contents of the passage, answer your questions orally, then write down your answers and check for possible mistakes.

О Влади́мире Галактио́новиче Короле́нко

По матери Короле́нко был по́льского происхожде́ния, но всегда считал себя русским, несмотря на то, что родился в по́лу-польском городе Жито́мире и по́лностью владел и польским, и русским языком. Его можно было бы принять и за украи́нца, так как он ещё в детстве выучился украинскому языку, играя с детворо́й на улицах Жито́мира. Писал он, однако, исключи́тельно по-русски и лучшие его друзья были русские - Чехов и Горький.

Отец Короле́нко был окружны́м[1] судьёй, уважа́емым всеми за че́стность и неподку́пность.[2] Каждого, приходящего к нему по делу, - мужчину или женщину, в бу́дни или в праздник - он выслу́шивал с одина́ковым вниманием. О нём говорили много хорошего, так как он всегда с гото́вностью помогал нужда́ющимся в защи́те.[3] Всякий знал, что этот необыкновенный судья́ не давал никого в оби́ду[4] - ни сиро́т, ни бедных, и всегда суди́л справедли́во[5] и гуманно.[6]

С сыном Володей он стал рано обраща́ться как со взро́слым, предоставля́я[7] ему много свобо́ды и внуша́я[8] ему му́жество,[9] сто́йкость[10] и гуманность. Не только юношей, не уже и подростком Короленко чувствовал негодова́ние[11] против несправедли́вости, встречающейся в о́бществе, и сострада́ние[12] к несчастным и обездо́ленным.[13] Его ранняя по́весть „В дурно́м о́бществе" красноречи́во[14] свиде́тельствует об этом, так как она является литерату́рным изложе́нием[15] его со́бственного о́пыта.

Однажды, во время летних каникул мальчик пропа́л[16] на тро́е су́ток. Когда наступили четвёртые, а его всё ещё не было, начались по́иски, и его, наконец, нашли в каком-то убо́гом[17] доми́шке среди бедняков, больных и кале́к. К отве́ргнутым[18] и неуда́чникам, Короленко всегда относился с терпе́нием[19] и теплотой; а они - в свою о́чередь - понимали и умом и сердцем, что самое

---

[1]*regional* [2]*подкупать/подкупить - to bribe* [3]*defense* [4]*to let down* [5]*justly* [6]*humanely* [7]*grant* [8]*instill* [9]*courage* [10]*steadfastness* [11]*indignation* [12]*compassion* [13]*deprived* [14]*eloquently* [15]*account* [16]*disappear* [17]*miserable* [18]*rejected* [19]*patience*

главное для этого их знако́мого - не казаться, а действительно быть другом беспра́вных.

Короленко рано стал идеали́стом - наро́дником,[1] что привело его к ссы́лке в северо-восточную Сибирь. Здесь зароди́лись его сибирские рассказы, из которых „Сон Макара" самый известный. В нём говорится о бедном яку́те - Макаре - который в конце концов, на том свете[2] находит себе засту́пника во имя правды и справедли́вости - в лице самого́ Влады́ки ми́ра.

Когда начали выходить в свет - один за другим - сибирские рассказы Короле́нко - о ка́торжниких[3] и ссыльных[4] - в них оказалось многое, что было но́во читателям-совреме́нникам. Это „новое" и является характе́рной чертой тво́рчества Влади́мира Галактио́новича Короленко; этим „новым" была его вера во всё доброе в человеке, а также и вера в право каждого на счастье. „Человек со́здан для счастья, как птица для полёта" - говорит один из героев Короленко.

В романе *Слепой музыкант* показано, как слепой добива́ется своего счастья; а в повести „Су́дный день",[5] которая вся прони́кнута мя́гким ю́мором, сво́йственным[6] перу Короленко, добро побежда́ет все тёмные си́лы. Неда́ром у Короленко было много искренних друзей: в нём было так много самого необходи́мого в жизни - ве́ры в неё.

---
[1] *populist* [2] *in the other world* [3] *convict* [4] *exiles*
[5] *Day of Atonement* [6] *characteristic*

Exercise 8: DRILL

Read aloud the following practice sentences, then cover the Russian text and reconstruct it.

1.	У Анто́новых	- *At the Antonovs'*
2.	С госпожой (мадам, гражданкой, товарищем) Петро́вой	- *With Mrs. (madam, citizen, comrade) Petrova*
3.	Без Серге́я Серге́евича Соро́кина	- *Without Sergey Ser-Sergeyevitch Sorokin*
4.	К Нине Петро́вне Трубецко́й	- *To Nina Petrovna Trubetskaya*
5.	С Николаем Андре́евым	- *With Nicholas Andreyev*

(continued)

6. О Марианне Серге́евне Богоявленской - *About Marianna Sergeyevna Bogojavlenskaya*

7. При Александре Миха́йловиче Шульгине́ - *In the presence of Alexander Mikhailovitch Shulgin*

8. С Ильёй Кузмины́м - *With Elias Kuzmin*

9. Без Каре́ниных - *Without the Karenins*

10. Около президента Вашингто́на - *Around President Washington*

11. Без госпожи́ Вашингто́н - *Without Mrs. Washington*

12. За селом Андре́евом - *Behind the village of Andreyevo*

13. В городе Чикаго - *In the city of Chicago*

14. Близко от (города) Со́чи - *Close to the town of Sochi*

15. Для господина (товарища) Пастерна́ка - *For Mr. (comrade) Pasternak*

16. Для госпожи́ (товарища) Нины Пастерна́к - *For Mrs. (comrade) Nina Pasternak*

17. Без Эми́ля Золя́ - *Without Emile Zola*

18. О Толсто́м, Карамзине́ и Ви́кторе Юго́ - *About Tolstoy, Karamzin, and Victor Hugo*

19. От (госпожи́) Глэдис Питерсон - *From (Mrs.) Gladys Peterson*

20. О президентах Кеннеди и Картере - *About Presidents Kennedy and Carter*

21. Против Со́лженицына - *Against Solzhenitsyn*

22. С Александром Солженицыным - *With Alexander Solzhenitsyn*

23. О *Братьях Карамазовых* - *About The Brothers Karamazov*

24. Под городом Саратовом - *Close to the city of Saratov*

25. При Ники́те Хрущёве - *Under Nikita Khrushchev*

26. При критике Белинском - *At the time of the critic Belinski (In the presence of the critic Belinski)*

27. Где живёт Тама́ра Богдано́вич? - *Where does Tamara Bogdanovich live?*

28. Я видел Лизу Шульгину́ - *I saw Liza Shulgina*

Exercise 9:

Укажите правильную форму:

1. Это письмо от *(Анна Николаевна Пота́цкая)*.
2. Завтра я еду к *(Иван Фомич Шу́йский)*.
3. Вы слыхали о *(Ростопо́вич)*?
4. Мы обедали у *(Дейни́цины)*.
5. Я был в монастыре́ у брата *(Фео́дор Ефту́фенко)*.
6. Вы разве не знаете *(Соня Мармела́дова)*?
7. Игорь влюбился в *(Ната́лья Ива́новна Бе́льская)*.
8. Я уже написал *(Любовь Александровна Луговска́я)*.
9. Многие европейские писатели были знакомы с *(Иван Сергеевич Турге́нев)*.
10. Горький путешествовал по России с *(знаменитый певец Шаля́пин)*.
11. У моего друга *(Роберт Ричардсон)* нет детей.
12. Но у его жены *(Бэтси Ричардсон)* есть сын от первого бра́ка.
13. Он надеется получить место в скором будущем у *(Генри Форд)*.
14. У *(Баба́кины)* никогда не бывает весело.
15. Это изве́стие мы получили через *(Анна Николаевна Щерба́цкая)*.
16. Наше име́ние совсем рядом с село́м *(Степа́нчиково)*.
17. У *(Толсты́е)* была большая семья́.
18. Гончаро́в долго работал над своим героем *(Обло́мов)*.

(continued)

19. Мы долго говорили о *(Любовь и Надежда Максимовы)*.

20. Что случилось с *(Соня Мармела́дова)*?

21. Неужели ты ничего не знаешь о *(Борис Пастерна́к)* и его герой *(доктор Живаго)*?

22. У жены *(Чехов)* - актрисы *(Чехова)* - был большой талант.

23. Толстой дружи́л с *(Анто́н Па́влович Чехов)* и *(Владимир Галактио́нович Короле́нко)*.

24. Вчера я был приглашён на имени́ны к *(Тама́ра Александровна Бу́лич)*.

25. Вра́жеская армия стояла уже под городом *(Вороши́лов)*.

26. Почему вы не поехали к *(Богоявле́нские)*?

27. У моей подруги *(Анна Стеббинс)* чудесный чёрный пу́дель.

28. У её мужа *(Джон Стеббинс)* два автомобиля.

29. Вчера я виделся с *(Па́вел Матве́ев)*.

30. Что вы думаете о *(Розалин Картер)*?

31. Кто из вас знаком с произведе́ниями *(Фри́дрих Ни́чще)*?

32. Людми́ла за́мужем за *(Фома Васи́льевич Бороди́н)*.

33. Где он живёт - в *(Филадельфия или Сан Франциско)*?

34. Вы занкомы с русским мысли́телем *(Ге́рцен)*?

35. Я очень интересуюсь фило́софом *(Соловьёв)*.

36. Соня Мармела́дова пожалела *(Родио́н Раско́льников)*.

37. Достоевский остался недовольным своим героем *(князь Мы́шкин)*.

38. Катя хотела бы выйти замуж за *(Илья́ Ильи́ч Совэ)*.

39. Позовите сюда *(Варва́ра Кастро́ва)*!

40. Было бы интересно встретиться с *(Брежнев и Косыгин)*.

41. Я долго бесе́довал с *(Алёша Крупич, Ю́рий Крупич и Ля́ля Кру́пич)*.

42. При *(Васи́лий Петро́вич)* нельзя курить.

43. Надо поехать на аэропо́рт за *(Нина Грице́нко)*.

44. Кто напишет бедной *(Любовь Ильи́нична)*?

45. Вронский не мог жениться на *(Анна Каренина)*.

46. Эти картины написаны знаменитым русским худóжником *(Илья́ Рéпин)*.

Exercise 10:

Укажите правильную форму:

1. В зоологическом саду мы видели разных зверéй: *(лев, волчёнок, орёл)*.
2. Вы разве не принадлежите к *(драмкружок)*?
3. Я никогда не говорила с этим *(купéц)*.
4. В нашем городе много *(иностранец)*.
5. *(Украинец)* не трудно выучиться русскому языку.
6. Скоро *(лёд)* больше не будет.
7. У нас не хватит *(уголь)* нá зиму.
8. На вечернем небе было много *(звёздочка)*.
9. Не показывай *(палец[1])* на людей!
10. В лесу было много почернéвших *(пень[2])*.
11. У него в *(рот)* не осталось ни *(один зуб)*.
12. Пока *(ветер)* не было, было тепло.
13. Сколько у тебя *(сестра)*?
14. Дети съели много *(вишня)*.
15. Бабушка знала много *(сказки)*.
16. На окрáйне[3] города виднелось несколько *(доми́шко)*.
17. Мы знаем многих *(китáец и японец)*.
18. Не бери так много *(перец)*!
19. У меня так много дела - не видно *(конец)*.
20. Каждый из великих писателей шёл *(свой путь)*.
21. Вдали уже виднелись *(огонь)* селéния.[4]
22. В маленькой *(церковь)* шла слýжба.[5]
23. Молодые жили в *(любовь)* и соглáсии.
24. От пожáра летело много *(искра)*.
25. Что ты всё молчишь! Скажи хоть несколько *(словéчко)*!

(continued)

---

[1]use Instr. case [2]*stump* [3]*edge* [4]*settlement* [5]*service*

26. Комсомо́льцы знают много *(песня)*.

27. Этот хлеб сде́лан из *(рожь)*?

28. На *(лоб)* у больного показались ка́пли[6] по́та.[7]

29. К сожалению, ваши знания находятся на самом низком *(у́ровень)*.[8]

30. Гость съел 5 *(таре́лка)* щей.

---

[6]*drops* [7]*sweat* [8]*level*

Exercise 11: REVIEW

Переведите на русский язык:

1. Our grandfather, who lives at Uncle Vanya's, has a marvelous garden. He grows[1] different kinds of berries[2] and vegetables.[3] Even potatoes grow there, but he has no room for peas. The main thing is that he will have lots of strawberries and raspberries this year.[4] The red currants are too sour, but the gooseberries are very tasty. It is such fun[5] when grandfather puts on (his) old clothes, (his) dirty trousers, takes the garden shears and goes to prune[6] the roses that grow at the gate. When I help him, grandfather allows me to go into the vegetable garden[7] - and there are carrots, beets, and beans. Fresh vegetables are so tasty.

2. Nina is angry at Volodya: "Who can be seriously interested in economics except you?! Don't tell me that economics is the most important thing in the world. You are a scholar and an expert on[8] statistics, pure mathematics, and economics, but look at your miserable house, at the cheap wallpaper... you are such a sloven (one)! There is nothing in the kitchen except cold cabbage soup ...!!
"You should look[9] at your neighbor, Thomas Jackson. Oh - his black moustache, his beautiful hair, his elegant clothes, and - he has big money. He studies something important - physics, plays chess, buys expensive perfume, etc., etc."

---

[1]*выра́щивать* [2]*я́годы* [3]*о́вощи* [4]Put 'this year' immediately after *что* [5]*так весело* [6]*подреза́ть* [7]*огоро́д* [8]*знато́к по* [9]*посмотрел бы*

3. In the past, while Father was still alive, we always ate in the large dining room - even on weekdays. Every day, there was something tasty on the table. The roast meat was always well prepared. Best of all,[10] Father liked veal. Instead of dessert, Father drank several cups of strong[11] coffee with cream. He never ate either ice cream or pastry.[12] After dinner, he often said to Ilya Ivanovitch, who was quite[13] a glutton: "Tasty food makes life a little more pleasant, isn't it so?"[14]

---

[10] *больше всего* [11] *крепкий* [12] There are four negatives in this sentence. [13] *порядочный* [14] *не так ли?*

CHAPTER 8

REMARKS ON THE ADJECTIVE

A. *Short-Form Adjectives*

REMINDERS:

a) In modern standard Russian, short-form adjectives are not used attributively,[1] and are not declined.[2] They are used predicatively, with the 'linking verb' быть:

Будьте здоро́вы (здоро́в, здоро́ва)!	- *Good-bye!*

b) The 'fleeting' vowel o/e appears in the masculine singular to break up consonant clusters:

больно́й - бол*е*н
короткий - корот*о*к
фрукто́вый сок очень поле́з*е*н

c) The short-form adjective implies a temporary situation:

Отец больн*ой*.	- *Father is (basically) a sick person.*
Отец бо́л*ен*.	- *Father is sick (happens to be sick at the moment).*
Еле́на здоро́в*ая*.	- *Helen is healthy (she enjoys excellent health).*
Елена здоро́в*а*.	- *Helen is well (for the time being).*

1. Short-form adjectives are commonly obtained from adjectives whose stems end in a hard consonant or a sibilant:

   Он очень мил, она мила́, они очень милы́.

   Он хоро́ш, она хороша́, они хороши́.

   (These adjectives are purely descriptive.)

---

[1] Exceptions to this rule may be found in poetry, folk songs (*мать сыра́ земля* - *'mother moist earth'*), proverbs, and certain idiomatic expressions, such as:

по бе́лу све́ту	*-in the wide world*
на бо́су ногу	*-with bare feet*
по добру́, по здоро́ву	*-while there's time (to get away unhurt)*

[2] Exceptions to this rule are the Possessive Adjectives (see section B.1. of this chapter).

2. 'Participle-adjectives' (mostly passive) - are frequently used in their short form:

   Этот поэт *люби́м* всеми.

   Наш дом *был* уже *про́дан*.

   Комната *будет у́брана*.

   Всё *было бы сде́лано*, если бы вы сказали раньше.

   Бог - *всемогу́щ*. *(God is all-powerful.)*

3. NO short forms exist for:

   a) adjectives whose stems end in a soft consonant (the long ending is usually -ний/няя/нее/ние):

      ранний, синий, поздний, etc.

   b) adjectives that have the suffixes -ский, -ской, -овый, -овой, etc.:

      детский, воровско́й, садо́вый, передово́й, etc.

   c) adjectives indicating material:

      деревя́нный, желе́зный, шёлковый, золото́й, сере́бряный, etc.[1]

   d) possessive adjectives (see section B. of this chapter).

   e) adjectives denoting nationalities (most have the suffix -ск):

      неме́цкий, русский, etc.

   f) the so-called 'possessive' adjectives denoting specific characteristics found mostly in living beings (usually animals):

      коша́чьи глаза, лошади́ная сила, рыба́чья лодка, охо́тничье ружьё, бара́нья шерсть *(sheep's wool)*, etc.

   g) diminutive adjectives:

      хоро́шенький *(handsome)*, кра́сненький, сла́вненький, etc.

---

[1] However, the derivatives *шелкови́стый, золоти́стый, серебри́стый*, may have the short form for masc. and plural:
Снег был серебри́ст.
Её волосы шелкови́сты и золоти́сты.

Remember: No short form exists for:
большой, большая, большое, большие
Use instead:
вели́к, велика́, велико́, велики́.

4. The short form is used in the following expressions:

он винова́т,[1] она винова́та, они винова́ты - ...*is at fault*

он до́лжен, она должна́, они должны́ хозяину 100 рублей. - ...*owe(s) the landlord 100 roubles.*

он прав, она права́, они правы[2] - ...*is right*

он рад, она рада, они рады - ...*is glad*

он согла́сен, она согла́сна, они согла́сны - ...*agree(s)*

---

[1]A gentleman may say *"Виноват!"* instead of *"Извините!"* to mean 'I'm sorry!'
Note: *У собаки винова́тый вид* -The dog looks guilty.
[2]One expression with the long form does exist:
пра́вое дело - a just cause

---

5. The short form is most commonly used in these expressions:

Иван, будь добр (любе́зен), принеси мне чаю. - ...*be so kind*
Ирина, будь добра́ (любе́зна), передай соль.
Иван Иванович, будьте добры́, купите мне газету.

Обед готов, Нина готова, всё готово, сапоги готовы - ...*ready, prepared*

он дово́лен, она дово́льна, они дово́льны - ...*satisfied, pleased*

он жив, она жива́, они жи́вы [жива́я душа] - ...*alive*

он за́нят, она занята́, они за́няты [занято́й человек] - ...*busy*

он знаком, она знакома, они знакомы с кем-/чем-нибудь - ...*acquainted with*

он подве́ржен, она подве́ржена, они подве́ржены малокро́вию - ...*predisposed (prone) to anemia*

он ну́жен, она нужна́, это ну́жно, они нужны́[1]	- ...*necessary*
он похо́ж, она похо́жа, они похо́жи на родителей[2]	- ...*resemble(s) parents*
он сыт, она сыта́, они сы́ты	- ...*full (of food)*
он уве́рен, она уве́рена, они уве́рены	- ...*sure*
он спосо́бен, она спосо́бна, они спосо́бны...[3]	- ...*capable*
...на такой посту́пок	...*of such a deed*
...сделать что-нибудь	...*of doing sthg.*
...к математике, к иностра́нным языкам	...*(gifted in) mathematics, foreign languages*

Examples:[4]

Шура ни к чему не спосо́бен.	- *Shura is not capable of anything.*
Она хороша́ собой.	- *She is good-looking.*
Она дурна́ собой.	- *She is ugly.*

Special uses:

Этот костюм мне мал, вели́к, у́зок, широ́к. Эта рубашка мне мала́, велика́, узка́, широка́. Это пальто мне мало́, велико́, узко́, широко́. Эти сапоги мне малы́, велики́, узки́, широки́.	- ...*too small, too large, too narrow, too wide (it is not necessary to add 'слишком')*

Extended meaning:

Эта де́ятельность ему узка́.	- *This field of activity is too narrow for him.*

---

[1]The long form *нужный,-ая,-ое,-ые* means 'useful.'
Математика - нужный предме́т.

[2] *Это ни на что не похоже!* - *This is awful!*

[3]The long form *спосо́бный* means 'generally talented.'

[4]Note: *Он лёгок, она легка́, они легки́ на помине.*
This is an idiomatic expression used about people who suddenly appear just when someone was talking about them: *"Вера - ты легка́ на помине! Мы как раз о тебе говорим!"*

Remember: Do not mix long and short endings:

он так*ой* умн*ый* — *He is such a clever fellow!*
long + long

он так_ умён_ — *He is so clever!*
short + short

Как*ая* она у́мн*ая*! — *What a smart girl she is!*

Как_ она умн*а́*! — *How clever she is!*

Как*ие* они глу́п*ые*!

Как_ они глуп*ы́*!

Как_ это чу́дн*о*! — *How wonderful this is!*

Exercise 1:

a) Think through the difference in meaning between a short- and a long-form adjective. Give examples of adjectives with and without 'fleeting' vowels.

b) Translate the following sentences:

1. Vera, be so kind, call me up tomorrow.
2. We are not acquainted with these people.
3. Petya looks very much like his father and his grandfather. In this family, all resemble each other.
4. Unfortunately, this vest[1] is too big for Boris.
5. Lisa, are you satisfied with your work?
6. Masha is so good-looking! And she is such a diligent[2] girl!
7. No one is at fault.
8. Are you prepared to take the responsibility upon yourself?
9. Everybody agrees.
10. I am so glad to see you.
11. Is Sonia well today? No, she is sick again.
12. Nadya is not capable of anything.
13. Your son is such a gifted young man that everyone is sure that he will be admitted[3] to Moscow University.

---

[1]*жиле́тка* [2]*приле́жная* [3]*при́нят*

14. The telephone is busy all the time.
15. The patient is still alive and the doctor is satisfied.
16. Her grief is so great that nothing can comfort her.
17. Alexander Ilyích, are you really capable of such a mean[4] deed?[5]
18. This citizen is respected[6] by all.
19. These clothes are too wide for me.
20. Nobody owes me anything.

---

[4]*низкий* [5]*постýпок* [6]*уважáть* (use the past passive participle)

B. Possessive Adjectives (indicating actual possession of something by someone)

WHOSE? - чей?/чья?/чьё?/чьи?

1. Ending in -ин/-ина/-ино/-ины:

These possessive adjectives are basically derived from nouns ending in а/я, which denote primarily (but not solely) family kinship, both masculine and feminine:
мама, папа, сестра, дядя, тётя, бабушка, дедушка.
They are also formed from names:
Кóля, Тáня, Марúна, Алёша, Илья́, Мáша, Глúнка.[1]
They have an informal, even colloquial ring and convey an atmosphere of closeness and, at times, of affection (the appropriate diminutives are therefore included). By analogy and association, the formation of such possessive adjectives has been extended to include additional familiar beings (all with the same ending), such as:
дéвочка, сосéдка, хозя́йка, кухáрка, гувернáнтка, кóшка, кóшечка, собака, собачка, птичка, etc.

Examples:

дя́дин стол	Алёшины сапогú
мáмина книга	кошкин хвост
Тáнино платье	хозя́йкина комната

---

[1]*the last name of a composer*

сосе́дкин пес
(the neighbor's dog)
куха́ркин сын
(the cook's son)

собачкины ла́пки
(the little dog's paws)
пти́чкино гнёздышко
(the birdie's little nest)

Also:

Ильи́н день	- *Aug. 2, the day consecrated to the memory of the prophet Elias*
О́птина пу́стынь	- *a famous monastery founded in the Middle Ages by the repentant evil-doer Opta*
су́кин сын	- *son of a bitch (bitch -* су́ка*)*

In modern Russian, the declension of these possessive adjectives has been influenced by that of the ordinary adjectives. Less than a century ago, these adjectives were declined as the surnames that end in -ин. Today, the original masculine declension is found mainly in fixed expressions, such as су́кин сын, which is compared below to today's standard declension, as illustrated by па́пин кабинет:

су́кин сын	па́пин кабинет
су́кина сына	папиного кабинета
су́кину сыну	папиному кабинету
су́кина сына	папин кабинет
су́киным сыном	папиным кабинетом
су́кином сыне	папином кабинете

The following are fem., neut., and pl. examples of today's standard declension:

Feminine	*Neuter*
Катю́шина кукла	пти́чкино гнездо́
Катюшиной куклы	птичкиного гнезда
Катюшиной кукле	птичкиному гнезду
Катюшину куклу	птичкино гнездо
Катюшиной куклой	питчкиным гнездом
Катюшиной кукле	птичкином гнезде

Plural

сосе́дкины дети
соседкиных детей
соседкиным детям
соседкиных детей
соседкиными детьми
соседкиных детях

2. Ending in -ов/-ова/-ово/-овы:

In modern Russian, these adjectives are considered archaic, although they are occasionally encountered in regional or sub-standard language:

попо́в сын - *priest's son*

де́дова деревня - *grandfather's village*

отцо́во имение - *father's estate*

Originally, these possessive adjectives were declined as surnames ending in -ов/-ова/-ово/-овы. Today, these forms linger on in certain fixed expressions:

ада́мово я́блоко - *Adam's apple*

ахилле́сова пята́ - *Achilles' heel*

крокоди́ловы слёзы - *crocodile tears*

чёртова ку́кла - *devil of a woman (lit.- the devil's doll)*

чёртова кочерга́ - *devil of a woman (lit.- the devil's poker)*

чёртова дю́жина - *baker's dozen*

чёртов па́лец - *thunderbolt*

Чёртов палец - *the name of a mountain in the Caucasus (capitalized)*

Note:

Рождество́ Христо́во - *Christ's birth (Christmas)*

Воскресе́ние Христо́во - *Christ's resurrection*

(Поздравляю вас) С Рождество́м Христо́вым! - *Merry Christmas!*

Бе́рингов проли́в - *the Bering Strait*

---

3. Possessive adjectives indicating specific characteristics (qualities) possessed by certain animals (and sometimes by humans):[1]

WHAT KIND? - какой?/какая?/какое?/какие?

[1] The majority of these possessive adjectives, derived from nouns denoting animals, do not differ in form from ordinary adjectives: *льви́ный, лошади́ный, лебяди́ный, петуши́ный, пчели́ный, мыши́ный, и т.д.*

a. Adjectives from names of animals:

бара́н	*(ram)*	- бара́ний, баранья, баранье, бараньи
бык	*(bull)*	- быча́чий, быча́чья, быча́чье, быча́чьи
верблю́д	*(camel)*	- верблю́жий, верблю́жья, верблю́жье, верблю́жьи
волк	*(wolf)*	- во́лчий,[1] во́лчья, во́лчье, во́лчьи
воро́на	*(crow)*	- воро́ний, воро́нья, воро́нье, воро́ньи
за́яц	*(rabbit, hare)*	- за́ячий, за́ячья, за́ячье, за́ячьи
кобы́ла	*(mare)*	- кобы́лий, кобы́лья, кобы́лье, кобы́льи
коза́	*(goat)*	- ко́зий, ко́зья, ко́зье, ко́зьи
коро́ва	*(cow)*	- коро́вий, коро́вья, коро́вье, коро́вьи
кошка	*(cat)*	- коша́чий, коша́чья, коша́чье, коша́чьи
лиса́	*(fox)*	- ли́сий, ли́сья, ли́сье, ли́сьи
медве́дь	*(bear)*	- медве́жий, медве́жья, медве́жье, медве́жьи
оле́нь	*(deer)*	- оле́ний, оле́нья, оле́нье, оле́ньи
птица	*(bird)*	- пти́чий, пти́чья, пти́чье, пти́чьи
рыба	*(fish)*	- рыбий, рыбья, рыбье, рыбьи
собака	*(dog)*	- соба́чий, соба́чья, соба́чье, соба́чьи
сова́	*(owl)*	- со́вий, со́вья, со́вье, со́вьи
со́боль	*(sable)*	- собо́лий, собо́лья, собо́лье, собо́льи
су́ка	*(bitch)*	- су́чий, су́чья, су́чье, су́чьи
тарака́н	*(cockroach)*	- тарака́ний, тарака́нья, тарака́нье, тарака́ньи
телёнок	*(calf)*	- теля́чий, теля́чья, теля́чье, теля́чьи
щу́ка	*(pike, pickerel)*	- щу́чий, щу́чья, щу́чье, щу́чьи

b. Adjectives from other nouns:

баба	*(peasant woman)*	- ба́бий, ба́бья, ба́бье, ба́бьи
Бог	*(God)*	- Бо́жий, Бо́жья, Бо́жье, Бо́жьи (Бо́жеский)

---

[1]IDIOM: *получить волчий па́спорт* - *to be blacklisted*

враг *(enemy)* - вра́жий, вра́жья, вра́жье, вра́жьи (вражеский)

де́ва, деви́ца *(maiden)* - де́ви́чий,[1] де́ви́чья,[1] деви́чье, деви́чьи

каза́к *(Cossack)* - каза́чий, каза́чья, каза́чье, каза́чьи (казацкий)

мальчик, мальчишечка - мальчи́шечий, мальчи́шечья, мальчи́шечье, мальчи́шечьи

мужи́к *(peasant)* - мужи́чий, мужи́чья, мужи́чье, мужи́чьи

оте́ц *(father)* - о́тчий (оте́ческий)

пасту́х *(shepherd)* - пасту́шечий, пасту́шечья, пасту́шечье, пасту́шечьи

охо́тник *(hunter)* - охо́тничий, охо́тничья, охо́тничье, охо́тничьи

поме́щик *(landowner)* - поме́щичий, поме́щичья, поме́щичье, поме́щичьи

разбо́йник *(brigand)* - разбо́йничий, разбо́йничья, разбо́йничье, разбо́йничьи

ребёнок *(child)* - ребя́чий, ребя́чья, ребя́чье, ребя́чьи (ребя́ческий[2])

рыба́к *(fisherman)* - рыба́чий, рыба́чья, рыба́чье, рыба́чьи

стару́ха *(old woman)* - стару́шечий, стару́шечья, стару́шечье, стару́шечьи

человек *(man, human being)* - челове́чий, челове́чья, челове́чье, челове́чьи (челове́ческий)

---

1 Both accents are acceptable.

2 *Ребя́ческий* means 'childish' and has a negative ring, while *ребячий* conveys affection. *(Ребя́чьи игры - kids' games)*

c. Common expressions using these adjectives:

бара́ньи котле́ты - *lamb cutlets*

верблю́жья шерсть - *wool*

во́лчий аппетит

воро́нье ка́рканье - *croaking*

ко́зье* молоко́ - *goat's milk*

**ко́зья но́жка - forceps (m.)*

коро́вье молоко, масло

коша́чьи глаза, ко́гти - *claws*

ли́сья, медве́жья шуба - *fur coat*

оле́ньи рога́ - *antlers*

пти́чье гнездо - *nest*

ры́бья чешуя́ - *fish scales*

собачий лай - *barking*

соба́чья жизнь

собо́лья шуба

соловьи́ная трель (соловьи́ное пение) - *nightingale's trill*

теля́чий восто́рг - *foolish enthusiasm (coll.)*

теля́чьи не́жности - *sentimentality (coll.)*

теля́чьи котле́ты - *veal cutlets*

Бо́жий человек - *a quiet and meek man, usually unsuccessful in life*

зако́н Бо́жий - *religion, as a subject taught in schools*

храм Божий - *church*

мир Божий - *God's world*

Бо́жья во́ля - *God's will*

бо́жья коро́вка - *lady-bug*

и́скра Бо́жья - *divine spark*

Бо́жья ми́лость - *God's mercy, grace*

ба́бье лето - *Indian summer*

ба́бьи сказки - *old wives' tales*

деви́чье сердце - *a maiden's heart*

де́вичья фамилия - *maiden name*

казачья станица - *Cossack settlement*

о́тчий дом - *home (poetic)*

охо́тничье ружьё - *hunter's rifle*

охо́тничья собака - *hunting dog*

рыба́чья лодка - *fishing boat*

чино́вничий быт - *a civil servant's life*

d. *Declension*: With the exception of masculine nominative singular and the identical accusative singular, *all cases of all genders of these pronouns contain a soft sign:*

Masc.	*Fem.*
собачий лай	за́ячья ла́па *(paw)*
собачьего лая	за́ячьей лапы
собачьему лаю	за́ячьей лапе
собачий лай	за́ячью лапу
собачьим лаем	за́ячьей лапой
собачьем лае	за́ячьей лапе

Neut.	*Pl.*
ба́бье лето	теля́чьи котлеты
бабьего лета	телячьих котлет
бабьему лету	телячьим котлетам
бабье лето	телячьи котлеты
бабьим летом	телячьими котлетами
бабьем лете	телячьих котлетах

e. The adverbs formed from these adjectives have the prefix -по and the ending -ьи:

„С волка́ми жить - *по-во́лчьи* выть." - *To live among wolves means to howl like a wolf.*

Она заплакала *по-ба́бьи*. - *She started to cry like a simple country woman.*

Exercise 2:

Answer the following questions usuing the appropriate possessive adjectives. Choose the correct preposition where necessary.

1. Что ты и́щешь? *(Та́ня - книга)*.
2. Где сегодняшняя газета? *(Дедушка - письменный стол)*.
3. Отку́да эти деньги? *(Бабушка - сумка)*.
4. О чём ты мечтаешь больше всего? *(соболь - шуба)*.
5. На чём ты поджарила[1] картошку? *(корова - масло)*.

(continued)

[1] *fry*

6. Что у Ивана висит над ками́ном? *(медведь - шкура[1])*.
7. Чего у Володи нет? *(охотник - собака)*.
8. Что вам по́дали к обеду? *(телёнок - котлеты)*.
9. Как ты переехал на ту сторону о́зера? *(рыбак - лодка)*.
10. По какому предмету у Кати высшая отметка? *(закон - Божий)*.
11. Какие варежки[2] самые тёплые? *(верблюд - шерсть)*.
12. Какой рассказ Солженицына тебе нравится? *(„Матрёна - двор")*.
13. С кем Вера играет? *(соседка - дочь)*.
14. О ком вы говорите? *(Машин - жених[3])*.
15. К кому надо идти на имени́ны? *(хозяйка - сын)*.
16. Чего Иван Иванович не хочет слышать? *(бабы - сказки)*.
17. Во что надо одеваться зимой? *(лиса - шуба)*.
18. Откуда эти хоро́шенькие яи́чки?[4] *(птица - гнездо)*.
19. Что ты деклами́руешь?[5] *(казак - колыбе́льная[6] песня)* Ле́рмонтова.
20. Что ты купила? *(за́яц - лапка)*.
21. Как Павел назвал тебя? *(сука - сын)*.
22. Какого цвета *(кошка)* глаза?

[1]*fur* [2]*mitten* [3]*fiancé* [4]dim. of *яйцо́* [5]*recite* [6]*lullaby*

Exercise 3:

Translate, using the appropriate possessive adjectives.

1. In God's world, there are many different creatures.[1]
2. It was too hot - even for an Indian summer.
3. Nastya looked at me with her green cat eyes.
4. In the bird's nest there were several greenish[2] eggs.

[1]*созда́ние* [2]*зеленова́тый*

5. I never serve[3] lamb chops.
6. The brigand can not be scared by a dog's barking.
7. I know a Cossack's life very well.
8. My children do not drink goat's milk.
9. Ivan decorated[4] his room with large antlers.
10. This is worse than a dog's life.
11. Boris succeeded in killing a bear with his small hunter's rifle.
12. Bring auntie's medicine.[5]
13. Please quiet down[6] - such foolish enthusiasm is not necessary.
14. The hungry cat ate everything - even the fish scales.
15. I will show you a lady-bug.
16. When is Tanya's name day?
17. We saw Tchaikovsky's ballet *Swan Lake*.
18. Look - the cat is sitting at the mouse hole.[7]

---

[3] *подавать* [4] *укра́сить* [5] *лека́рство*
[6] use *'успоко́йся!'* [7] *но́рка*

C. Comparative Adjectives

REMINDERS:

a) The simple comparative is used only in the predicative position. It always follows the word it modifies and remains at all times undeclined.

Этот цветок *красивее*; наша река *глубже*.

b) The compound comparative (более/менее + adj.) can be used both attributively (preceding the noun it modifies) or in the predicative position. The adjective is declined:

Я купил более/менее дорогую книгу чем вы.
Эта книга - более дорогая чем ваша.

c) A number of adjectives take only the compound comparative:

Надо стараться быть *более кро́тким*.

Пушкин *более народный* поэт.
Это *более го́рькое* лека́рство.
У Саши *более дереве́нский/городской* вид.
Он *менее усталый*.

d) REMEMBER: меньше - *quantity*
менее - *quality*

Он ест меньше чем я. - *He eats less than I.*
Он менее приле́жный. - *He is less diligent.*

e) Some adjectives, such as небесный, цветочный, and many of those that have the suffix -ск can form NO comparative:

сове́тский, бра́тский, студе́нческий, и т.д.

f) If verbs or adverbs are compared, чем MUST be used:

Я лучше *пишу* по-русски, чем *говорю*.
На се́вере холоднее, чем *здесь*.

The genitive construction is used without чем: Газета интереснее *журнала*.

---

1. Irregular comparatives:

близко	- ближе	далеко́	- да́льше
большо́й	- бо́льше[1]	дешёвый	- деше́вле
бога́тый	- бога́че	дорого́й	- доро́же
высо́кий	- вы́ше	жа́ркий	- жа́рче[3]
глубо́кий	- глу́бже	коро́ткий	- коро́че[4]
гро́мкий	- гро́мче	кре́пкий	- кре́пче[5]
густо́й	- гу́ще[2]	крутой	- кру́че[6]

---

[1] *бо́льший, бо́льшая, бо́льшее, бо́льшие (the greater, larger one)*. Note the accent. The Compound Comparative is used infrequently.
[2] *dense, thick (hair, soup, gravy)*
[3] *hot (day, weather, climate, etc., NOT food or drink)*
[4] *short, NOT growth (Он <u>низкого</u> роста - he is short)*
[5] *strong, used to describe either:*
1) coffee, tea, wine, a kiss, tobacco, an embrace, a handshake, OR
2) material: крепкие сапоги, нитки (thread)
[6] *steep* (Idiomatic expression: *крутой кипято́к - piping hot (= boiling) water; no comparative*)

лёгкий	- ле́гче[1]	стро́гий	- строже[8]
ма́ленький	- меньше	сухо́й	- су́ше
молодо́й	- моло́же[2]	ти́хий	- ти́ше
мя́гкий	- мя́гче[3]	то́лстый	- то́лще[9]
ни́зкий	- ни́же	то́нкий	- то́ньше[10]
плохо́й	- ху́же[4]	у́зкий	- у́же
по́здний	- по́зже[5]	хороший	- лучше
просто́й	- про́ще	худой	- хуже[11]
ранний[6]	- раньше	ча́стый	- чаще[12]
ре́дкий	- ре́же	чи́стый	- чище
сла́дкий	- сла́ще	мало	- меньше
старый	- старше[7]	много	- больше

---

[1] *light (not heavy), easy*
[2] NEVER said about children: *маленький, младше, младший* is used to indicate age. *(ма́ленькие дети - young children)*
[3] *soft*
[4] *bad (only as opposed to 'good'. NEVER about toothache, colds, accidents, etc., and NEVER as the opposite of 'rich).*
[5] or *позднее*
[6] or *рано; earlier, formerly*
[7] *older (regarding a person's age; otherwise, бо́лее старый)*
[8] *strict*
[9] *thick, heavy (cost, person, hair, etc.)*
[10] *thin*
[11] *bad (when meaning 'lean' or 'thin', худой has a regular comparative - худее)*
[12] or *часто*

---

2. Special constructions with the comparative:

a. Emphasis is expressed in the following ways:

гора́здо, куда (coll.), ещё (+ гораздо), несравне́нно *(incomparably)* + comparative

всё + double comparative всё лучше и лучше

как можно + comparative *(as ---- as possible)*

Examples:

Нина приедет в театр *гораздо раньше* чем я.

На автобусе вы доедете *куда скорее* чем на велосипе́де.

На автомобиле вы доедете *ещё гораздо скорее (still faster)*.

Хорошо, я возьму такси́, так как хочу доехать *как можно быстрее*.

Ростопо́вич играет *несравне́нно лучше*, чем другие виолончели́сты.

Публике он нравится *всё больше и больше*.

NOTE: По + comparative indicates "somewhat.../ a little..." (немного may be added):

Приходите пораньше *(come somewhat earlier)*.

Положите мне, пожалуйста, поменьше *(a little less)* сла́дкого - я на дие́те.

А чаю вам налить покре́пче? Да, немного покрепче.

---

b. "as...as..." is translated by:
Long form: такой/ая/ое/ие же...как и...
Short form: так же...как и...*(also adverbs)*

Examples:

Моя книга *такая же интересная*, как и твоя.

Моя книга *так же интересна*, как и твоя.

Я говорю *так же хорошо* по-русски, как и ты.

NOTE: The emphatic particles *же* and *и* are not used in the negative:

Моя книга не такая интересная, как твоя.

Моя книга не так интересна, как твоя.

Я не говорю так хорошо по-русски, как ты.

---

c. "the...the..." is translated by: "чем...тем..."

Чем больше я зараба́тываю, *тем* выше нало́ги.[1]

Чем раньше ты придёшь, *тем* лучше.

Memorize:

тем более - *all the more*

тем лучше - *all the better; so much the better*

тем хуже - *all the worse; so much the worse*

тем не менее - *all the same*

---

[1] *taxes*

d. "By how much more/less?" is translated by: "насќолько больше/меньше?"

Examples:

Насќолько вы старше меня (чем я)? - На год.

Насќолько меньше вы зарабáтываете, чем Иван Иванович? - На сто рублей в месяц.

---

e. Multiples are expressed by the following plus the simple comparative:

вдвóе, вдвойнé, в два рáза - *twice as...*

втрóе, втройнé, в три рáза - *three times as...*

вчéтверо, в четыре рáза - *four times as...*

во много раз - *many times as...*

For multiples higher than four, only the following expression is used: в пять раз, в шесть раз, и т.д.

Examples:

За последнее время кофе стал *вдвóе/вдвойнé/в два рáза* дорóже.

Скоро кофе будет *вчéтверо* дороже, а может быть, даже *в пять раз*.

Exercise 4:

a) Read the following sentences several times aloud.
b) Cover the Russian text and reconstruct it.

Степан:	*Stephen:*
1. Нина, пойдём в клуб, там куда веселее, чем здесь.	Nina, let's go to the club; it's much more fun there than here.
Нина:	*Nina:*
2. Нет, спасибо. Мне гораздо веселее дома.	No, thank you. I have much more fun at home.
3. Несравненно приятнее спокойно слушать музыку, чем находиться среди шумной толпы.	It's incomparably more pleasant to listen quietly to music than to be in a noisy crowd.

(continued)

4.	А ещё скучнее слушать вся́кую ерунду́.	It's still more boring to listen to all sorts of nonsense.
5.	В клубе, действительно, становится всё скучнее и скучнее.	It's really becoming more and more boring at the club.
6.	Я хотела бы как можно скорее выписаться из этого клуба и приписаться к другому.	I would like to get out of this club as soon as possible and join another.
	Степан:	*Stephen:*
7.	Зачем?! В другом каком-нибудь кулбе такие же обыкновенные вечери́нки, как и у нас. А, может быть, ещё хуже.	What for? At some other club, there will be parties as ordinary as at ours. Maybe even worse.
	Нина:	*Nina:*
8.	Ну, нет. В са́мом городе люди не так малокульту́рны как здесь.	Oh no. Even in the city, people aren't as uncultured as here.
	Степан:	*Stephen:*
9.	Ты бы поменьше болта́ла о том, чего не знаешь.	You should talk a little less about things you don't know.
	Нина:	*Nina:*
10.	Чем лучше я тебя узнаю, тем меньше я тебя понимаю.	The better I get to know you, the less I understand you.
	Степан:	*Stephen:*
11.	Тем хуже для тебя!	So much the worse for you.
	Нина:	*Nina:*
12.	Ах вот как?! А не тебе ли будет во много раз хуже без меня чем со мной?	Is that so?! Is it not you who would be many times worse off without me?
	Степан:	*Stephen:*
13.	Я вижу, что ты такая же глупая как и все остальны́е дамы у нас. Ничем не лучше их. Найти более упря́мую женщину, чем ты просто невозможно!	I see that you are as stupid as all the rest of our ladies. You are in no way better than them. It is simply impossible to find a more stubborn woman than you are!

Нина:	*Stephen:*
14. Спасибо за комплиме́нт. - Чем скорее ты начнёшь свои по́иски, тем лучше! А я поищу́ кого-нибудьве́жливее.	Thanks for the compliment. The sooner you start your search, the better! And I will look for someone a little more polite.

Exercise 5:

Переведите:

1. This ticket is as expensive as the one which I bought yesterday.
2. Your articles are not as long as mine.
3. How stupid he is!
4. We live closer to the institute than most[1] students.
5. I lost my job.[2] Well, so much the better - now I can rest.
6. Volodya is taller than Misha. - By how much? - By 5 centimeters.
7. Vera is three times as heavy as you.
8. The earlier I get up in the morning, the more time I have to prepare everything.
9. My husband eats five times as much as yours.
10. We go to the theater much less frequently than other people.
11. Is the Baikal much deeper than the Caspian Sea? - Yes, the Caspian Sea is less deep.
12. In the deeper waters, there are more fish.
13. Do you think that Russian grammar is somewhat simpler than Chinese? I hope that it is a lot simpler.
14. How old is your younger brother?
15. The more beautiful the weather becomes, the less I feel like returning[3] to work.
16. Coffee is much more expensive now than it was before (= earlier).

[1]*большинство́* + gen. pl. [2]*место* [3]use the infinitive

17. Vera's hair is thicker than Tania's.

18. Come a little later - it would be more convenient.[4]

19. I would have paid twice as much for this book.

20. This year, summer will be as wonderful as it was last year. So much the better for everybody!

---

[4] *удобно*

D. Superlative Adjectives

REMINDER: In the compound superlative, the English *of* is rendered by means of *из* + gen. pl.:

Вот самый интересный музей *из всех музеев* в городе.

1. The simple (absolute) superlative is used to convey an extremely high degree of some quality. No actual comparison is implied:

Вот вам интере́снейшая книга.	- *Here is a most interesting book for you.*

Compare with:

Вот *самая интересная* книга.	- *Here is the most interesting book.*

REMEMBER: The simple superlative endings -ейший/-ейшая/-ейшее/-ейшие become -*а*йший/-*а*йшая/-*а*йшее/-*а*йшие after sibilants (which developed from г/з, к, х).

стро́*г*ий - стро́*ж*е - строж*а́*йший

бли́зкий - бли́*ж*е - ближ*а́*йший

высо́*к*ий - вы́*ш*е - высоч*а́*йший

ти́*х*ий - ти́*ш*е - тиш*а́*йший

The simple superlative is formed from a limited number of descriptive adjectives. The following are commonly used, and should be memorized:

к величайшему удивлению	- *to (someone's) great surprise*
с величайшим удово́льствием	- *with greatest pleasure*

нет ни малéйшего сомнéния - *there is not the slightest doubt.*

ни малейшего понятия - *not the slightest idea*

в ближáйшем бýдущем - *in the immediate future*

дальнéйшие события - *subsequent events*[1]

в дальнейшем - *later on*[1]

[1]The actual meaning of the superlative is lost in these expressions.

2. Special usages of the superlative:

a. *лучший/-ая/-ее/-ие* can mean 'better' or 'best'.

Этот лучший материал из двух. - *This material is the better of the two.*

Люди живут теперь в лучших условиях чем раньше. - *People now live under better conditions than formerly.*

Лучшее (=самое лучшее), что можно сделать - это уехать. - *The best (thing) that can be done is to leave.*

Это предложéние лучшее (=самое лучшее) из всех. - *This proposal is the best of all.*

b. *хýдший/-ая/-ее/-ие* can mean 'worse' or 'the worse', 'poorer' or 'poorest'.

Иван получил хýдшую отметку чем Маша. - *Ivan got a poorer grade than Masha.*

Хýдшее (=самое хýдшее), что может случиться - это открытый скандал. - *The worst (thing) that could happen is a public scandal.*

c. *младший/-ая/-ее/-ие* can mean 'younger' or 'youngest'.

Сергей - мой младший брат. - *Sergei is my younger brother.*

Иван - младший из наших детей. - *Ivan is the youngest of our children.*

d. *старший/-ая/-ее/-ие* can mean 'elder' or 'eldest'.

Ки́ра - моя старшая сестра.	- *Kira is my older sister.*
Виктор - старший из детей.	- *Victor is the eldest of the children.*

e. *высший/-ая/-ее/-ие* and *низший/-ая/-ее/-ие* usually have superlative meanings.

высшее достиже́ние	- *the highest achievement*
высшая сте́пень	- *the highest degree*[1]
высшая математика	- *advanced mathematics*
низшие инсти́нкты	- *the lowest instincts*
*высшее учебное заведение (ВУЗ)	- *institution of <u>higher</u> learning*
*высшее образова́ние	- *<u>higher</u> education*

[1] but: *высоча́йшее де́рево (the highest tree)*
* of special note

f. *наи- + simple superlative* is a prefix used for special emphasis.[1]

Это наиху́дший выход.	- *This is the worst possible solution (way out).*

This prefix is often used in formal congratulations and at the end of letters:

Разреши́те передать вам наши наилучшие пожела́ния.	- *Allow us to convey to you our very best wishes.*
С наилучшими пожеланиями, Ваш -Иван Квасов	- *With best wishes,* *Yours,* *Ivan Kvasov*

[1] The prefix *пре-* is also used in this way: *преинтересный (most interesting)*. Neither of these two prefixes is used in everyday spoken language.

g. The superlative can also be expressed by means of the simple comparative plus всего or всех:

всего is used when referring to *actions*; *всех* is used when referring to *people* or *things*.

Examples:

Борис *лучше всего* учится по математике.	- *Boris does best in mathematics (compared to other subjects).*
Он *больше всего* любит математику.	- *He likes mathematics best (compared to other subjects).*
Борис учится по математике *лучше всех*.	- *Boris does better in mathematics than anyone else.*
Московский университет *лучше всех* (университетов).	- *Moscow University is the best (of all universities).*

h. Degrees of emphasis:

это очень опа́сное дело
↑
очень, очень опа́сное дело
↑
весьма́ опасное/опа́снейшее/преопа́сное дело
↑
чрезвыча́йно опа́сное дело

NOTES: весьма́ and чрезвыча́йно are intensive synonyms of очень, as is the augmentative prefix пре-[1]:

Это был пренеприятный разговор.

[1]*прекрасный (wonderful)* consists of *пре + красный (красный = beautiful)* and actually means 'very, very beautiful.'

Exercise 6:

a) Read the following passage slowly and make sure that you understand every construction.
b) Examine every use of the superlative.

У меня ли́чно[1] никогда не́ было *ни мале́йшего сомне́ния* по поводу того,[2] что́ и́менно составляет *величайшее счастье* в жизни человека - т.е., что именно является *са́мым главным* для каждого из нас. На эту тему можно, конечно, разговаривать с *умне́йшими из умне́йших* и, в конце концов, не согласи́ться ни с кем из

(continued)

[1]*personally* [2]*regarding*

них. *Лучше всего* и не подымать[3] таких вопросов, так как *чрезвычайно трудно* понять важнейшие потребности[4] другого: что является *высшей степенью* блаженства[5] для одного - кажется далеко не счастьем другому. Если спросить у ста человек: „Как вы *больше всего* любите проводить время?" - то вряд ли получишь и два одинаковых ответа. Выработать общие[6] критерии для человеческого счастья - дело *весьма сложное*, т.к. никто об этом не имеет ни *малейшего* понятия. *Больше всех* эта проблема занимает психологов, но и *самым учёным* среди них ещё не удалось найти ответа - да и не удастся - ни в *ближайшем*, ни в отдалённом *будущем*. *Лучшим ответом* является личный опыт каждого отдельного[7] человека.

[3]*raise* [4]*need* [5]*bliss* [6]*common* [7]*here: individual*

Exercise 7:

Переведите:

1. I will visit you with the greatest pleasure.
2. What kind of movies do you like best?
3. Ivan Ivanovich received (his) higher education at Moscow University.
4. I don't have the slightest idea about advanced mathematics.
5. The most important thing for us is to find an apartment.
6. This is a most reliable[1] friend.
7. Later on, the greatest danger was averted.[2]
8. During the war, people lived in much worse conditions.
9. For Volodya, the highest achievement is his Master's degree in physics.
10. My English teacher was the best of all.
11. This is a most disagreeable conversation.
12. Subsequent events forced[3] me to leave this country.
13. We lived in the best part of the city.

[1]*надёжный -на́, -но́* [2]*отвратить:* past pass. past. - *отвращён,* [3]*заставить*

14. To my great(est) surprise, Ivan Ivanovich brought me flowers.

15. I wish you the very best in life.

16. Is this library best of all?

17. The best (thing) that you can do is to disappear[4] for some[5] time.

---

[4]*исчéзнуть* [5]*нéкоторое*

E. Miscellaneous Remarks on Adjectives

1. Adjectives ending in -овáтый/-ая/-ое/-ые and -еватый, etc. convey the meaning of 'somewhat -'. They occur in connection with all colors and with certain other adjectives:

голубовáтый - *(light) bluish*

жёлтоватый - *yellowish*

зеленовáтый - *greenish*

коричневáтый - *brownish*

красновáтый - *reddish*

синевáтый - *bluish*

бледновáтый - *rather pale*

грязновáтый - *a little dirty*

рыжевáтый[1] - *reddish*

сыровáтый - *somewhat damp*

темновáтый - *rather dark*

тепловáтый - *lukewarm*

Adverbs:

сегодня холодновáто - *it's rather cold today*

сегодня жарковáто - *it's rather warm today*

в клубе скучновáто - *it's somewhat boring at the club*

будет трудновато закончить всё к вечеру - *it will be somewhat difficult to finish everything by tonight*

---

[1]used only to refer to the color of hair (moustache or beard) or of an animal's fur

2. The diminutive suffixes -енький/-ая/-ое/-ие do not always indicate small size. They may also reflect a certain attitude (usually positive) toward a person or thing, such as affection, compassion, and even amusement or amazement:

Ах ты мой маленький, глупенький!

Какая она худенькая! - *How thin she is!*

Выучи это хороше́нько! - *Learn this well!*

NOTE: Хоро́шенький/-ая/-ое/-ие means 'good-looking, handsome', but the adverb хороше́нько means 'thoroughly, really well.'

3. At times, the suffix -им/ем conveys the meaning expressed by the English '-able' ('-ible'):

Язык Гоголя непереводим. - *Gogol's language is untranslatable.*

Женщина молчала с непереда́емым (неопису́емым) у́жасом на лице. - *The woman remained silent with unspeakable horror on her face.*

Это непоправи́мая ошибка. - *This is an irreparable mistake.*

невозврати́мый/-ая/-ое/-ые:
невозврати́мая поте́ря - *irretrievable loss*

невозмути́мый:
невозмути́мое споко́йствие - *imperturbable calm*

невыноси́мый:
невыноси́мое поведе́ние - *unbearable behavior*

невырази́мый:
невырази́мый ужас - *inexpressible horror*

неопису́емый:
неопису́емый страх - *indescribable fear*

недопусти́мый:
недопусти́мый посту́пок - *inadmissable act*

незы́блемый:
незы́блемое реше́ние - *irrevocable decision*

неизмери́мый:
неизмери́мое простра́нство - *unmeasurable space*

неисправи́мый:
неисправи́мый человек - *incorrigible person*

неисчерпа́емый:
неисчерпа́емые бога́тства - *inexhaustible wealth*

необходи́мый:
необходи́мая опера́ция - *unavoidable*[1] *operation*

неопровержи́мый:
неопровержи́мый факт - *undeniable (irrefutable) fact*

неоспори́мый:
неоспори́мый до́вод - *unquestionable (irrefutable) argument*

неотъе́млемый:
неотъе́млемая часть - *integral (inalienable) part*

непобеди́мый:
непобеди́мая си́ла - *invincible strength*

неповтори́мый:
неповтори́мый талант - *unique (unimitatable) talent*

непоправи́мый:
непоправи́мая ошибка - *irreparable mistake*

непреодоли́мый:
непреодоли́мые тру́дности - *insurmountable difficulties*

неприе́млемый:
неприе́млемое предложе́ние - *unacceptable offer*

непримири́мый:
непримири́мые враги - *irreconcilable enemies*

непроходи́мый:
непроходи́мые джу́нгли - *impassable jungle(s)*

несовмести́мый:
несовмести́мые при́нципы - *incompatible principles*

неумоли́мый:
неумоли́мый судья - *implacable judge*

неукроти́мый:
неукроти́мый характер - *indomitable nature (of a person)*

и т.д.

---

[1] *необходи́мый* can also convey the meaning of 'very necessary.'

Some of the adjectives in this category have acquired an independent meaning:

неве́домый - *unknown*
(следы[1] неве́домых зверей)

невреди́мый - *safe*
(мальчик вернулся невредимым)

незави́симый - *independent*
(молодёжь теперь очень незави́симая)

необита́емый - *uninhabited*
(Робинзон Крузо попал на необита́емый остров)

непромока́емый - *waterproof*
(У меня непромока́емая пала́тка[2])

нетерпи́мый - *intolerant*
(Я терпеть не могу нетерпи́мых людей)

растяжи́мый - *loose, flexible*
(Свобо́да - это дово́льно растяжи́мое поня́тие[3])

NOTE: In most cases, the negation *не* is used in order to express the opposite meaning:

Наши естественные богатства *не неисчерпаемы*. - *Our natural resources are exhaustible.*

---
[1]*tracks* [2]*tent* [3]*concept*

4. An adjective must be formed in Russian in many cases where English has none. The most frequent suffixes for this are -*ск*-, -*н*-, and -*ов/ев*.

a. -ск-:

Верса́ль*ский* до́говор - *Treaty of Versailles*

Ленинград*ское* бюро́ - *Leningrad office*

Москов*ский* университет - *Moscow University*

Москов*ский* художественный театр - *Moscow Art Theater*

Нью-Йорк*ская* га́вонь - *New York harbor*

Колумби́й*ский* университет - *Columbia University*

университе́т*ская* жизнь - *university life*

учи́тель*ское* жа́лованье - *teacher's salary*

Флори́д*ские* фрукты - *Florida fruits*

студенче*ская* жизнь - *student life*

город*ской* совет — *city council*

Совет*ская* Россия — *Soviet Russia*

Но́белев*ская* премия — *Nobel Prize*

b. -н-:

вечер*няя* газета — *evening paper*

игру́шеч*ный* поезд — *toy train* (игру́шка — *toy*)

ко́жа*ная* жаке́тка — *leather jacket*

лет*ний* день — *summer day*

молодёж*ная* мода — *youth fashions*

у́лич*ное* движе́ние — *street traffic*

фабри́ч*ная* работа — *factory work*

c. -ов/ев-:

дуб*о́вый* стол — дуб *(oak)*

сосн*о́вый* лес — сосна́ *(fir tree)*

берёз*овая* ме́бель — берёза *(birch)*

сире́н*евый* цвет — сире́нь *(lilac)*

мед*о́вый* месяц — мёд *(honey)*

NOTE: The reverse process - abolishment of adjectives - is taking place in frequently used abbreviations, such as:

универма́г (универса́льный магазин) — *department store*

сельсове́т (се́льский совет) — *village council*

Совнарко́м (Сове́т Наро́дных Комисса́ров) — *Council of People's Commissars*

Совнархо́з (Сове́т Наро́дного Хозя́йства) — *Council of the National Economy*

Управдо́м (управля́ющий домом) — *manager of an apartment house*

Госба́нк (госуда́рственный банк) — *state bank*

госбюдже́т (госуда́рственный бюдже́т)	- *state budget*
ВУЗ (вы́сшее учё́бное заведе́ние)	- *institution of higher learning (college)*
военру́к (вое́нный руководи́тель)	- *military instructor*

Adjectives from adverbs:

вчера	- вчера́шний
сегодня	- сего́дняшний
завтра	- завтрашний
ныне	- ны́нешний
теперь	- тепе́решний *(nowadays)*
всегда	- всегда́шний
тогда	- тогда́шний *(of that time)*
здесь	- зде́шний
заграницей	- загрании́чный
внутри́	- вну́тренний[1] *(inside)*
вне	- вне́шний *(outside, external)*
до́ма	- дома́шний

[1]*Министр вну́тренних дел* - Minister of Internal Affairs

NOTE: Многое, многие, and несколько have adjectival declensions:

многое	многие	не́сколько
многого	многих	не́скольких
многому	многим	не́скольким
многое	многие/их	не́сколько/их
многим	многими	не́сколькими
многом	многих	не́скольких

Мне надо поговорить с вами о многом.	- *I have much to talk with you about.*
Я знаком со многими русскими.	- *I am acquainted with many Russians.*
Я знаю многих людей.	- *I know many people.*

Я знаю несколько таких слу́чаев.	- *I know several such cases.*
Я знаю нескольких адвокатов.	- *I know several lawyers.*
Я думаю о нескольких возмо́жностях.	- *I am thinking of several possibilities.*

REMINDERS:

a) The English word 'thing' is often rendered into Russian by a neuter adjective which is fully declinable:

Я расскажу тебе что-то интересное.

Поговорим о чём-нибудь интересном.

Нина рассказала мне много интересного.

b) Watch the case and number of the adjective in the following constructions:

Numeral[1] +	Adjective +	Noun
↓	↓	↓
Nom. or Inan. acc.	Gen. pl.[2]	Gen. sg.

Вот три высоких дома.
(nom.) (gen.pl.) (gen.sg.)

Я написал два длинных сло́ва.
(acc.) (gen.pl.) (gen.sg.)

[1] *2, 3, 4* or *оба/е* or *полтора/ы*
[2] if the adjective refers to a masc. or neut. noun

BUT: If the adjective refers to a *feminine* noun (especially animate), the nom. pl. is preferable (though not mandatory):

Вот две красивые девушки.
(nom.pl.)

Я прочитал четыре скучные книги.
OR ... четыре скучных книги.

Exercise 8:

Укажите правильную форму:

1. Мы встретились со *(многие)* иностранными туристами.
2. Сегодня Нина должна зайти к *(несколько)* подругам.

3. В магазине „Детский мир" были выставлены три *(замечательная кукла)*.
4. Ты видел *(сегодня...)* газету?
5. Эти люди не *(здесь...)*; они издалека́.
6. Молодые[1] провели *(мед...)* месяц в Крыму́.
7. *(Ныне...)* молодёжь очень самостоя́тельная.
8. Тама́ра купила себе блузку *(сирень...)* цвета.
9. Игорь пишет статью о *(теперь...)(вне...)* политике США.
10. Дай мне два *(большой кусок)* этого то́рта!
11. Как приятно гулять в *(берёза...)* ро́ще[2] или в *(сосна...)* лесу!
12. По улице шли две *(маленькая де́вочка)*.

---

1. Ве́рочка учится в *(Columbia University)*.
2. У лиси́цы шерсть *(red)*.
3. Оставив *(Harvard University)*, Евгений сделал *(irreparable)* ошибку.
4. Алексею совсем не идёт его *(reddish)* борода́.
5. Мы вспоминали о *(winter days)* в деревне.
6. Я должен сказать тебе *(something disagreeable)*.
7. Интересно гулять по *(New York harbor)*.
8. Красота́ и добро́ - *(flexible concepts)*.
9. Нина купила *(two white blouses and four large handkerchiefs)*.[3]
10. Поговорим о *(something cheerful)*.
11. У больного больше нет *(greenish)* цвета лица - он поправля́ется.[4]
12. Налей *(one and a half large glasses)* горячей воды и *(two small cups)* молока.
13. Этот профессор из *(Moscow University)*.
14. Лес казался нам *(impassable)*.
15. Толстой учился в *(Kazan' University)*.
16. *(At the present time)* трудно найти место.

---

[1]*newlywed couple* [2]*grove* [3]*носово́й плато́к* [4]*recovering*

17. Я встретил *(several young women)* из *(local)* университета.

18. В концентрацио́нных лагеря́х заключённые[5] жили в *(indescribable)* усло́виях.

19. Христофо́р интересуется *(internal politics)* Брежнева.

20. Что вы помните о *(Treaty of Versailles)*?

21. Я хочу купить себе *(leather overcoat)*.

22. Не всякий может привыкнуть к *(Siberian climate)*.

23. Катю́ша *(is as good-looking as)* её сестра Лёля.

24. Кем Саша Со́лнцев был во время войны? Кажется *(military instructor)*.

25. Вы видели нашу *(student newspaper)*?

26. Я недоволен *(many things)* в *(local secondary school*[6]*)*.

27. Вы знакомы с *(both these nice*[7] *young ladies)*?

28. Ваша то́чка зре́ния[8] и моя - *(incompatible)*.

29. Я боюсь, что жить в маленьком городке *(is a little hard for many of our students)*.

30. В этой книге *(much that is serious = many serious things)*.

31. Можно мне задать вам *(several important questions)*?

32. *(The Leningrad University has)* свои́ тради́ции.

33. Какая библиотека *(is the best of all)*? *(The city library)*?

34. Что значит ВУЗ?

35. В этой комнате *(it is rather dark and dirty)*.

---

[5]*convicts* [6]*сре́дняя школа* [7]*симпати́чный, сла́вный (when used about people)* [8]*point of view*

Exercise 9:

Прочитайте следующий отры́вок несколько раз вслух. Выучите хороше́нько новые слова и выраже́ния. Обратите внимание на имена прилагалетьные *(adjectives)*. Переведите отрывок (весь или части́чно) на английский язык и потом снова на русский.

или: Составьте 8 вопросов о содержа́нии и напишите

ответы.

или: Расскажите о Гоголе.

О Николае Васильевиче Гоголе

Николай Васильевич Гоголь родился и вырос на Украине в помещичьей семье из казачьего рода.[1] Ребёнком он был слаб, болезнен и довольно одинок, но зато был наделён[2] величайшей фантазией. Больше всего он любил бродить по саду и придумывать самые невероятные истории.

Будучи ещё гимназистом, Гоголь решил, что жизнь в провинции ему не по вкусу, так как слишком узка и однообразна. Итак, вскоре по окончании среднего образования, он отправился в Петербург в надежде, что там - в далёкой столице - ему удастся стать каким-нибудь образом полезным[3] своему отечеству. Совершить[4] что-нибудь великое - это была его мечта.

На литературном поприще[5] Гоголь был лишь начинающим и потому подвержен[6] всевозможным влияниям и, конечно, не мог избежать[7] неудач и разочарований.[8] К счастью, он был принят как равный Александром Сергеевичем Пушкиным и Василием Андреевичем Жуковским, которые - как писатели уже известные в литературной мире - могли оказать[9] помощь новоприбывшему[10] юноше.

Первые рассказы Гоголя, которые были напечатаны в 1831-ом и 1832-ом годах - полны своеобразного[11] юмора - по словам Пушкина - подленного[12] веселья. Украинская жизнь, описанная в них, конечно, фантастична и вовсе не[13] отвечает действительности, но и сами герои, и происшествия,[14] описанные Гоголем, также неправдоподобны и в высшей степени необычайны. Эти ранние рассказы были встречены читающей публикой с большим энтузиазмом. Гоголь был доволен и продолжал пользоваться тематикой южно-русского фольклора - легендами и балладами из казачьей жизни. Так закончился первый период его творчества.

От Гоголя многого ожидали; многие считали его выдающимся[15] талантом, но всё таки - нигде его не принимали с такой теплотой, как среди Московских славянофилов, особенно в семье Аксаковых, которые всегда были ему рады и остались верны ему до конца жизни.

Когда пьеса „Ревизор" была поставлена на императорской сцене,[16] всех поразила новая сторона таланта

---

[1]*origin* [2]*endow* [3]*useful* [4]*to accomplish* [5]*literary pursuits (field)* [6]*subject to* [7]*avoid* [8]*disenchantment* [9]*give* [10]*newly arrived* [11]*unique* [12]*genuine* [13]*not at all* [14]*happening* [15]*outstanding* [16]*stage*

Гоголя. В глазах большинства́ - эта пьеса не была ничем иным, как чистейшей сати́рой на чино́вничий быт.[17] Однако, судя по словам самого́ Гоголя, „Ревизор" должен был быть чем-то бо́льшим, чем занима́тельной[18] сатирой - а именно[19] - толчком[20] к нра́вственному перерожде́нию[21] о́бщества. Эта идея настолько утопи́чна, что не могла быть по́нята публикой. Это так разочарова́ло и огорчи́ло Гоголя, что он вскоре уехал из России в Рим, где стал работать над поэ́мой[22] *Мёртвые души*, первая часть которой вышла под назва́нием „Похожде́ния Чи́чикова". Своим героем Павлом Чи́чиковым Гоголь хотел показать по́шлость жизни человека, если она лишена́ высших, т.е. духо́вных запро́сов;[23] в дальне́йшем же, должно было быть ука́зано всем Чичиковым на Руси́ - каким путём возможно человеку прийти к спасе́нию.[24]

Из этого за́мысла[25] видно, насколько религиозна была осно́ва мы́сли Гоголя. В последние же годы жизни - эта религио́зность постепе́нно[26] становилась всё более и более глубо́кой. Гоголю казалось, что он настолько гре́шен,[27] что не спосо́бен передать читателям то самое главное, о чём сле́дует[28] писать - о нравственном перерожде́нии. Он оставался кра́йне тре́бовательным к самому́ себе и умер так и не закончив своей поэмы *Мёртвые души*.

Сужде́ния[29] о Гоголе крайне[30] разноречи́вы: некоторые сра́внивают его с Шекспи́ром и Рабле́; иные видят в нём лишь сумасше́дшего, мысли которого совершенно неприе́млемы. Современные советские литературове́ды оттеня́ют[31] в нём сати́рика, высме́ивающего отрица́тельные[32] сто́роны русской жизни при самодержа́вии.[33] Они отча́сти правы́ - как прав был и Белинский[34] - хотя тоже только отчасти - ви́дя в творце́[35] Ака́кия Ака́киевича Башма́чкина[36] представи́теля[37] всех угнетённых.[38]

---

[17] *way of life* [18] *entertaining* [19] *namely* [20] *incitement* [21] *rebirth* [22] *epic (NOT 'poem')* [23] *spiritual needs* [24] *salvation* [25] *plan* [26] *gradually* [27] *sinful* [28] *one must* [29] *critical opinion* [30] *extremely* [31] *point out* [32] *negative* [33] *autocracy* [34] *influential literary critic of the 19th century* [35] *creator* [36] *the protagonist in Gogol's story "The Overcoat" („Шине́ль")* [37] *representative* [38] *downtrodden*

Exercise 10: REVIEW

Translate:

1. Gogol's early stories differ[1] considerably from

---

[1] *отлича́ться от*

his later ones. They are full of inimitable humor and charm.[2] Gogol tells us about village life, which, of course, is not such as it was in reality. His devils and witches are much nicer than many people. The more we read about them, the more we agree[3] with the critic Belinski, who considered Gogol one of the greatest Russian writers. Belinski was sure[4] that Gogol would accomplish[5] something truly great.

2. Gogol's St. Petersburg stories are about city life. They are not so cheerful as his village stories. In them, Gogol is trying to tell his readers something very important. "The Overcoat" is the most famous of all of the St. Petersburg stories. It tells[6] about a most insignificant[7] civil servant who desired most of all to get a new overcoat. He was so stupid that many of his colleagues[8] laughed at him. He liked best of all to sit and copy[9] letters. Poor (fellow), he had never seen anything good in life. The themes[10] of this story indicate[11] many things[12] that worried[13] Gogol in regard to[14] society.

3. Gogol was acquainted with such famous writers as Pushkin and Zhukóvsky, but his best friends were the Aksakovs, who belonged[15] to the Moscow Slavophiles. The older Aksakov - Sergei - was himself a most talented writer, but, all the same, it never occurred[16] to him to compare himself with Gogol. Best of all, he liked to listen when Gogol read aloud something from his latest works. The days spent at the Aksakovs' house were probably the happiest in Gogol's life.

4. Gogol's mother adored[17] her only son - "Nikosha" - and wished him everything best in life. Nikosha's childhood was a happy one. However, not wishing, of course, to harm him, she passed on[18] to him her

---

[2] *очарова́ние* [3] *соглаша́ться* [4] *уве́рен* [5] use 'will accomplish' [6] use *здесь говорится* [7] *незначи́тельный* [8] *сотру́дник* [9] *перепи́сывать* [10] use the collective - *тема́тика* [11] *ука́зывать на* [12] *многое* [13] *волнова́ть* [14] *по отноше́нию к* [15] *принадлежа́ть к* [16] *сра́внивать* [17] *обожа́ть* [18] *переда́ть*

own religious views,[19] the basis[20] of which was the fear of[21] eternal damnation.[22] Thus Gogol believed all his life in a concrete devil - a formidable enemy of mankind.[23] Every Christian must fight against[24] him - and all the more an Orthodox writer. Gogol was convinced of this.[25] His works[26] had to reflect[27] his convictions.[28]

---

[19] *взгляд* [20] *основа* [21] *страх перед...*
[22] *проклятие* [23] *человечество* [24] *бороться против* [25] *в этом* [26] use the collective *творчество* [27] *отражать* [28] *убеждение*

REMARKS ON THE VERB

A. *Use of the Tenses*

In Russian, the usage of tense is not always the same as in English (there is no 'sequence of tenses' in Russian).

1. *Indirect discourse* (or reported speech) has the same tense in Russian as the original statement (or direct speech):

Reference to the Future

Direct Statement	*Indirect (reported) Speech*
Иван завтра *напишет* письмо. -*Ivan will write the letter tomorrow.*	Иван сказал, что он завтра *напишет* (same tense) письмо. -*Ivan said he would (different tense) write the letter tomorrow.*
Маша: „Я *поеду* через неделю в Москву." -*"I will go to Moscow next week."*	Маша сказала, что она через неделю *поедет* (same tense) в Москву. -*Masha said she would (different tense) go to Moscow next week.*
Нина никогда не *выйдет* замуж за Виктора. -*Nina will never marry Victor.*	Родители объявили, что их дочь Нина никогда не *выйдет* замуж за Виктора. -*The parents announced that their daughter Nina would never marry Victor.*
Борис: „Я скоро *куплю* мото́рную ло́дку." -*Boris: "I will soon buy a motorboat."*	Борис обещал, что скоро *купит* мото́рную ло́дку. -*Boris said that he would soon buy a motorboat.*

Reference to the Present

Нина сегодня больна́. -*Nina is sick today.*	Иван сказал, что Нина сегодня больна́ (same tense). -*Ivan said that Nina was (different tense) sick today.*

(continued)

Николай: „Я теперь *пишу* длинную статью́."
-Nicholas: "I am writing a long article now."

Нам сообщили, что Николай теперь *пишет* (same tense) длинную статью́.
-We were told that Nicholas was (different tense) writing a long article now.

„Трудно в тепе́решнее время *найти* хорошее место."
-"It is hard to find a good job nowadays."

Все говорили, что в тепе́решнее время трудно *найти* (same tense) хорошее место."
-Everybody said that it was (different tense) hard to find a good job nowadays.

REMEMBER: If the past tense is used in indirect (or reported) speech, then reference is made to something that, indeed, did take place in the past:

О́льга сказала мне, что она *была* больна на прошлой неделе.
-Olga told me that she had been sick last week (but she was already well when she spoke to me about it).

NOTE: A similar situation as in reported speech is found in subordinate clauses after such verbs as:

бояться, что...

думать, что...

наде́яться, что...

подозрева́ть, что...
-to suspect

полага́ть, что...
-to suppose

предполага́ть/предположи́ть, что...
-to assume

предста́вить себе, что...[1]
OR: вообрази́ть, что...[1]
-to imagine

реша́ть/реши́ть, что...

---

[1]These two verbs are often used in colloquial speech:
„Представь себе..." - *"Just imagine..."*

Exercise 1:

a) Study the following sentences.
b) Cover the Russian text and reconstruct it.

Reference to the Future

Все боялись, что начнётся война.	- *Everyone was afraid that war would break out.*
Я думала, что Вера позвони́т вечером.	- *I thought that Vera would call tonight.*
Никто не наде́ялся, что Иван вернётся так рано.	- *No one hoped that Ivan would return so early.*
Кто же мог предположи́ть, что отец умрёт так скоро?	- *Who could have thought that Father would die so soon?*
Трудно было представить себе, что война когда-нибудь ко́нчится.	- *It was hard to imagine that the war would end sometime.*

Reference to the Present

Мы подозрева́ли, что Андрей болен.	- *We suspected that Andrew was sick.*
Я полага́л, что он говорит правду.	- *I supposed that he was telling the truth.*
Отец боялся, что я живу не по сре́дствам.	- *Father was afraid that I was living beyond my means.*
Ты думал, что я сплю?	- *Did you think that I was asleep?*
Друзья вообра́жали, что нам живётся легко и весело.	- *Our friends imagined that we had an easy and cheerful life.*
Константи́н наде́ялся, что я дома.	- *Constantine hoped that I was at home.*

Reference to the Past

Я ужасно боялась, что Евгений уже умер.	- *I was terribly afraid that Eugene had already died.*
Мы все думали, что Вера уехала заграни́цу.	- *We all thought that Vera had gone abroad.*

(continued)

Никто и не подозрева́л, что Николай сломал себе но́гу. - *No one ever suspected that Nicholas had broken his leg.*

Учитель предполага́л, что его ученики проспали. - *The teacher assumed that his students had overslept.*

---

2. All *indirect questions* follow the same pattern as indirect speech in regard to usage of tense: the tense remains the same as in the direct question (in English, sequence of tenses is observed and thus a change takes place).

NOTE: Indirect questions introduced by an interrogative word (где, кто, когда, почему) have an unchanged word order.

Reference to the Future

Direct Question	*Indirect Question*
Где Миша *будет* завтра вечером? -*Where will Misha be tomorrow night?*	Отец спросил, где Миша *будет* завтра вечером. -*Father asked where Misha would be tomorrow night.*
Кто *принесёт* нам билеты в оперу? -*Who will bring us the opera tickets?*	Я хотела знать, кто *принесёт* нам билеты в оперу. -*I wanted to know who would bring us the opera tickets.*
Когда *начнётся* богослуже́ние? -*When will the (church) service begin?*	Я спросила, когда *начнётся* богослуже́ние. -*I asked when the (church) service would begin.*

Reference to the Present

Еле́на: „Катя, почему ты в больни́це?" -*Helen: "Katya, why are you in the hospital?"*	Елена спросила, почему Катя в больни́це. -*Helen asked Katya why she was in the hospital.*
О чём там *говорят*? -*What are they talking about over there?*	Кто-то спросил, о чём там *говорят*. -*Someone asked what they were talking about over there.*

(continued)

Reference to the Past

Елена: „Катя, когда ты *прочитала* эту книгу?"
-Helen: "Katya, when did you read this book?"

Елена спросила Катю, когда она *прочитала* эту книгу.
-Helen asked Katya when she had read this book.

Саша: „Коля, с кем ты *работал* в прóшлом году?"
-Sasha: "Kolya, whom did you work with last year?"

Саша спросил Колю, с кем он *работал* в прошлом году.
-Sasha asked Kolya whom he had worked with last year.

NOTE: An indirect (or 'hidden') question which is not introduced by an interrogative word requires the particle *ли*.

Ли corresponds to the English 'whether' ('if') but *can never be the first word in a clause.*

Instead, it occurs mostly in second place[1] following immediately after the key word of the question (or in third place if the clause begins with a negation).

Examples:

Пётр спросил, *буду ли* я дома вечером.	*-Peter asked whether I would be at home in the evening.*
" " *я ли* буду дома вечером.	*-...whether I would be at home in the evening*
" " *вечером ли* я буду дома.	*-...whether I would be at home in the evening*
" " *не буду ли я* дома вечером.	*-...if I wouldn't be at home in the evening*

Pattern: Пётр спросил[2] + *key word* + ли + *the rest of the sentence.*

REMEMBER: NEVER USE 'ЕСЛИ' IN INDIRECT QUESTIONS!

---

[1] Certain other words may be inserted:
Он спросил, к будущему лету ли всё будет готово.

[2] or an equivalent verb, such as:
хотел знать, старался узнать, обдумывал, и т.д.

Exercise 2:

a) Study the following sentences.
b) Read them several times aloud.
c) Cover the Russian text and reconstruct it.

1. Дети обеща́ли, что вернутся домой во́-время. - *The children promised that they would come home on time.*

2. Коля сообщи́л, что поедет в о́тпуск через неделю. - *Kolya let it be known that he would go on vacation in a week.*

3. Ответь мне, купила ли ты словарь или нет? - *Answer me, did you buy the dictionary or not?*

4. Анна не знала, хва́тит ли всем вина́. - *Ann did not know if there would be enough wine for everybody.*

5. Иван боялся, что Надя опоздает на по́езд. - *Ivan was afraid that Nadya would miss the train.*

6. Никто не знал, скоро ли ко́нчится война. - *Nobody knew whether the war would end soon.*

7. Бори́су хотелось узнать, кто жил здесь до него. - *Boris wanted to find out who had lived here before him.*

8. Соня думала, что я сегодня дома. - *Sonia thought that I was at home today.*

9. Адвокат обещал, что сделает всё, что может. - *The lawyer promised that he would do all he could.*

10. Елена повторила, что она уже написала одно длинное письмо и что она скоро напишет ещё одно. - *Helen repeated that she had already written one long letter and that she would soon write one more.*

11. Никто не мог себе предста́вить, что Николай сделает это. - *No one could have imagined that Nicholas would do this.*

12. Мы не́ были уверены, куда брат поедет и вернётся ли он когда-либо. - *We were not sure where our brother would go and whether he would ever return.*

13. Нина недеялась, что не опоздает на урок. — *Nina hoped that she would not be late for class.*

14. Не помню, в по́лночь ли гости уехали или позже. — *I don't remember whether the guests left at midnight or later.*

15. Я спросила соседку, может ли она помочь мне. — *I asked my neighbor whether she could help me.*

16. Доктор надеялся, что больной скоро попра́вится. — *The doctor hoped that the patient would soon recover.*

17. Ве́ра всем расска́зывала, как много ей прихо́дится работать. — *Vera was telling everyone how much she had to work.*

18. Надя спросила, она ли должна будет остаться дома, или Катя. — *Nadya asked whether she would have to stay at home, or if Katya would have to.*

19. Профессор недоумева́л, здоров ли я. — *The professor was wondering whether I was well.*

20. Я решил, что завтра пойду к доктору. — *I decided that I would see a doctor tomorrow.*

21. Анна боялась, что ей надо будет сделать операцию. — *Ann was afraid that she would have to have an operation.*

22. Хозяин спросил, есть ли у меня деньги. — *The landlord asked whether I had money.*

23. Мы боялись, что дедушка умрёт. — *We were afraid that Grandfather would die.*

24. Никто не мог сказать, опа́сно ли он болен. — *No one could tell whether he was danerously ill.*

25. Отец хотел знать, когда я око́нчу университет. — *Father wanted to know when I would graduate from the university.*

26. Пётр подозрева́л, что меня не будет на лекции. — *Peter suspected that I would not be at the lecture.*

(continued)

27. Профессор предполагáл, что его тóчка зрéния извéстна студентам. - *The professor assumed that his point of view was known to the students.*

28. Рóдственники больного хотели знать, сам ли профессор будет делать операцию, или его ассистéнт. - *The relatives of the patient wanted to know whether the professor himself would operate, or his assistant.*

29. Их интересовал вопрос, очень ли опасная эта операция и сколько времени она будет длńться... - *They were interested in the question of whether the operation was very dangerous and how long it would last.*

30. Меня спросили, гóлоден ли я, и я ответил, что гóлоден (...что да). - *I was asked whether I was hungry, and I answered that I was.*

31. Иван спросил, была ли у меня когда-нибудь машина, и я ответил что нет (...что да, была год тому назад). - *Ivan asked whether I had ever had a car, and I answered that I never had (...that I had had one a year ago).*

32. Учитель не мог себе представить, что никто из учеников не понимает того, что он объясняéт. - *The teacher could not imagine that no one among his students understood what he was explaining.*

33. Иван сказал, что у него никогда не было времени на пустякń. - *Ivan said that he had never had time for trifles.*

34. Не слишком ли он много работает? - *Doesn't he work too hard?*

35. Катя спросила, не надо ли мне денег. - *Katya asked whether I needed money.*

36. Сергей крńкнул из своей комнаты, что меня просят к телефону. - *Sergei shouted from his room that I was wanted on the telephone.*

37. Мы решили, что нам нéкогда ехать на пикнńк. - *We decided that we did not have time to go to the picnic.*

38. Ты думала, что я женю́сь на Ве́ре? — *Did you think that I would marry Vera?*

39. Нина сообщила нам, что она вышла за́муж за Николая Ива́новича Каме́нского. — *Nina informed us that she had married Nikolai Ivanovich Kamensky.*

40. Моя подруга хотела знать, где я живу. — *My friend wanted to know where I lived.*

41. Брат ответил, что не успе́ет зайти ко мне вечером. — *My brother answered that he would not have time to drop in in the evening.*

42. Я сомнева́юсь, доста́точно ли у нас денег. — *I doubt whether we have enough money.*

Exercise 3:

Как это будет по-русски?

1. The children said that they were playing ball.
2. Ivan wrote his mother that he had been sick, but that he was well now and would come home in a few weeks.
3. Masha informed her parents that she had found a job.[1]
4. Boris said that he would soon buy a new car.
5. Father asked whether I had money. I said I did.
6. I hoped that the exams would be easy, but they were not.
7. Sonia wanted to know whether I had gotten[2] the tickets or not.
8. All this time Nina had been thinking that I was in Siberia.
9. Everybody assumed that the weather would be good.
10. I thought that Masha was ill and would not come to class today.
11. The teacher said that this was an interesting book and that we would discuss[3] it in a few days.
12. Some one told me that your friends lived in Mexico.

---

[1] *место* [2] *доста́ть* [3] *обсужда́ть*

13. Vera was afraid that I would ask for help.
14. We all wondered what could have happened and kept asking each other why Ilyá had not come.
15. I said that I did not have time to write the letter today, but that I would gladly[4] do it tomorrow.

---

[4] *с удовольствием*

Exercise 4:

а) Ответьте на следующие вопросы. (Pattern for answer: Я ответил, что...)

Соня спросила:

1. Ты сердишься на меня?
2. Ты идёшь сегодня на концерт?
3. Ты купишь русско-английский словáрь?
4. Ты отвéтишь на это письмо?
5. Ты посидишь со мной немнóжко?
6. Ты будешь *долго* работать?
7. Ты был *давно* в Москве?
8. Доктор скоро придёт?
9. Вася надеется выиграть миллиóн?
10. Тебе нужны́ деньги?
11. Ты не слишком рано встал сегодня?
12. Ты *всегда* ложишься спать в десять?
13. Ты дашь мне рубль на морóженое?
14. Ты поможешь мне решить эту задáчу?
15. Ты не слишком поздно лёг спать вчера?

б) Измените вопросы 1-15 на кóсвенные.[1]

Example:

Соня спросила, сержусь ли я на неё.

---

[1] *indirect*

3. *Usage of the Present Tense:*

a. The *present* tense (not the past) translates the English *present perfect* when reference is made to an action which includes the present.

Examples:

Я работаю здесь давно́.	- *I have been working here for a long time (and still do).*
Иван живёт уже́ 10 лет в ста́рческом доме.	- *Ivan has been living in an old folks' home for 10 years already.*
Вот уже год, что я жду письма́ от брата.	- *I have been waiting a year for a letter from my brother.*
Вы работаете третий год над своей книгой.	- *You have been working on your book for over two years (and you are still working on it).*
NOTE: Вы работали над своей книгой...	- *means 'you worked on your book (but don't any more)'*

---

b. The present tense used with a past meaning (in order to lend vividness to the narration):

„В прошлое воскресенье Александр пришёл к нам. Сидим мы, слушаем радио, - вдруг слышим: телефон звони́т. Я подхожу́ - это сосед просит помо́чь ему: у него на чердаке́ пожар!"	- *"Last Sunday, Alexander came to see us. We were sitting and listening to the radio; suddenly we heard the telephone ring. I answered the telephone - it was our neighbor asking for help. In his attic, there was a fire."*

---

c. The present tense combined with 'бывало' *(used to, would)*:

Андрей приходил, бывало, сидит, курит в всё молчит.	- *Andrei would come, sit, smoke, and remain silent all the time.*

d. The present tense used with a future meaning (often in order to express a firm decision):

Я всё обду́мала: завтра начинаю новую жизнь, уезжа́ю в город и там поступа́ю на медици́нский факульте́т. – *I have thought it through: tomorrow, I will start a new life; I am leaving for the city, and there I am going to enroll in medical school.*

---

4. Use of the *Past Tense* with *Future Meaning*:

In colloquial Russian, the past tense of a perfective verb is occasionally used with a future (or present) meaning.

Ну, *я пошёл*. – *Well, I will go now (I am leaving now).*

Если мы не доста́нем денег, *мы погибли*. – *If we don't get money, we are done for.*

Если никто меня не встре́тит в Нью-Йорке, *я пропа́л!* – *If no one will meet me in New York, I will be lost.*

---

5. Usage of the *Future Perfect* (= the simple future formed from the perfective aspect):

a. In order to express the possibility or impossibility of an action (instead of a construction with *мочь* & the infinitive):

Иван на все руки ма́стер: и обед *сва́рит*, и часы *почи́нит*, и за детьми *посмотрит*. – *Ivan is a jack of all trades: he can cook dinner, fix the watch, and tend the children.*

NOTE: The future perfect is often used in impersonal constructions.

Нам придётся подождать: в такую погоду *не поедешь*. – *We will have to wait - in such weather, one can not drive.*

Про́шлого *не вернёшь*. – *The past cannot be revived.*

Без труда́ - не вы́нешь даже ры́бку из пруда́. – *Proverb: Without effort one can't even catch a fish in a pond.*

Also: A request for information in contemporary spoken Russian is likely to begin with:

Вы не скажите, где улица Горького?
когда начина́ется концерт?
сколько сто́ит билет?

b. In order to render the English "...will have done something":

When I <u>will have read</u> the newspaper, I will give it to you.	- Когда я *прочитаю* газету, я дам её тебе.
In 10 years, your father <u>will have died</u>.	- Через 10 лет твой отец *умрёт*.

c. In order to render the English present tense which has a future meaning:

I will show him your book when I <u>see him</u>.	- Я покажу ему вашу книгу, когда *уви́жу* его.
Ivan will tell us everything as soon as he <u>finds out</u>.	- Иван нам всё расскажет, как только *узнает*.
Why <u>don't</u> you <u>ask</u>?	- Почему ты *не спро́сишь*?

Note especially the following:

Present Tense:	*Past Tense:*
I am late.	Я опоздал.
I am infatuated with...	Я увлёкся/увлекла́сь.
I am tired.	Я устал/а.
I am wrong.	Я ошибся/ошиблась.
I am tanned.	Я загорел/а.
I foret - what's the date today?	Я забыл/а - которое сегодня число?
Future Tense:	***Present Tense:***
This will not do.	Это не годится.

Exercise 5:

Переведи́те на русский язык.

1. How long have you been writing this article?
2. Would you tell me where the cathedral[1] is?

---

[1] *собо́р*

3. Call the doctor after 9 o'clock, when he will have finished his office hours.[2]

4. Would you tell the doctor when he comes that Anna Ivanovna called?

5. Here is my decision: tomorrow, we will fly to Moscow.

6. As soon as I earn a little money, I will buy you a present.

7. Natasha, why are you late?

8. Without money, one cannot buy anything.

9. Sergei has been traveling for 6 months; as soon as he is back, we will invite him.

10. This key will not do.[3]

11. I remember that Grandfather liked to spend[4] time with us children. He would come to our nursery,[5] sit (down) in the rocking chair[6] and begin a long story.

12. Will you have prepared everything by[7] 10 o'clock?

13. Invite Misha to the party[8] - he will help; he will bake the cake,[9] set the table, and even sing in Russian any[10] song. What a marvelous guest!

14. Nina is so tired that she will fall asleep right away.[11]

15. Excuse me, I forget - where do you live?

---

[2] *приём* [3] *не годится* [4] *проводить* [5] *детская*
[6] *качалка* (use *в* + acc.) [7] use *к* + dat. [8] *вечеринка*
[9] *торт* [10] *какую угодно* [11] *сразу же*

B. The Imperative

REMINDER: For regular formation (2nd person sg. and pl.):

a) Cut off the ending of the 2nd person sg. of the present tense.

b) Add *й/йте* if the stem ends in a vowel.
чита/ешь - читай(те)!

c) Add *и/ите* if the stem ends in a consonant.
помн/ишь - помни(те)!

d) Reflexive verbs add -*сь* after *и* and *е* (otherwise -*ся*): веселись/веселитесь! *(have a good time)*

1. If the stem ends in a consonant and is stressed, the imperative ending is ь/ьте:

Memorize:

брось/бросьте	- *throw*
брось/те курить!	- *Quit smoking!*
будь/будьте	- *be*
Будь, что будет!	- *Come what may!*
встань/встаньте	- *rise*
доста́нь/доста́ньте	- *get (with some difficulty)*
достань мне эту книгу!	- *Get me that book!*
отста́нь/отста́ньте!	- *leave me alone*
переста́нь/переста́ньте	- *stop (doing something)*
переста́нь пла́кать!	- *Stop crying!*
верь/верьте	- *believe*
пове́рь/пове́рьте	
вынь/выньте	- *take out*
вынь доллар из сумки!	
гото́вь/гото́вьте	- *prepare*
пригото́вь/те	
дунь/дуньте	- *blow*
ешь/ешьте	- *eat*
съешь/те	
забу́дь/забу́дьте	- *forget*
заста́вь/заста́вьте	- *force, compell*
оста́вь/те	- *leave (sthg. or s.o.)*
переста́вь/те	- *put in a different place*
поста́вь/те	- *put, place*
кинь/киньте	- *throw*
выкиньте	- *throw out (although prefix is stressed)*
лезь/лезьте	- *climb*
ляг/лягте	- *lie down (no soft sign after* г*)*
мажь/мажьте (пома́жь/те) маслом	- *put on butter*

смажь/те - *lubricate, smear*

мерь/мерьте - *measure*

смерь/те

поме́рь/те - *try on (clothes, shoes)*

мучь/мучьте - *torture*

наде́нь/наде́ньте - *put clothes on yourself*

ненави́дь/ненави́дьте - *hate*

оде́нь(ся)/оде́ньте(сь) - *dress (oneself)*

переоде́нься/переоде́ньтесь - *change one's clothes*

раздень(ся)/те(сь) - *undress (oneself)*

оста́нься/оста́ньтесь - *remain*

плачь/плачьте - *weep*

позво́ль/позво́льте - *allow*

попра́вь/попра́вьте - *correct*

отпра́вь/те - *ship*

предста́вь/предста́вьте себе - *imagine*

прячь(ся)/прячьте(сь) (спрячь(ся)/те(сь)) - *hide*

расста́нься/расста́ньтесь - *part*

режь/режьте (наре́жь/те) - *cut*

разре́жь/те - *cut into pieces*

поре́жься/тесь - *cut (your finger, face)*

спорь/спорьте - *argue*

ставь/ставьте (поста́вь/те) - *put or place*

переста́вь/те - *put somewhere else*

стань/станьте - *become*

сыпь/сыпьте (насы́пь/те) - *pour (NOT LIQUID, but flour, sand, sugar, or salt)*

сядь/сядьте - *sit down*

переся́дь/те - *change one's seat*

и т.д.

2. Change of stem consonant:

Infinitive	*2nd pers. pres.*	*Imperative*	*English*
бере́чь(ся)/ сберечь(ся)	бережёшь(ся)	береги́(сь)[1]/ те(сь) (сбереги́)	*take care*
жечь/сжечь	жжёшь	жги/сожги́	*burn (sthg.)*
/лечь	ля́жешь	ляг	*lie down*
лгать/солгать	лжёшь	лги/солги	*tell a lie*
печь/спечь	печёшь	пеки́/спеки́	*bake*
стере́чь	стережёшь	стереги́	*guard*
стричь/ постри́чь	стрижёшь	стриги́	*cut (hair, grass, nails; shear sheep)*

[1]*береги́сь!* – *Beware!*

3. Irregular formations of the imperative:

a. Verbs with a soft sign in the present tense stem.

бить/побить	бьёшь	бей/побей(те)	*hit*
разбить	разобьёшь	разбей	*break*
убить	убьёшь	убей	*kill*
вить/свить*	совьёшь	свей	*weave, twist*
лить/налить	льёшь	лей/налей	*pour*
вылить	выльешь	вылей	*pour out*

**also: Птица свила гнездо* – *made a nest*

b. Verbs ending in -дава́ть, -знава́ть, -става́ть, keep their imperative stem.

Не дава́й мне ничего!

Не задава́й мне вопросов! *(Don't ask questions!)*

Не узнава́й подро́бностей! *(Don't find out the details!)*

Не встава́й слишком рано!

NOTE:			
	поехать	поедешь	*поезжай/те!*
	переехать	переедешь	*переезжай/те!*
	лазить	лезешь	*полезай/те!*

4. Imperatives that include the speaker ('Let us...'):

a. Perfective verb - 1st person plural:

Сделаем это как можно скорее! - *Let's do it as quickly as possible!*

Возьмём сегóдняшние газеты! - *Let's take today's papers!*

-те can be added when more than one person is addressed or in a polite context:

Посмóтримте, кто пришёл. - *Let's see who has come.*

Verbs of motion take the determinate form of the imperfective aspect:

Едем! Идём! - *Let's go!*

Negative constructions:

Не скажем никому ничего. - *Let's not say anything to anyone.*

Не будем мешать отцу. - *Let's not disturb Father.*

NOTE: Colloquial expressions:

Поехали! Пошли! Побежали! - *Let's be off!*

---

b. In case of more informal and less emphatic situations, давай(те)+infinitive is used:

Давай(те) читать вслух! - *Let's read aloud.*

Negative constructions (as above):

Давайте не будем ссóриться! - *Let's not quarrel!*

---

5. Imperatives that *exclude* the speaker (in which a third person is referred to: 'Let him, let her, let them...'):

ПУСТЬ (or, more colloq., *пускáй*) + 3rd pers. sg. or pl.:

Пусть Иван говорит/скажет всё.

Пускáй люди видят/увидят, как мы живём.

NOTE:

Пусть дети не шумят. - *Make the children be quiet.*

Пусть будет по-вашему. - *Let it be the way you wish.*

Пусть будет так. - *So be it.*

Idiomatic expression:

Пусть они не думают... - *Let them not deceive themselves into thinking...*

REMINDER: Дай/дайте & dative may be used in the less formal imperative with the meaning of 'permit'.

Дай Наташе сказать, что она хочет. - *Let Natasha say what she wants (= give her a chance, allow her).*

Дайте мне кончить! - *Let me finish.*

NOTE: In colloquial speech, a command can be made more emphatic by adding the particle же.

Аня, (ну), передай же мне соль!

(Ну adds an element of impatience.)

---

6. The imperative expressed by means of the infinitive:

   a. An emphatic order (or command) to do something can be expressed *both by a perfective and an imperfective infinitive.*

Молчать! - *Silence!*

Отвечать ко́ротко и я́сно!

Говорить тихо!

Вы́нуть руки из карманов! - *Hands out of pockets!*

   b. An emphatic order *not to do* something can be expressed only by an *imperfective infinitive.*

Не разгова́ривать! - *No talking!*

Не шуметь!	- *No noise!*
Не курить!	- *No smoking!*

---

7. Remarks on the aspect of the negative imperative:

As a general rule, a negative command is expressed by means of the imperfective aspect, even if reference is made to a one time action only.

Нина, не бери сегодня с собой так много денег!

BUT: In case of an urgent warning against a specific, undesirable action with apprehension that it may occur, the *perfective aspect* is used.

Тише - *не разбу́дите* больного!	- *Quiet! Don't wake up the patient.*
Смотри́, *не потеря́й* деньги!	- *Watch out - don't lose the money.*
Ра́ди Бо́га, *не забудь* позвонить мне!	- *For God's sake - don't forget to call me up.*
Только *не урони́* ва́зу!	- *Please don't drop the vase! (Whatever else you may do - just don't drop the vase.)*
Смотри, *не споткни́сь* нача́янно!	- *Watch out that you don't stumble inadvertently.*
Не ошиби́сь случайно!	- *Don't make a mistake by accident.*
Осторо́жно - *не упади́*!	- *Caution - don't fall.*

NOTE: The following are all ways of saying 'don't cry'.

Не надо плакать!	Не́чего плакать!
По́лно плакать!	Будет плакать! *(coll.)*
Хва́тит плакать!	

---

8. The imperative as a wish/command ('Long live...', etc.):

ДА + 3rd person:

Да здра́вствует наш президент!	- *Long live our president!*
Да будет воля Твоя!	- *Thy will be done.*
Да восторжеству́ет и́стина!	- *May the truth triumph!*
Да испо́лнятся все твои жела́ния!	- *May all your wishes come true!*
Да здра́вствует дру́жба народов!	- *Long last the friendship among nations.*

NOTE: Such expressions are used infrequently. They are examples of the so-called 'high style'.

---

9. Special usage of the familiar imperative:

The familiar imperative (only) can be used instead of a conditional clause with если...бы/если бы... and the past tense.

Если бы отец был дома (будь отец дома), ничего не случилось бы.	- *If Father had been home, nothing would have happened.*
Если бы тебя не было (не будь тебя), я сошла бы с ума́.	- *If it were not for you (were it not for you), I would have gone crazy.*
Если бы мы узнали об этом раньше (узнай мы об этом раньше), мы не уехали бы.	- *If we had found out about this earlier (had we...), we would not have left.*
Если бы вы не опоздали на поезд (не опоздай вы на поезд), всё было бы ина́че.	- *If you had not missed the train (had you not...), everything would be different now.*

Exercise 6:

Укажите правильную форму повели́тельного наклонения.[1]

1. Олег Арка́дьевич, *(show me)* свою работу.
2. Анна Ивановна, *(place)* хруста́льную вазу на подоко́нник.[2]
3. Федя, *(lie down)* на диван.
4. Женя, *(cut)* сегодня траву́.
5. Я вас предупрежда́ю:[3] *(fear)* этого человека!
6. Дорогие гости, *(eat and drink)* сколько хотите.
7. *(Let)* И́горь придёт по-раньше.
8. Не *(give)* ему денег! *(Use* ну *and* же.*)*
9. Наташа, *(prepare)* обед и *(take out)* из шка́фа посу́ду.
10. Смотри, *(don't fall)* - на улице очень ско́льзко.[4]
11. Друзья, пожалуйста *(take)* денег у меня!
12. Я очень советую тебе: *(quit smoking)*.
13. Иван Кузьми́ч, *(don't get up)* сегодня.
14. Дети, *(rise)* когда учитель войдёт.
15. Помни: *(don't drink, don't smoke, and don't dance)*.
16. Маша, *(change your clothes)* перед обедом.
17. Михаил Иванович, пожалуйста *(be seated)*.[5]
18. Коля и Ваня, ра́ди Бо́га *(don't forget)* что репети́ция[6] сегодня в 8 часов.
19. Нина, *(cut)* све́жего хлеба, *(put)* масло на стол, *(pour)* чаю и *(offer)* гостям закуси́ть.
20. *(Let's call)* Николаю, у меня есть номер его телефона.
21. Мария Ивановна, *(dress)* сегодня потепле́е, а то просту́дитесь.[7]
22. Аня, смотри - только *(don't cut)* себе па́лец!

---

[1] *imperative* [2] *window sill* [3] *warn* [4] *slippery*
[5] Both aspects can be used here: the imperfective is more polite. [6] *rehearsal* [7] *catch a cold*

23. Доктор, *(don't force)* меня лечь в больни́цу.

24. *(If I had not given)* ему денег, он никуда не уехал бы.

25. *(Let us be)* друзьями!

26. Коля - ра́ди Бо́га, только *(don't burn)* дом!

27. Ве́рочка, *(go)* в Советский Союз!

28. Хорошо. *(Let it be)* так, как ты хочешь.

29. *(Let's buy)* эту замеча́тельную книгу.

30. *(Let him come)* к нам в гости.

31. Вася, *(put on)* шу́бу - сегодня сильный мороз.

32. Анна Петро́вна, *(don't believe)* этим людям! *(Use* ну *and* же.*)*

33. Елизаве́та Я́ковлевна, *(be)* так любе́зны, *(pass)* мне соль.

34. Саша, умоля́ю тебя, только *(don't lose)* деньги!

35. *(If Ivan had not been late)* на десять минут, я не успела бы с ним поговорить.

36. Дети, *(stop)* кричать.

37. Ляля, *(correct)* моё сочине́ние,[8] но *(don't correct)* всех оши́бок.

38. Дедушка, *(let me)* помочь тебе.

39. Дядя Ваня, *(stop)* курить!

40. Кира и Лиза, *(get up)* завтра пораньше!

41. Алла Миха́йловна, *(go)* заграни́цу!

42. *(Let's not say)* ничего Бори́су.

43. Иван Иванович, *(bake)* мне кули́ч![9]

---

[8]*composition* [9]*Easter bread*

Exercise 7:

Как это будет по-русски?

1. Let's finish this article.
2. Let Nina do what she wants.
3. Children, sing a Russian song.
4. Imagine, Peter, I was late for the train!

5. Olga, please don't argue. (Three ways)
6. The officer shouted: "Silence! No conversations!"
7. Vera, change your clothes before supper.
8. Let's go to Moscow!
9. If I had won the first prize, I would be rich now. (Use the imperative construction.)
10. Tell the whole truth and please don't forget anything.
11. Watch out, don't catch a cold in this weather.[1]
12. Konstantin, don't drink so much!
13. Friends, come early - don't come later than (at) six o'clock.
14. Let's burn all the papers. (Use ну and же.)
15. Nina, sew yourself a new dress.
16. Ivan Ivanovich - be careful, don't hurt yourself.[2]
17. Let the students ask questions.
18. Lord,[3] Thy will be done.
19. Let us be grateful for everything.
20. Open the window. (Use же.)
21. Let us not gossip.[4]
22. Katya, simply force your husband to agree with us.
23. Don't invite your nephew.
24. Watch out - don't lose the key.
25. If Andrei had not flunked the exam,[5] he would have a good job[6] by now.
26. Anna Ivanovna, let me finish (my) report.
27. Vanya, hide (yourself) here.
28. Don't burn the newspapers in[7] the yard.
29. Boris, for God's sake - don't flunk the exam!
30. Let the neighbors think what they want.
31. Don't be surprised[8] - I will come home very late.

---

[1] Use *в* + acc. [2] *ушибиться* [3] Use the vocative: *Господи* [4] *сплетничать* [5] *провалиться на экзамене* [6] *место* [7] Use *на* [8] *удивляться/удивиться*

32. If Solzhenitsyn had not received the Nobel Prize,[9] he would not be so famous.
33. Katya, dress warmly - it is chilly[10] today.
34. Don't show everyone your temper.[11]
35. Let Misha bring you a glass of tea.
36. Mrs. Petrov, sit (down) next to me.
37. Don't bring a Russian newspaper - bring me an English one.
38. Sonya, move on Monday - don't move on a Saturday!
39. Anna, remind me to buy sugar.
40. Nikolai, have[12] a little patience. (Use же.)
41. Masha, don't interrupt me.
42. Don't dance so much, Vera.

---

[9] *Но́белевская премия* [10] *прохла́дно*
[11] *хара́ктер* [12] Use *иметь*

C. The Subjunctive (Conditional)

REMINDERS: a) The subjunctive is formed from the past tense and the particle бы (sometimes shortened to б).

b) бы is not necessarily attached to the verb, and may take different positions in the sentence without changing its meaning:

Я купил бы эту дачу, если бы мог.

Я бы купил эту дачу, если мог бы.

c) There is only one form; the tense referred to can be determined only by context:

If I knew...	Если бы я знал...
If I would know...	Если я бы знал...
If I had known...	
If I would have known...	

1. *Use of the Subjunctive:* In 'unreal conditions' expressing wishful thinking or a condition that is not likely to be fulfilled; that is, a situation that is contrary to fact and contrary to reality.

Если бы я был богат, я поехал бы в кругосве́тное путеше́ствие.	- *If I were rich, I would go on a trip around the world (but I am not rich and therefore I am not likely to go on that trip).*
Если бы я был на вашем месте, я не поступи́л бы так.	- *If I had been in your place, I would not have acted that way.*

NOTE: The 'unreal/unfulfillable' condition is not to be confused with the 'real' condition - a straightforward statement which is not hypothetical and which has not lost touch with reality.

Если я буду богатым, я отпра́влюсь в кругосве́тное путеше́ствие.	- *If I get rich, I will go on a trip around the world (and there is a very real chance that all this will happen).*
Если ты дашь мне десять рублей, я куплю тебе билет в оперу.	- *If you give me 10 roubles, I will buy you a ticket to the opera (this is solid, sober reality).*

---

2. *Use of the Subjunctive:* In constructions denoting suggestions, suggested obligations, wishes, or apprehensions. (See examples given in Exercise 8.)

Exercise 8:

a) Study the following sentences.
b) Cover the Russian text and reconstruct it.

1. Миша, ты бы отдохнул.	- *Misha, you should rest.*
2. Еле́не надо было бы поехать теперь заграницу.	- *Helen should go abroad now.*

3. Она должна была[1] бы сделать это гораздо раньше. - *She should have done it much earlier.*

4. Ивану не следовало бы теперь уезжать. - *Ivan should not leave now.*

5. Год тому назад он мог бы уехать без затруднений. - *A year ago, he could have left without difficulties.*

6. Ирине следовало бы поступить в университет, когда она была моложе. - *Irina should have enrolled in a university when she was younger.*

7. Мы должны были бы продать дачу в прошлом году. - *We ought to have sold our country home last year.*

8. Владимир, ты нам посоветовал бы, что теперь делать. - *Vladimir, you should advise me what to do now.*

9. Я хотел бы поговорить с врачом. - *I would like to talk to a physician.*

10. Этот студент хотел бы видеть вас. - *This student would like to see you.*

11. Я желал бы познакомиться с этим учёным. - *I would like to meet this scientist.*

12. Скорее бы кончились экзамены! - *(I wish) that the exams would be over.*

13. Только бы экзамены кончились! - *If only the exams were over.*

14. Как приятно было бы в такую жару принять холодный душ! - *How pleasant it would be to take a cold shower in such heat!*

Negative wishes - Imperfective aspect:

15. Нина, *не ехала* бы ты совсем одна! - *Nina, you should not travel all by youself.*

16. *Не покупал* бы Иван столько книг! - *Ivan should not buy so many books.*

Apprehension - Perfective aspect:

17. Маша опасалась, как бы *не вышло* недоразумения. - *Masha was apprehensive that a misunderstanding might occur.*

(continued)

---

[1] In colloquial speech, *был/а/о/и* is often omitted when referring to the present or the future.

18. Боюсь, как бы Вася *не потеря́л* деньги![2] (OR *не потеря́л* бы Вася деньги, OR как бы Вася *не потеря́л* деньги.) - *I'm afraid Vasya might lose the money.*

19. Только бы Вася *не потерял* деньги! - *If only Vasya would not lose the money!*

20. Как бы Нина *не опоздала* на по́езд! (OR *не опоздала* бы Нина на по́езд.) - *Nina might miss her train.*

[1] *Чтобы* can also be used:
Боюсь, чтобы Вася не потерял деньги.

---

3. *Use of the Subjunctive:* In expressions with бы...ни ('no matter...').

где		*-no matter where, wherever*
как		*-no matter how, however*
какой/ая/ое/ие (all cases)		*-no matter what kind*
когда	+ (*БЫ...НИ* + *PAST TENSE*)	*-no matter when, whenever*
кто		*-no matter who, whoever*
куда		*-no matter where, wherever*
отку́да		*-no matter from where*
сколько		*-no matter how many*
что (all cases)		*-no matter what, whatever*

NOTE: The actual tense is determined by the main clause or the context.

Exercise 9:

a) Study the following sentences.
b) Cover the Russian text and reconstruct it.

1. Где бы мы ни жили, нам везде́ хорошо. - *No matter where(ever) we live, we are fine everywhere.*

2. Где бы ты ни купил словарь, он будет до́рого сто́ить. - *No matter where you buy the dictionary, it is going to be expensive.*

3. Какую бы дачу мы ни сняли, у нас хва́тит денег. - *No matter what kind of country home we are going to rent, we will have enough money.*

4.	С какими бы людьми ты ни встре́тился, не бойся ничего.	- *No matter what kind of people you meet, fear nothing.*
5.	Когда бы Бори́с ни возвраща́лся, жена всегда ждала его.	- *Whenever Boris returned his wife was always waiting for him.*
6.	Как бы спе́шно мне ни было, я всё-таки забегу́ к тебе.	- *No matter how much in a hurry I am, I will drop in and see you all the same.*
7.	Кому бы Нина ни писала, её письма всегда интересны.	- *No matter who Nina writes to, her letters are always interesting.*
8.	Как бы то ни́ было, но докуме́нты не нашли́сь.	- *However that might have been (be that as it may), the documents were not found.*
9.	Кого бы Иван ни привёл с собой, мы будем рады гостю.	- *Whomever Ivan brings along, that guest will be welcome.*
10.	С кем бы Лиза ни разговаривала, она всегда кричит.	- *No matter with whom Liza converses, she always yells.*
11.	Куда бы Нина ни пошла, её везде узна́ют.	- *Wherever Nina goes, people everywhere recognize her.*
12.	Откуда бы ни приходили письма, я их не читаю.	- *No matter where the letters come from, I don't read them.*
13.	Что бы ни случа́лось за все эти годы, я никогда не не́рвничала.	- *No matter what happened all those years, I never got nervous.*
14.	Что бы это ни́ было - расска́зывай!	- *Whatever it is, do tell it!*
15.	От чего бы человек ни умирал, он не рад сме́рти.	- *No matter what a person is dying from, he does not welcome death.*
16.	О чём бы мы ни разгова́ривали, Иван всегда начинает спо́рить.	- *No matter what we are talking about, Ivan always starts arguing.*
17.	Чем бы ты ни был недово́лен, умей молчать.	- *No matter what you are dissatisfied with, know how to keep quiet.*

18. Сколько бы эта книга ни сто́ила, я куплю её.	- *No matter how much this book costs, I will buy it.*
19. Дома лучше, чем где бы то ни́ было.	- *There's no place like home (= it's better at home than wherever else there may be).*

NOTE:

Во что бы то ни ста́ло	- *no matter what; come what may; at all costs*
20. В будущем году я во что бы то ни ста́ло поеду в Россию.	- *Next year I will go to Russia - no matter what.*
21. Бори́с решил во что бы то ни стало сделаться хорошим хиру́ргом.	- *Boris decided at all costs to become a good surgeon.*

Exercise 10:

Переведите на русский язык.

1. Whatever you do, you always do it well.
2. No matter how late I get up in the morning, I am always tired.
3. Whatever you used to tell your parents, they always believed you.
4. No matter in what kind of house you will live, the price will be high.
5. No matter what kind of life you were used to in Paris, you will adjust to[1] ours here in the countryside.
6. Whatever the ticket will cost, I want to see this performance.[2]
7. Wherever you find a job, we will go there.
8. No matter from where these bills are, I will pay them.
9. No matter how much time this trip[3] will take, I want to see Siberia.
10. Whenever you come, dinner will be ready.
11. No matter from whom you received this money, it must be returned.

---

[1]*приспосо́биться к* [2]*представле́ние* [3]*пое́здка*

12. Whoever said this - he is mistaken.
13. Whatever book you will bring me, I will read it.
14. Nina, no matter whom you marry, I will always help you.
15. No matter what kind of meat you bought, the soup will be tasty.[4]
16. Whomever Nikolai marries, nothing will come of it.
17. No matter how many letters you receive, you must answer them.
18. No matter which physician treated you, no one was able to cure[5] you.

---

[4] *вку́сный* [5] *вылечить*

D. *Чтобы & Past Tense*

1. 'So that...'

REMINDER: The subjects of the two clauses must be different.

Родители работают, чтобы *дети* могли учиться.	- *The parents work so that the children could study.*
Учитель повторил объясне́ние, чтобы все ученики́ его поняли.	- *The teacher repeated his explanation so that all the students would understand him.*
Надо помогать друг-другу, чтобы всем жило́сь хорошо.	- *We must help each other so that everyone would have a good life.*
Скажи то́чно, что ты хочешь, чтобы я знал.	- *Tell me exactly what you want, so that I would know.*
Я постара́юсь, чтобы всё было гото́во во́-время.	- *I will try so that everything would be ready on time.*
Объясним всё так, чтобы не произошло недоразуме́ний.	- *Let us explain everything in such a way that there would be no misunderstandings.*

2. Wish, request, demand:

REMINDER: The main clause and the subordinate clause must have different subjects.

Я люблю, чтобы *все* меня слушали.

Я хочу (Мне хочется),...

Я за то *(I am for it)*,...

Я желаю,...

Я против того *(I am against it)*,...

Я предлагаю[1],...

Я мечтаю (о том),...

Я прошу[2],...

Я предпочитáю,...

Я умоляю[2] *(I implore)*,...

Я настáиваю (на том) *(I insist on)*,...

Я распоряжáюсь *(I give orders/arrange)*,...

Я требую *(I demand)*,...

Я прикáзываю[1] *(I order)*,...

Я говорю[1]/ скажу,...

Я уговáриваю *(I persuade)*,...

NOTE THE ASPECT:

Желáтельно, чтобы все *пришли*.	- *It is desirable, that all would come.*
Не позволено, чтобы кто угóдно *приходил* сюда. (Imperf.)	- *It is not allowed that anyone would come.*

предлагáть/предложи́ть, чтобы...	-*to suggest*
предпочитáть/предпочéсть, чтобы...	-*to prefer*
умолять, чтобы...	-*to implore*
настáивать, чтобы...	-*to insist*
распоряжáться/распоряди́ться, чтобы...	-*to make arrangements*
уговáривать, чтобы...	-*to talk into, persuade*

---

[1] These verbs can have a parallel construction with dative and infinitive: *Я предложил/приказал/сказал ему уйти.*

[2] This verb can have a parallel construction with acc. and infinitive: *Я прошу/умоляю Андрея не играть в карты.*

NOTE: There is *no* construction parallel to the English: 'I want' + acc. + infinitive. ('I want you to come')

Use instead:
'I wish that you would come.'
Я хочу, чтобы ты пришёл.

3. Strong doubt and uncertainty:

Я самневáюсь, чтобы он согласúлся на ваше предложéние. - *I doubt that we will agree to your proposal.*

Я не думаю, чтобы погода изменилась. - *I don't think that the weather will change.*

Я не могу себе предстáвить, чтобы Елена брóсила мужа. - *I can't imagine that Helen would leave her husband.*

Я просто не верю, чтобы Сергей мог поступúть так. - *I simply don't believe that Sergei could act in such a way.*

Мне не вéрится, чтобы я могла спрáвиться с этим задáнием. - *I don't believe that I will be able to manage this assignment.*

Мне не кажется, чтобы я когда-либо захотела уехать отсюда. - *It does not seem likely to me that I would want to go away from here ever.*

Разве это возможно, чтобы ученики завéдовали школой? - *Is it possible that students would run the school?*

Не знаю, хорошо ли это, чтобы все получали высшее образовáние. - *I don't know whether it is good that everyone receive a higher education.*

Я не совсем увéрен, правильно ли это, чтобы детей никогда не накáзывали. - *I am not quite sure whether it is right that children never be punished.*

Чтобы Александру пришла в голову мысль о самоубúйстве?! - Никогда не поверю. - *Alexander is supposed to have contemplated suicide? -I'll never believe that.*

Не помнимаю, чтобы могло случиться? - *I don't understand - what could have happened?*

Иван не считает, чтобы его жена была краса́вицей. - *Ivan does not consider his wife to be a beauty.*

NOTE: Эта книга сто́ит[1] (не сто́ит) того, чтобы её читали...

Я согласен (не согласен) с тем, чтобы твой друг жил у нас.

[1] *is worth it*

Exercise 11:

Complete the following sentences.

1. Дядя Федя просил, чтобы мы *(принести)* ему сегодняшнюю газету.
2. Никто не мог себе представить, чтобы гости *(уехать)* не прости́вшись.
3. Доктор боялся, как бы больной не *(умереть)* до операции.
4. Отец очень желал, чтобы сыновья́ хорошо *(учиться)*.
5. Женщина умоляла, чтобы кто-нибудь ей *(помочь)*.
6. Трудно поверить, чтобы наш Ваня *(быть)* воро́м.
7. Нельзя допускать, чтобы дисциплина *(ослабеть)*.[1]
8. Хозяин распоряди́лся, чтобы *(подать)* вина́.
9. Никто и не предлагает, чтобы ты *(продать)* свою дачу за бесце́нок.[2]
10. Я не думаю, чтобы погода *(...испо́ртиться)*.
11. Генерал приказал, чтобы наступле́ние[3] *(начаться)*.
12. Пленный умолял, чтобы солдаты его не *(убивать)*.
13. Постарайся объяснить свою мысль так, чтобы я её *(понять)*.
14. Никогда не поверю, чтобы великий поэт *(мочь)* быть престу́пником.[4]
15. Напомни мне позвонить Наташе, чтобы я только не *(забыть)*.
16. Мне что-то не ве́рится, чтобы Михаил *(приехать)* к нам.

[1] *to get weaker* [2] *mere trifle* [3] *offensive* [4] *criminal*

17. Пожалуйста распоряди́тесь, чтобы слу́жащие[5] не *(опа́здывать)*.
18. Я так мечтаю о том, чтобы сестра *(выйти замуж)*!
19. Не понимаю, чем бы Леони́д *(мочь)* зарази́ться.[6]
20. Вы хотите, чтобы я *(позвонить)* врачу́?
21. Боюсь, как бы Соня *(не...провали́ться)* на этом экзамене.
22. Бе́женцы[7] просили, чтобы им *(дать)* хлеба.
23. Я так устрою, чтобы тебе *(быть)* хорошо у нас.
24. Разве можно тре́бовать, чтобы люди *(уважать)*[8] такого человека?
25. Зимой я мечтаю о том, чтобы *(наступи́ть)* весна.
26. Мне не кажется, чтобы нам *(грозить)* какая-нибудь опа́сность.
27. Не проси, чтобы я опять *(достать)* тебе денег.
28. Я от всей души желаю, чтобы вы *(поправиться)*.
29. Разве это допусти́мо,[9] чтобы дети *(отвечать)* так неве́жливо?[10]
30. Не думаю, чтобы Нина *(спра́виться)* со всеми делами в один день.
31. Отец любил, чтобы летом стол *(накрыва́ть)* на балко́не.
32. Я вовсе не ожидал, чтобы моя книга *(понравиться)* всем.
33. Раз вы так за́няты, я не буду наста́ивать, чтобы вы *(приехать)* к нам.
34. Этот престу́пник заслу́живает того, чтобы его *(казнить)*.[11]
35. Я никогда не разрешу́, чтобы ты *(истра́тить)* наши последние деньги.
36. Полицейский приказал, чтобы пожар *(потушить)*.[12]

---

[5] *employees* [6] *catch (a disease)* [7] *refugees*
[8] *respect* [9] *permissible* [10] *impolitely*
[11] *execute* [12] *extinguish*

Exercise 12:

Переведите на русский язык.

1. Show me the way so that I could come here by myself.[1]
2. It is my dream that Nikolai would become a diplomat.
3. I want you to tell me the whole truth.
4. The boss[2] gave the order that the work be finished by[3] 3 o'clock.
5. I request that no one bother me.
6. The landlord demanded that the tenants[4] pay their rent[5] on time.
7. I suggest that the city library acquire these books.
8. I am afraid that Katya might forget what I told her.
9. Tell Tamara to call me up after 5 o'clock. (Two ways)
10. Our boss told us to stay home tomorrow. (Two ways)
11. The doctor wants the nurse to have a talk with the patient.
12. I would like our guests to come a little earlier than usual.
13. At what time do you want me to come?
14. It was our grandfather's wish that Ivan would become a lawyer.
15. Andrei, arrange everything in such a way that everyone would be comfortable.
16. I doubt it very much that Nina will ever marry Boris.
17. Do you expect me to help you?
18. My parents wanted me to live near them.
19. Everyone is against it that the city library be closed.
20. The mayor[6] insists that a new library be built.

---

[1] *сам/а* [2] *нача́льник* [3] *к* [4] *жильцы́*
[5] *за кварти́ру* [6] *мэр*

21. Grandmother liked Christmas to be celebrated in the country.

22. I cannot permit that the schools be closed because of the strike.[7]

23. The policeman ordered that the thief be taken[8] to prison.

24. Let us suggest that there would be no classes on Saturdays.

25. Masha, read aloud to me so that I would not fall asleep.

---

[7] *забасто́вка* [8] *отвести́*

E. Remarks on the Participles

1. Adverbial participles:

a. The *present* adverbial participle expresses simultaneousness of action in both clauses. The actual tense can be either present, past, or future.

Я пишу письмо, си́дя у себя в комнате.
Я писала...
Я буду писать...

Formation: From imperfective verbs only.
The ending я/а (ясь/ась for the reflexive) is added to the 3rd person plural stem:

работа/ют → работа/я - *(while) working*
держ/ат → держ/а - *(while) holding*

BUT:

If the verb ends in -давать, -знавать, -ставать, the ending is added to the *infinitive stem:*

дава́ть	- дава́я	- *(while) giving*
отдава́ть	- отдава́я	- *giving back*
передава́ть	- передава́я	- *passing (something)*
предава́ть	- предава́я	- *betraying*
продава́ть	- продава́я	- *selling*
преподава́ть	- преподава́я	- *teaching*

узнава́ть - узнава́я - *recognizing, finding out*

признава́ть - признава́я - *recognizing (a govt.)*

отстава́ть - отстава́я - *lagging behind*

перестава́ть - перестава́я - *ceasing*

устава́ть - устава́я - *getting tired*

и т.д.

Memorize: Не говоря уж о деньгах...
- *Not to mention the money...*

NOTE: быть - бу́дучи - *(while) being*
In popular (substandard) language, the ending учи/ючи has been preserved in:
йду́чи -*(while) walking* [идя́]
гля́дючи -*(while) looking* [гля́дя]

Present adverbial participles are not formed from imperfective verbs with the suffix -ну:

мо́кнуть - *to be getting wet*
со́хнуть - *to be drying (intransitive)*[1]

nor from one-syllable verbs:

бить
ждать (instead *ожидая* is used)
жать -*to press* (instead *пожимая* is used)
мять -*to crumple*
петь
печь (instead *испека́я* is used)
пить (instead *выпива́я* is used)
стричь *to cut (hair, grass)*
шить

nor from such verbs as:

бежать
паха́ть -*to plow*
писать
ре́зать
стере́чь -*to watch over*

[1]*сушить - to dry something*

Some adverbial participles have acquired an 'independent' meaning:

несмотря́ на + acc. - *regardless of*
благодаря́ + dat. - *thanks to*
мо́лча - *silently*

REMINDER: The subject *must* be the same in both clauses!

---

b. The *past* adverbial participle expresses an action that *precedes* that of the main clause.

Купи́в книгу, Иван стал читать её.
-*Having bought the book, Ivan began to read it.*

Formation: From perfective verbs only.
The ending в or вши (for reflexive verbs, the ending is вши + сь) is added to the past tense stem:

сказа/л	сказа/в(ши)	-*(after) having said*
рассерди/л/ся	рассерди/вшись	-*(after) having gotten angry*

BUT, if the stem ends in a consonant, the ending is ши:

зажёгши	-*(after) having lit*
уме́рши	-*(after) having died*
вышедши	-*(after) having gone out*

NOTE: In modern Russian, the perfective verbs of motion with a stem that ends in a consonant form their past adverbial participle with the ending я.

instead of:

воше́дши	→ войдя́	- *having entered*
вышедши	→ выйдя	- " *gone out*
приве́дши	→ приведя́	- " *brought along (on foot)*
привёзши	→ привезя́	- " *brought (by vehicle)*
принёсши	→ принеся́	- " *brought (in one's hands)*
унёсши	→ унеся́	- " *carried away*
и т.д.[1]		

---

[1] The same applies to all verbs in this category regardless of prefix.

Also:

приобрести́ *(acquire)*	- приобретя́ *(having acquired)*
увидеть	- увидев *or* уви́дя

REMINDER: The subject *must* be the same in both clauses!

COMMENT: Negative adverbial participles (present and past) can be translated using 'without':

Бори́с читал целый день не вставая с дивана.	- *Boris was reading all day long without rising from the sofa.*
Нина провела три недели в Москве не познако́мившись там ни с кем.	- *Nina spent 3 weeks in Moscow without getting (having gotten) acquainted with anyone.*

---

2. Adjectival participles:

REMINDER: - Whether active or passive, all adjectival participles are declined like adjectives,[1] and must agree in gender, number, and case with the nouns they modify.

- All adjectival participles can be replaced by a relative clause.

a) The *present active* participle:

Formation: From imperfective verbs only.

Ex. (они) гуляю/т + щ + the required adj. ending:
гуляющий/ая/ие
гуляющего/ей/их
гуляющему/ей/им
гуляющего/ую/их
гуляющим/ей/ими
гуляющем/ей/их

(они) сидя/т + щ + the required adj. ending:
сидя́щий/ая/ие
и т.д.

The reflexive verbs in all cases have the additional ending -ся:
смею́щийся
смею́щаяся
смею́щееся
смею́щиеся
и т.д.

---

[1] In modern Russian, the short form of the *active* adjectival participles is very infrequent except in certain phrases, such as: *Бог всемогу́щ* - *God is almighty*

Present active participles may become regular adjectives:

блестя́щий/ая/ее/ие - *brilliant*[1]
блестя́щий пианист
блестя́щая карьера
блестя́щее сочине́ние
блестя́щие достиже́ния[2]

выдаю́щийся/аяся/ееся/иеся[3] - *outstanding, prominent*
выдаю́щийся компози́тор
выдающаяся поэте́сса
выдающееся иску́сство
выдающиеся зна́ния

подходя́щий/ая/ее/ие - *suitable*
подходя́щий костюм
подходящая работа
подходящее предложение
подходящие условия[4]

имеющиеся деньги - *available money*
действующее лицо - *character in a play*
действующие ли́ца - *cast (in a play)*
теку́щие дела - *current affairs*
и т.д.

Some present active participles are used as nouns:

куря́щие - *smokers*
иму́щие[5] - *wealthy people*
неиму́щие - *poor people*
нужда́ющиеся - *those in need*
окружа́ющие - *people around us*
отдыха́ющие - *vacationers*
служа́щие - *employees*
трудя́щиеся - *workers*
уча́щиеся - *students*
бу́дущее - *the future*
заве́дующий/ая[6] - *manager*
настоя́щее - *the present*

---

[1]*originally - 'shining'* [2]*achievements* [3]*can also mean 'protruding' (выдающийся подборо́док - protruding chin)* [4]*conditions, circumstances* [5]*власть иму́щие - those in power*
[6]*+ Instr. Case*

COMMENT: 1) If the present active participle is rewritten into a relative clause, the tense will express simultaneousness with the action in the main clause:

Люди, *живущие* здесь, *работают* с нами.
Люди, *которые живут* здесь, *работают* с нами.

2) The relative pronoun will always be in the nominative case.

---

b) The *past active* participle:

Formation: Formed from a *perfective* verb if it expresses an action completed before the action in the main clause. It is formed from an *imperfective* verb if it expresses an action which had been continuing both *before* and *during* the action in the main clause.

Past tense stem: (он) пе/л + вш + adjective ending
певший/ая/ие
певшего/ей/их
певшему/ей/им
певшего/ую/их
певшим/ей/ими
о певшем/ей/их

(он) спе/л + вш + adjective ending
спевший/ая/ие
и т.д.

Examples:

Мы посмотрели на детей, *певших*[1] русский песни.
We looked at the children, who were singing Russian songs.

Мы разговаривали с детьми, *спевшими* нам русские песни.
We talked to the children who had sung Russian songs for us.

The reflexive verbs in all cases have the additional ending -ся:

сердившийся/аяся/иеся -*who was(were) angry*
рассердившийся/аяся/иеся -*who had become angry*

---

[1] The *present* active participle (-*щ*-) could be used instead:

Мы посмотрели на детей, поющих русские песни.

Verbs ending in -ти or -чь: stem + ш + adj. ending.

нести: нёс → нёс/ш/ий,-ая,-ее,-ие
печь: пёк → пёк/ш/ий,-ая,-ее,-ие

Verbs of the идти and вести groups have шедший/ая/ее/ие and ведший/ая/ее/ие:

вошéдший -*who had entered*
вышедший -*who had come out*
подошéдший -*who had approached*
прошéдший -*who/which had passed*
нашéдший -*who had found*
увéдший -*who had led away*
подведший -*who had led up to*

A few past active participles have become regular adjectives:

бывший/ая/ее/ие -*former* (бывший президент)
сумасшéдший/ая/ее/ие -*insane* (сумасшедшая женжина)

Some past active participles are used as nouns:

прошéдшее -*the past*
сумасшéдшие -*mental patients*

COMMENT: If a past adjectival participle is rewritten into a relative clause, the relative pronoun will always be in the nominative case.

---

3. Passive participles:

REMINDER: Only transitive verbs can form passive participles. The agent must appear in the instrumental case.

a) The *present passive* participle expresses an action that takes place simultaneously with that of the main clause. This action may occur in the present, the past, or the future:

Эти óпыты, *проводúмые* у нас в лаборатории, извéстны в Еврóпе.
These experiments, which are being carried out in our laboratory, are known in Europe.

Эти óпыты, *проводúмые* у нас в лаборатории, были извéстны в Еврóпе.
These experiments, which were carried out in our lab, were known in Europe.

Эти опыты, *проводи́мые* у нас в лаборато́рии, будут изве́стны в Европе.
These experiments, carried out in our laboratory, will be known in Europe.

Formation: The present passive participle is used less frequently than any other participle. It is formed from *imperfective* verbs only. The required adjective ending is added to the 1st person plural of the present tense:

употребля́ем/ый/ая/ое/ые - *which is(was/will be) being used*
употребляемого/ой/ого/ых
употребляемому/ой/ому/ым
и т.д.

But verbs ending in -давать, -знавать retain their infinitive stem:

Но́вости, *передава́емые* по радио, не всегда интересны.
News (which is) transmitted on the radio is not always interesting.

Глава́ госуда́рства, *не признава́емый* наро́дом, может легко потерять власть.
The head of state who is not (being) recognized by the people can easily lose his power.

Many present passive participles have become regular adjectives:

любúмый/ая/ое/ые -*favorite* (Кто твой любимый поэт?)
необходúмый/ая/ое/ые -*unavoidable; absolutely necessary* (Это - необходúмый расхо́д.[1])
необитае́мый/ая/ое/ые -*uninhabited* (Робинзон Крузо жил на необитаемом о́строве.)
называ́емый/ая/ое/ые -*so-called* (Этот так называ́емый герой оказался тру́сом.[2])
уважа́емый/ая/ое/ые -*respected* (Уважаемый товарищ Петров![3])
обтека́емый/ая/ое/ые -*stream-lined*

Adverbs:

видúмо - *apparently*
необходúмо - *very necessarily, unavoidably*

---

[1]*expense* [2]*This so-called hero turned out to be a coward.*
[3]Official letters begin in this manner.

A few present passive participles are used as nouns:

подсудимый - *defendant*

Many verbs have no present passive participle:

a) One-syllable verbs, such as

бить	брить	класть	петь
брать	жать	мыть	пить

b) Instead of some verbs, another form is used:

оберегать instead of беречь[1] (оберегаемое имущество[2])
ожидать " ждать (ожидаемая радость)
выпивать " пить (выпиваемое вино)
испекать " печь (испекаемый хлеб)

c) Such verbs as the following:

писать помнить резать

COMMENT: If a present passive participle is replaced by an *active* relative clause, the pronoun *который* must be in the *accusative* case:

Вот земля, *обрабатываемая*[3] колхозниками.

Вот земля, *которую* обрабатывают колхозники.

---

b) The *past passive* participle expresses an action which was completed *before* that of the main clause:

Этот храм,[4] *построенный* очень давно, ещё стоит.
This church, (which was) built very long ago, still stands.

The short form is used in the same way as the short adjectives:

письмо уже написано - *the letter is already written*

письмо было уже написано - *the letter was already written*

письмо будет написано - *the letter will be written*

письмо было бы написано - *the letter would be (would have been) written*

и т.д.

---

[1] *to take care of* [2] *possessions* [3] *tilled; cultivated*
[4] *church*

Formation: Formed mostly from *perfective* verbs.

Verbs ending in -ать → нн + adjective ending:

-НН-	*сделать:*	сделанный/ая/ое/ые сделанного/ой/ого/их сделанному/ой/ому/ым сделанный/ую/ое/ые сделанным/ой/ым/ыми сделанном/ой/ом/ых

Verbs ending in -ить, -чь → е(ё)+ нн + adj. ending:

-НН-	*изучить:*	изу́ченный/ая/ое/ые изу́ченного/ой/ого/ых изу́ченному/ой/ому/ым и т.д.
-НН-	*сжечь:*[1]	сожжённый/ая/ое/ые сожжённого/ой/ого/ые сожжённому/ой/ому/ым и т.д.
-Н-	*NOTE:*	The short form (used as the short adjective) has only one -н-: на́йденная книга *but* книга была на́йдена

Verbs ending in -нуть, -оть, -ереть → т + adj. ending:

-Т-	*вы́нуть:*	*to take out of* вынутый из кармана доллар
	дви́нуть:	*to move something*
	подви́нуть:	*to move sthg. a little closer* подви́нутый ближе стул
	заверну́ть:	*to wrap* завёрнутый паке́т
	переверну́ть:	*to turn (a page) upside down* перевёрнутая чашка
	поверну́ть:	*to turn* повёрнутая назад голова
	разверну́ть:	*to unfold, unwrap* развёрнутый пакет
	сверну́ть:	*to roll up* свёрнутые но́ты[2]

(continued)

---

[1] *to burn something* [2] *sheet music*

-T- *ки́нуть:* *to throw*

выкинуть: *to throw out*
выкинутые вещи
опроки́нуть: *to overturn*
опроки́нутая ва́за
обману́ть: *to cheat*
обма́нутый друг
су́нуть: *to thrust*

высунуть: *to thrust out*
высунутый язы́к
распоро́ть: *to rip up*
распо́ротый шов[1]
уколо́ть: *to sting*
уко́лотый иго́лкой[2] па́лец
натере́ть: *to grate*
натёртый сыр
вытереть: *to dry (something)*
вытертое полотенцем[3] лицо
отпере́ть: *to unlock*
о́тпертая ключо́м дверь
запере́ть: *to lock*
за́пертая на ключ дверь

Basically one-syllable verbs → т + adj. ending:

-T- *бить:* *to hit*

(раз)бить: *to break*
разби́тое окно
(у)бить: *to kill*
уби́тый
(вы)брить: *to shave*
бри́тое лицо
сбрить: *to shave off*
сбри́тая борода
(на)греть: *to warm*
нагре́тая комната
(подо)греть: *to warm up*
подогре́тое молоко
(с)петь: *to sing*
спе́тая а́рия
(вы)пить: *to drink*
выпитое пиво
(с)шить: *to sew*
сши́тое пла́тье

(continued)

[1] *seam* [2] *needle* [3] *towel*

-T-	*(вы)мыть:*	*to wash*
		вымытая посу́да
	(за)крыть:	*to close*
		закры́тые ворота
	(от)крыть:	*to open*
		откры́тое окно
	(с)крыть:	*to conceal*
		скры́тый договор
	взять:	*to take*
		книги, взятые из библиотеки
	(на)лить:	*to pour*
		нали́тый чай
	(про)лить:	*to spill*
		про́литое вино
	сжать:	*to squeeze, clench*
		сжатый кула́к *(clenched fist)*
	снять:	*to take off, rent*
		сня́тое пальто; сня́тая на лето дача
	(раз)ду́ть:	*to blow (up)*
		раздутые щёки *(blown-up cheeks)*

Verbs ending in -ять → т + adjective ending:

-T-	*заня́ть:*	*to occupy, to borrow*
		за́нятые места́, за́нятые де́ньги
	наня́ть:	*to hire*
		на́нятый садо́вник
	поня́ть:	*to understand*
	приня́ть:	*to accept, receive*
	распя́ть:	*to crucify*
	начать:	*to start*
	NOTE:	В Америке при́нято...
		In America it is customary...

Verbs ending in -уть → т + adjective ending:

-T-	*обу́ть:*	*to put on shoes*
		Она была обу́та в красные сапожки.[1]
	разу́ть:	*to take off shoes*
		разу́тый ребёнок[2]
	NOTE:	забы*т*ый раздé*т*ый
		одé*т*ый переодé*т*ый

---

[1] *She was wearing red shoes*
[2] *a child wearing no shoes*

There are many irregular past passive participles with consonant changes. Note that often the consonant found in the imperfective aspect of the verb reappears in the past passive participle.

-Щ-	возвраща́ть/возврати́ть	возвращённый -*returned*
	возмуща́ть/возмути́ть	возмущённый -*outraged*
	запреща́ть/запрети́ть	запрещённый -*forbidden*
	крести́ть/окрести́ть	крещённый -*baptized*
	обогоща́ть/обоготи́ть	обогощённый -*enriched*
	освяща́ть/освяти́ть	освящённый -*lit up*
	пораболща́ть/поработи́ть	порабощённый -*enslaved*
	посвяща́ть/посвяти́ть	посвящённый -*dedicated, ordained*
	пропуска́ть/пропусти́ть	пропу́щенный -*left out*
	просвеща́ть/просвети́ть	просвещённый -*enlightened*
	проща́ть/прости́ть	прощённый -*forgiven*
	развраща́ть/разврати́ть	развращённый -*corrupted*
	сокраща́ть/сократи́ть	сокращённый -*abbreviated*
	упроща́ть/упрости́ть	упрощённый -*simplified*
-ЖД-	возбужда́ть/возбуди́ть	возбуждённый -*excited*
	награжда́ть/награди́ть	награждённый -*rewarded*
	освобожда́ть/освободи́ть	освобождённый -*liberated*
	осужда́ть/осуди́ть	осуждённый -*condemned*
	охлажда́ть/охлади́ть	охлаждённый -*cooled off*
	побежда́ть/победи́ть	побеждённый -*defeated*
	принужда́ть/принуди́ть	принуждённый -*forced*
	убежда́ть/убеди́ть	убеждённый -*convinced*

-Ш-	бросáть/брóсить	брóшенный *-discarded, thrown*
	вéшать/повéсить	повéшенный *-hanged*
	приглашáть/пригласи́ть	приглашённый *-invited*
	коси́ть/скоси́ть	скóшенный *-mowed*
	носи́ть	нóшенный *-worn*
	крáсить/покрáсить	покрáшенный *-colored, dyed*
	крáсить/выкрасить	выкрашенный *-painted*
	приглашáть/пригласи́ть	приглашённый *-invited*
	кусáть/укуси́ть	укýшенный *-bitten*
	кусáть/откуси́ть	откýшенный *-bitten off*
	украшать/украсить	украшенный *-decorated*
-Ж-	заражáть/зарази́ть	заражённый *-contaminated*
	искажáть/искази́ть	искажённый *-distorted*
	нагружáть/нагрузи́ть	нагружённый *-loaded*
	поражáть/порази́ть	поражённый *-startled*
	приближáть/прибли́зить	приближённые *-retenue*
	снабжáть/снабди́ть	снабжённый *-equipped*
	снижáть/сни́зить	сни́женный *-lowered*
	унижáть/уни́зить	уни́женный *-humbled*
	берéчь/сберéчь	сбережённый *-saved*
	жечь/сжечь	сожжённый *-burned*
	стричь/постричь	(по)стриженный *-cut (hair, grass)*
	будить/разбудить	разбýженный *-awakened*

(continued)

	глодать/обглода́ть	обгло́женный *-gnawed*
	гла́дить/выгладить	выглаженный *-ironed*
	нала́живать/нала́дить	нала́женный *-organized, orderly*
	наряжа́ть/наряди́ть	наря́женный *-dressed up*
	обижа́ть/оби́деть	оби́женный *-hurt, insulted*
	сажа́ть/посади́ть	поса́женный *-planted, seated*
-БЛ-	влюбля́ться/влюби́ться	влюблённый *-in love*
	гра́бить/огра́бить	огра́бленный *-robbed*
	губи́ть/погуби́ть	погу́бленный *-destroyed*
	оскорбля́ть/оскорби́ть	оскорблённый *-insulted*
	ослабля́ть/осла́бить	осла́бленный *-weakened*
	руби́ть/разруби́ть	разру́бленный *-cut up*
	углубля́ть/углуби́ть	углублённый *-deepened*
	употребля́ть/употреби́ть	употреблённый *-used*
-ПЛ-	копи́ть/накопи́ть	нако́пленный *-saved (money)*
	ослепля́ть/ослепи́ть	ослеплённый *-blinded*
	покупа́ть/купи́ть	ку́пленный *-bought*
	топи́ть/затопи́ть	зато́пленный *-heated*
	топи́ть/утопи́ть	уто́пленный *-drowned*
	укрепля́ть/укрепи́ть	укреплённый *-fortified*
-ВЛ-	возглавля́ть/возгла́вить	возгла́вленный *-headed*
	заставля́ть/заста́вить	заста́вленный *-forced*
	обновля́ть/обнови́ть	обновлённый *-renewed*
	оставля́ть/оста́вить	оста́вленный *-left*

	приготовля́ть/пригото́вить	пригото́вленный -*prepared*
-МЛ-	изумля́ть/изуми́ть	изумлённый -*astounded*
	корми́ть/накорми́ть	нако́рмленный -*fed*
	утомля́ть/утоми́ть	утомлённый -*exhausted*
-Д-	есть/съесть	съе́денный -*eaten, consumed*
	заводи́ть/завести́	заведённый -*wound (watch)*[1]
	переводи́ть/перевести́	переведённый -*transferred, translated*
	приводи́ть/привести́	приведённый -*brought along (on foot)*
	проводи́ть/провести́	проведённый -*spent (time)*
	красть/укра́сть	укра́денный -*stolen*
-Т-	мести́/подмести́	подметённый -*swept (floor)*
	плести́/заплести́	заплетённый -*woven, braided*
	приобрета́ть/приобрести́	приобретённый -*acquired*
-Ч-	встреча́ть/встре́тить	встре́ченный -*met*
	замеча́ть/заме́тить	заме́ченный -*noticed*
	захва́тывать/захвати́ть	захва́ченный -*seized*
	копти́ть	копчённый -*smoked*
	крути́ть/закрути́ть	закру́ченный -*twisted, rolled*
	отвеча́ть/отве́тить	отве́ченный -*answered*
	плати́ть/заплати́ть[2]	запла́ченный -*paid*

(continued)

[1] *заведённый порядок* - established order
[2] *заплатить* + dat.: *ему хорошо заплатили*

платить/оплатить[1]	опла́ченный -*paid for*
по́ртить/испо́ртить	испо́рченный -*spoiled*

Many past passive participles have become regular adjectives:

влюблённый жених	- *a bridegroom who is in love*
вооружённые силы	- *armed forces*
вышитое полоте́нце	- *embroidered towel*
да́нный вопрос	- *the given question*
в да́нное время	- *at this (that) time*
неожи́данное происше́ствие	- *an unexpected event*
оде́тый/разде́тый	- *dressed/undressed*
откры́тый/закры́тый дом	
определённый ответ	- *a definite answer*
отвлечённая проблема	- *an abstract problem*
разби́тое сердце	- *a broken heart*
сде́ржанный смех	- *restrained laughter*
утомлённый голос	- *an exhausted voice*

Some past passive participles are used as nouns:

Арестованных увели.
-*The arrested ones were led away.*

Все *да́нные* уже известны.
-*All the data (facts) are already known.*

Плённых[2] отвели в тюрьму.
-*The prisoners were taken to the prison.*

Теперь американские *подданные* могут поехать в гости к Кастро.
-*Now American citizens may go to visit Castro.*

---

[1] *оплатить* + acc.: *Я оплатил все его расходы.*
-*I paid (for) all his expenses.*

[2] The modern form *пленный* was originally *пленённый* (used today only in poetry) from *плени́ть* which today means 'to charm.'

Ещё совсем недавно *прокажённые* должны были жить отдельно от остальных людей.
-Until quite recently, lepers had to live apart from other people.

В лесу нашли трёх *убитых*.
-In the forest, three dead (murdered) people were found.

COMMENT: If a past passive participle is replaced by an *active* relative clause, the pronoun must be in the *accusative* case.

Вот тебе книга, *написанная* современным русским писателем.

Вот тебе книга, *которую* написал современный русский писатель.

NOTE: Всё сказанное - *Everything that was said*

Всё купленное - *Everything that was bought*

REMEMBER: Every subordinate clause must be separated from the main clause by a comma. Similarly, a comma must separate the participial construction from the main clause.

Человек, работающий здесь, мой знакомый.

Люди, приглашённые к нам, мои сослуживцы.[1]

Работая дома, я не так устаю.

Купив дачу, мы переехали туда.

[1] *co-workers*

Exercise 13:

Change into the appropriate adverbial participle construction.

Ex.: Мы гуляли и любовались лесом.
→ *Гуляя*, мы любовались лесом.

Когда Коля жил у нас, он много занимался.
→ *Живя* у нас, Коля много занимался.

После того, как Ирина уехала заграницу, она больше не писала нам.
→ *Уехав* заграницу, Ирина больше не писала нам.

Мальчик упал и громко заплакал.
→ *Упав*, мальчик громко заплакал.

(continued)

1. Дети играли в прятки[1] и громко смеялись.
2. Когда Пётр сердился, он всегда начинал кричать.
3. После того, как я проснулась в 3 часа ночи, я уже не могла больше заснуть.
4. Иван торопи́лся на по́езд и забыл дать мне свой а́дрес.
5. Только после того, как я поздоро́валась с вами, я узнала вас.
6. Девочка распла́калась и побежала домой.
7. Собака виля́ла хвосто́м и подошла ко мне.
8. Иван Иванович богатый человек и может помочь нам.
9. Борис привёл своего приятеля домой и угости́л его ча́ем.
10. После того, как Володя истратил все деньги, он вернулся домой.
11. Каждый раз, когда Игорь приносил нам газету, он спешил куда-то.
12. Петя вошёл в гостиную и поздоро́вался со всеми.
13. Отец очень устал и рано лёг спать.
14. Когда Ольга ложилась спать, она всегда туши́ла свет сра́зу же.[2]
15. Олег улыбался и гляде́л на Ири́ну.

---

[1] *hide-and-seek* [2] *immediately*

Exercise 14:

Как это будет по-русски? (Translate in two ways: with a subordinate clause and an adverbial participle.)

1. Having left the university, Masha went abroad.
2. While selling our house, he did not think of the future.
3. While waiting for the train, I read the newspaper.
4. Having greeted the hostess, the guests began to talk to each other.
5. Being rather[1] poor, Irina cannot travel a lot.

---

[1] *дово́льно*

6. Having brought interesting books from abroad, Ivan sold them to his friends.

7. Getting very tired at the factory, Masha quit working there.

8. Having gotten very angry, Peter left the room.

9. While leading the drunk men out of the restaurant, the policeman asked several questions.

10. You can not leave without having paid all the bills.

11. Having left the living room, Helen started to cry.

12. While lying in bed, I like to read.

13. Having lit the candle, Nikolai descended[2] into the cellar.[3]

14. Regardless of the weather, we will go for a walk.

15. Without working, it is impossible to live.

16. Having agreed to come to the party, I could not stay at home.

---

[2] *сошёл* [3] *по́греб*

Exercise 15:

Rewrite the following sentences using the appropriate adjectival participle.

1. Люди, *которые живут* во втором этаже́, не говорят по-английски.

2. Я не знаю человека, *который* это *сказал*.

3. Мы разговаривали с туристами, *которые приехали* из Южной Америки.

4. Друзья вспомнили о Воло́де, *который* неда́вно *у́мер*.

5. Максим Горький - один из немногих, *которые вышли* в люди, несмотря на большие тру́дности.

6. Я познакомился со многими русскими, *которые жили* в Пари́же.

7. В пала́те[1] лежали больные, *которые умирали* от ра́ка.

(continued)

---

[1] *ward*

8. Тамáра поблагодарúла почтальóна, *который принёс* ей пакет.

9. Лидия знакома с седы́м господином, *который сидел* в первом ряду́.

10. Надо бояться людей, *которые обещáют* слишком много.

11. Приятно иметь дело с человеком, *который* легко *соглашáеться* со своим собесéдником.[2]

12. Дама, *которая* только что *вошла*, русская.

13. Мы пригласили одного коллегу, *который* только что *вернулся* с Ближнего востока, и *который хочет* поделúться с нами своими впечатлéниями.

14. Милиционер следил за человеком, *который нёс* странный пакет.

15. Кто эта девушка, *которая* так привéтливо[3] *улыбается*?

16. Что ты скажешь об этом предприя́тии,[4] *которое* не *удалось*?

---

[2]*interlocutor* [3]*friendly* [4]*enterprise*

Exercise 16:

Переведите на русский язык при помощи соотвéтствующего[1] причáстия.[2]

1. Did you notice the gentleman who walked up to the president?

2. I spoke with the lady who sat next to me.

3. Only insane people can say something like this.

4. Nina needs a husband who earns[3] a lot of money.

5. We saw the boys who were swimming across the river.

6. I like to lecture[4] to students who ask a lot of questions.

7. Did you speak with the man who brought the telegram?

8. Don't speak about the books which are lying on the floor; they are mine.

(continued)

---

[1]*appropriate* [2]*participle* [3]*зарабáтывать* [4]*читать лéкции*

9. It is pleasant to most people who want to learn Russian.

10. I gave a dollar to the boy who had lit my candle.[5]

11. Workers of the whole world, unite!

12. No one knew how to quiet down[6] the shouting people.

13. Our employees work very well.

14. We talked about the famous poet who wrote these poems.[7]

15. Among the students, there are some who are very capable.[8]

16. The police drove away[9] the crowd that had gathered around the city hall.[10]

17. Did you hear about the unsuccessful[11] attempt[12] on the president's life?

18. Let's not talk about my so-called success.

---

[5] *све́чка* [6] *успоко́ить* [7] *стихотворе́ние* [8] *спосо́бные* [9] *прогна́ть* [10] *ра́туша* [11] *неуда́вшееся* [12] *покуше́ние на* + acc.

Exercise 17:

Translate the following sentences in two ways:
a) with a passive participle;
b) with a relative clause.

1. Our president, who is respected by all, is still young.

2. I read about a composer who has been forgotten by the majority of the people.

3. You do not know all the people who have been invited by my parents.

4. The Christmas tree,[1] which was decorated by the children, is very beautiful.

5. Do you know this remarkable book, which has been excellently translated from French to English?

6. During the war, we lived in a city which was liberated by the Americans in 1944.

(continued)

---

[1] *рожде́ственская ёлка*

7. We were sitting among bushes, which had been planted by our grandfather.

8. Describe this unusual country home, which was built 100 years ago.

9. It would be fun[2] to live in a house built so long ago.

10. The policeman asked about the golden bracelet, which had been stolen by someone.

11. The flowers brought from the greenhouse[3] are expensive.

12. I know that the book, which was taken from my desk,[4] will not be returned.

13. Here is a blouse for you, which has been made[5] by a seamstress[6] in Paris.

14. Please get acquainted with the Russian poet, who was brought here by my brother.

15. Tonight we will hear Tchaikovsky's music, which is loved by all.

16. The boy, who had been bitten by a dog, was brought to the hospital.

17. On this island, inhabited by an unknown tribe,[7] there are many unusual plants.[8]

18. The grandmother, who was loved by all her 12 grandchildren, died today.

19. Look at the crystal[9] vase, which was brought from the store.

20. The chemical experiments, which have now been completed,[10] are quite unusual.

21. The nurse heard the voice of the patient, who had been awakened by the storm.

22. Let's talk about the books, which are being read by our students.

23. In the church, which was lit only by candles, there was a small crowd of people praying.

24. The last candles flickered[11] in the dark.

25. I picked up[12] the book, which had been thrown on the floor.

---

[2] *заба́вно* [3] *оранжере́я* [4] *пи́сьменный стол* [5] use *сшить* [6] *портни́ха* [7] *пле́мя* (n.) [8] *расте́ние* [9] *хруста́льная* [10] *закончить* [11] *мерца́ть* [12] *подня́ть*

F. Miscellaneous

1. Remarks on aspect:

   a. Some perfectives differ considerably from the imperfectives.

брать	взять (я возьму)	*to take*
возвраща́ться	верну́ться	*to return*
класть	положи́ть	*to put*
ловить	пойма́ть	*to catch*
ложи́ться	лечь (я лягу)	*to lie down*
повора́чивать(ся)	поверну́ть(ся)	*to turn*
сади́ться	сесть (я сяду)	*to sit down*
сжигать	сжечь (я сожгу)	*to burn sthg.*
станови́ться	стать (я стану)	*to become*
укла́дывать	уложи́ть	*to pack*

   b. Only the imperfective infinitive is used after such verbs as the following:

избегать *(to avoid)*

кончать/кончить

надоеда́ть/надоесть[1]

начинать/начать

отвыка́ть/отвы́кнуть
(to give up a habit)

переставá́ть/переста́ть
прекраща́ть/прекрати́ть
(to stop doing sthg.)

привыка́ть/привы́кнуть
(to get used to)

продолжа́ть *(to continue)*

разлюбить *(to stop liking)*

разучиться
(to 'unlearn', forget how)

устава́ть/уста́ть *(to get tired)*

учиться/научиться
(to study, to learn)

\+ *IMPERFECTIVE INFINITIVE*

---

[1] used also impersonally: *Мне надоедает/надоело слушать ерунду́. (It bores/bored me to listen to nonsense.)*

Examples:

1. Надо избегать просить одолже́ния. — *One must avoid asking for favors.*
2. Ты, наконец, кончил говорить по телефону? — *Have you finally stopped talking on the telephone?*
3. Мне надое́ло повторять одно и то же. — *I'm tired of repeating the same thing.*
4. Вы начали выздора́вли-вать. — *You have started to get well.*
5. Иван быстро научился читать. — *Ivan quickly learned how to read.*
6. Переста́нь жа́ловаться! — *Stop complaining!*
7. Прекрати́ шуме́ть! — *Stop making noise.*
8. Иван полюбил ходить пешком. — *Ivan has become fond of walking.*
9. Мы привы́кли рано вставать. — *We are used to rising early.*
10. Приобретя́ автомобиль, можно совсем отвы́к-нуть ходить пешком. — *Having acquired a car, one may completely forget how to walk.*
11. Ты разлюбила играть в теннис? — *You don't like playing tennis anymore?*
12. Мы продолжаем ездить в город на поезде. — *We continue to go to the city by train.*

---

c. Imperfective infinitives are used after ex-pressions denoting inexpediency:

не надо[1]
не нужно[1]
не надо { не́ к чему[1] / не́зачем[1] / не́чего[1] / не сле́дует[1] }
не стоит *(it's not worth)*
бесполе́зно *(it's useless)*
вре́дно *(it's harmful)*

} говорить так громко (imperf.)

---

[1] *one must not*

d. Imperfective infinitives (if preceded by *не*) are used after such verbs as:

кля́сться/покля́сться	*-to swear*
обеща́ть	*-to promise*
предлага́ть/предложи́ть	*-to suggest*
прика́зывать/приказа́ть	*-to order*
проси́ть/попроси́ть	*-to request*
пыта́ться/попыта́ться	*-to try*
разреша́ть/разреши́ть	*-to permit*
разпоряжа́ться/разпоряди́ться	*-to make arrangements*
решать/решить	*-to decide*
сове́товать/посове́товать	*-to advise*
стара́ться/постара́ться	*-to make an effort*
убежда́ть/убеди́ть	*-to convince*
угова́ривать/уговори́ть[1]	*-to talk someone into*
умоля́ть/умоли́ть	*-to implore*
усло́виться	*-to make an arrangement (with someone)*

---

[1] The perfective aspect implies a positive (successful) result: *Иван уговори́л отца дать ему денег.* (=he got the money)

Exercise 18:

a) Study the following sentences.
b) Cover the Russian text and reconstruct it.

1.	Я прошу вас не опа́здывать.	*-I beg you not to be late.*
2.	Иван посоветовал мне не уезжать.	*-Ivan advised me not to leave.*
3.	Мать разрешила детям не ложи́ться спать до приезда гостей.	*-Mother allowed the children not to go to bed before the arrival of the guests.*
4.	Генерал распоряди́лся не брать пле́нных.	*-The general ordered not to take prisoners.*
5.	Друзья покляли́сь друг-другу, никогда не расстава́ться.	*-The friends swore to each other never to part.*

(continued)

6. Я обещал не уходить до 12-и.	-*I promised not to leave before 12.*
7. Маша предложила не ехать на раннем поезде, а подождать до полу́дня.[1]	-*Masha suggested not to take the early train, but to wait until noon.*
8. Офицер приказал не расстре́ливать пле́нного.	-*The officer gave orders not to shoot the prisoner.*
9. Николай пыта́лся не мешать никому.	-*Nikolai tried not to bother anyone.*
10. Маша решила не выходить замуж за Бори́са.	-*Masha decided not to marry Boris.*
11. Отец советовал мне не покупать дорогого автомобиля, а купить самый дешёвый.[1]	-*Father advised me not to buy an expensive car, but to buy the cheapest.*
12. Старайся не сердиться на глупых людей.	-*Try not to be angry with stupid people.*
13. Володя убедил меня не ездить заграницу в этом году.	-*Volodya convinced me not to go abroad this year.*
14. Умоля́ю тебя не принимать так много лека́рства.	-*I implore you not to take so much medicine.*
15. Дети усло́вились не говорить ничего родителям, а рассказать[1] всё бабушке.	-*The children agreed not to say anything to their parents, but to tell everything to the grandmother.*

[1]NOTE: In contrast to *не ехать* the perfective aspect *подождать* is used since it is not preceded by *не*. Find parallel situations in sentences 11 and 15.

BUT, in case of a warning against an undesirable and involuntary (but possible) action, the *perfective infinitive* is used:

Прошу вас как-нибудь, случа́йно *не рассмея́ться*.

Ольга очень старалась, *не сказать* ничего ли́шнего,[1] *не проговори́ться*,[2] *не выдать* *секре́та*.

[1]*unnecessary* [2]*to blab*

e. Common verbs that have only the imperfective aspect:

води́ться (coll.)	с + Instr.	*to associate with*
вози́ться (coll.)	с + Instr.	*to fuss, to be busy with something*
заблужда́ться	в + Prep.	*to be mistaken, to err*
зави́сеть от		*to depend on*
зна́чить		*to mean*
име́ть		*to have, to possess*
находи́ться		*to be located*
недоумева́ть		*to wonder*
нужда́ться	в + Prep.	*to need*
облада́ть	+ Instr.	*to possess*
ожида́ть		*to expect*
отрица́ть		*to deny*
отсу́тствовать		*to be absent*
полага́ть		*to assume*
предви́деть		*to foresee*
предчу́вствовать		*to have a presentiment*
пресле́довать		*to persecute*
приве́тствовать		*to greet*
принадлежа́ть		*to belong*
прису́тствовать		*to be present*
содержа́ть		*to contain*
состоя́ть из		*to consist of*
соотве́тствовать		*to correspond*
сто́ить		*to be worth, to cost*
угнета́ть		*to oppress*
управля́ть	+ Instr.	*to govern, to drive a car*
участвовать	в + Prep.	*to participate*

---

f. Common verbs that have only a perfective aspect:

заблуди́ться	*to lose one's way*
оказа́ться	*to turn out to be*
опо́мниться	*to come to one's senses*
очути́ться	*to find oneself somewhere*
состоя́ться	*to take place*
стать	*to begin, to become*

---

g. Common verbs that use one form for both imperfective and perfective aspects:

годи́ться	*to be fit, suitable*
жени́ться	*to marry (for men)*
испо́льзовать	*to use, to utilize*
иссле́довать	*to investigate*
ликвиди́ровать	*to liquidate*
обеща́ть	*to promise*

---

h. The perfective aspect formed with *по-* expresses:

1. *Limited duration*

поглуять	
почитать	
поработать	
покурить	*to have a smoke*
поесть	*to have a bite to eat*

2. *The very beginning of a motion*

дети побежали
поезд пошёл
птица полетела

3. *Complete change of color*

листья пожелте́ли	*the leaves have turned yellow*
вишни покрасне́ли	*the cherries have turned red*
он поседе́л	*he has turned grey*

---

2. Uses of the infinitive:

a. Russian frequently uses the infinitive where English has an *-ing* construction.

Exercise 19:

a) Study the following sentences.
b) Cover the Russian text and reproduce it.

1.	Жить в большом городе не всегда приятно.	-*Living in a big city is not always pleasant.*
2.	Я в состоя́нии (могу) сделать это.	-*I am capable of doing this.*
3.	И́горь привык пить виски.	-*Igor is used to drinking whisky.*
4.	Профессор устал читать лекции.	-*The professor was tired of lecturing.*
5.	Когда ты кончишь работать?	-*When will you finish working?*
6.	Мне хочется ле́чь спать.	-*I feel like going to bed.*
7.	Не бойтесь помешать мне.	-*Don't be afraid of bothering me.*
8.	Мне наконец удалось это сделать.	-*I finally succeeded in doing this.*
9.	Нет причи́ны радоваться.	-*There is no reason for rejoicing.*
10.	Подсуди́мый перестал говорить.	-*The defendant stopped talking.*
11.	Мне сты́дно просить по́мощи.	-*I am ashamed of asking for help.*
12.	Не сто́ит покупать большой автомобиль.	-*Buying a large car is not worth it.*
13.	Курить - вре́дно.	-*Smoking is harmful.*
14.	Я бросил курить.	-*I have stopped smoking.*

15.	вместо того, чтобы работать[1]	-*instead of working*
16.	без того, чтобы спросить[1]	-*without asking*
17.	это не для того, чтобы есть[1]	-*this is not for eating*

(continued)

[1]Compare Chapter IV, Chapter V.

18. иметь возмóжность поехать заграни́цу — *to have the opportunity of going abroad*
19. иметь удовóльствие говорить с президентом — *to have the pleasure of talking with the president*
20. иметь нахáльство просить денег — *to have the insolence of asking for money*

b. In the following examples, Russian uses the infinitive while English uses a variety of constructions:

Как сказать это по-русски? — *How is this said in Russian?*

Что делать? — *What is to be done?*

Куда мне идти? — *Where should I go?*

Где нам теперь жить? — *Where are we to live now?*

Тебе не сделать этого. — *You couldn't do it.*

---

*Если купить дом, то нам будет где жить. — *If we buy the house, we'll have a place to live.*

*Если рассказать всё, то никто не поверит. — *If everything is told, no one will believe it.*

*Если действи́тельно постараться, то что-нибудь в конце концов выйдет. — *If one tries hard, something will finally come of it.*

Note: От нéчего делать, он стал играть в карты. — *To while away the time, he began to play cards.*

---

*real conditions

3. Быть/бывать:

a. быть: Как же нам теперь быть?
-What should we do now?

Так и быть.
-All right - let it be so.

Present tense: The 3rd person singular быть is used to express existence or availability.

У меня есть работа.

У тебя есть деньги?

На базаре есть (имéется) свéжая землянúка?

It is also used in philosophical or scientific definitions:

Что есть úстина? -*What is truth?*

And when special emphasis is called for:

Это-то как раз и есть то, о чём я говорю.
-*This is precisely what I am talking about.*

The 3rd person plural суть can be found in 18th and early 19th century prose; it is also sometimes used in scientific texts.

Past tense: Было + the past tense of a perfective verb expresses an action that was about to take place, but did not.

Иван купил было автомобиль, но раздýмал.

---

b. бывать:

Present tense:

Мы часто бываем в театре или у друзей.

Я бываю больнá.

Да, бывает, что ничего не хочется делать.
-*Yes, it happens that one does not feel like doing anything.*

Как это часто бывает...
-*As it often happens...*

Past tense:

Такого со мной никогда не бывало.
-*Something like that has never happened to me.*

Idiomatic expressions:

Снéга как не бывало.
-*Not a trace of snow remained.*

Андрéя как не бывало.
-*Andrew vanished without a trace.*

Нина смеялась как ни в чём не бывало.
-*Nina laughed as if everything was all right (= nothing was the matter).*

NOTE: Бывало + the past tense of an imperfective verb express an action which repeatedly occurred a long time ago.

Дети, бывало, приходили домой из школы после трёх и сразу же бежали в сад играть.
-The children used to come home from school (= would come home) after three o'clock and run immediately into the garden to play.

◊◊◊◊◊◊◊◊◊◊◊◊◊◊◊◊◊◊

4. 'To leave': (Study carefully the following)

1.	*Ivan has left us.*	- Иван ушёл/уехал от нас.
2.	*Ivan left the university.*	- Иван оста́вил университет.
3.	*Ivan has left his wife.*	- Иван оста́вил (бросил) свою жену.
4.	*Nothing is left.*	- Ничего не оста́лось.
5.	*Leave her a note.*	- Оставь ей запи́ску.
6.	*No parking here.*	- Здесь нельзя оставля́ть машину.
7.	*I will keep the berries for tomorrow.*	- Я оста́влю я́годы на завтра.
8.	*Leave me alone.*	- Оставь меня в покбе!
9.	*I am leaving in a week.*	- Я уезжаю через неделю.
10.	*I left my purse at home.*	- Моя сумка оста́лась дома. (Я забыла сумку дома.)
11.	*What is left for us to do?*	- Что же нам остаётся делать?

◊◊◊◊◊◊◊◊◊◊◊◊◊◊◊◊◊◊

5. 'To have' (иметь):

иметь будущее	- *to have a future*
иметь возмо́жность	- *to have a chance*
иметь жела́ние	- *to have the desire*
иметь значе́ние	- *to have significance*
иметь ме́сто	- *to have a job; to take place*
иметь му́жество	- *to have courage*

(continued)

иметь наме́рение - *to have the intention*

иметь наха́льство - *to have the insolence*

иметь неосторо́жность - *to have the imprudence*

иметь пра́во - *to have the right*

иметь спосо́бность - *to have the ability*

иметь удово́льствие - *to have the pleasure*

иметь успе́х - *to be a success*

иметь хра́брость - *to have the courage*

иметь честь - *to have the honor*

иметь в виду - *to keep in mind*

иметь дело с - *to have to do with/ to have dealings with/ to deal with*

Note: У них имеются деньги. - *They have some money.*

В библиотеке имеются все нужные книги. - *The library has all the necessary books.*

◆◆◆◆◆◆◆◆◆◆◆◆◆◆◆◆

6. 'Would': In English, 'would' is used in three different circumstances:

a) *For tense sequence* (this use does not exist in Russian)

He said that he *would come.* - Он сказал, что *придёт*.

I thought that this *would be* possible. - Я думал, что это *будет* возможно.

b) *In unreal conditions* (subjunctive both in English and in Russian)

If you would win a million, you would be happy. - Если бы ты выиграл миллио́н, то ты был бы рад.

c) *To convey repetitive action in the past* (rendered in Russian by 'бывало')

When he felt lonely, he would come to see me. - Когда он, бывало, чувствовал себя одино́ким, он приходил ко мне.

7. Remarks on the Reflexive Verb forms ending in -ся:

a. The 'Reflexive Passive'

In contrast to the past passive participle, the reflexive passive is obtained mainly from the imperfective aspect of transitive verbs. It expresses primarily a process - rather than the completion of an action.

1. Как пишется ваша фамилия? - *How do you spell your last name?*
2. Как произно́сится (выгова́ривается) это слово? - *How is this word pronounced?*
3. Когда я был в Мю́нхене, там строилось метро. - *When I was in Munich, the subway was being built there.*
4. Эта книга будет долго обсужда́ться в наших круга́х. - *This book will be discussed for a long time in our circles.*
5. Где продаются такие цветы́? - *Where are such flowers for sale?*
6. У нас в семье́ ничего подо́бного не позволя́лось. - *In our family, nothing like this was ever permitted.*
7. Как у вас выбира́ется президент? - *How is the president elected in your country?*
8. Здесь запреща́ется курить. - *Smoking is forbidden here.*
9. Мост уже давно стро́ился бы, если бы у города были на это деньги. - *The bridge would have been under construction long ago if the city had money for this.*
10. Эта пье́са будет критикова́ться во всех газетах. - *This play will be criticized in all the newspapers.*
11. От студентов тре́буется, чтобы они не пропуска́ли лекций. - *The students are required not to miss any lectures.*
12. От слу́жащих ожида́лось, чтобы они не опа́здывали. - *The employees are expected not to be late.*

Note: Although the Reflexive Passive usually does not indicate a completed action, note the following examples:

Все грехи́ ему прости́лись.	-*All his sins were forgiven.*
Книга нашлась.	-*The book was found.*

---

b. 'Pairs' of Verbs

-*ся* is the abbreviation of the reflexive pronoun *себя*. In the course of time, -*ся*[1] merged with the verb into one word, producing a special category of intransitive verbs, which exist side by side with transitive non-reflexive verbs.

Reminder: In English, there is often no distinction between these transitive and intransitive (reflexive) verbs:

кончать/кончить
кончаться/кончиться } *to end*

Учитель конча́ет урок в три часа, *BUT*
Урок конча́ется в три часа.

The most common 'pairs':

беспоко́ить	- беспоко́иться	-*to worry*
брить	- бриться	-*to shave*
вари́ть	- вари́ться	-*to cook, boil*
ви́деть	- ви́деться[2]	-*to see*
возвраща́ть/ возврати́ть	- возвраща́ться/ - возврати́ться	-*to return*
волнова́ть	- волнова́ться	-*to be excited, worry*
встреча́ть/ встре́тить	- встреча́ться/[2] - встре́титься[2]	-*to meet*
гото́вить	- гото́виться	-*to prepare*
дви́гать/ дви́нуть	- дви́гаться/ дви́нуться	-*to make a motion, move*
держа́ть	- держа́ться	-*to hold, hold on to*
закрыва́ть/ закрыть	- закрыва́ться/ - закрыться	-*to close*

---

[1] A few verbs have -*сь*: *трястись*

[2] Has reciprocal meaning

(continued)

кача́ть	- кача́ться	-*to rock, swing*
конча́ть/ кóнчить	- конча́ться - кóнчиться	-*to end*
купа́ть/ выкупать	- купа́ться/ - выкупаться	-*to bathe*
лома́ть/ слома́ть	- лома́ться/ - слома́ться	-*to break*
меня́ть/ измени́ть	- меня́ться/ - измени́ться	-*to change*
мыть/ вымыть	- мыться/ - вымыться	-*to wash*
называ́ть/ назва́ть	- называ́ться/ - назва́ться	-*to call, be called*
наряжа́ть/ наряди́ть	- наряжа́ться/ - наряди́ться	-*to dress up*
начина́ть/ нача́ть	- начина́ться/ - нача́ться	-*to begin*
обижа́ть/ оби́деть	- обижа́ться/ - оби́деться	-*to hurt, be hurt*
обнима́ть/ обня́ть	- обнима́ться/[1] - обня́ться	-*to embrace*
остана́вливать/ останови́ть	- остана́вливаться - останови́ться	-*to stop, come to a stop*
открыва́ть/ откры́ть	- открыва́ться/ - откры́ться	-*to open*
повора́чивать/ поверну́ть	- повара́чиваться/ - поверну́ться	-*to turn*
прекраща́ть/ прекрати́ть	- прекраща́ться/ - прекрати́ться	-*to cease*
продолжа́ть	- продолжа́ться	-*to continue*
пря́тать/ спря́тать	- пря́таться/ - спря́таться	-*to hide*
развива́ть/ разви́ть	- развива́ться/ - разви́ться	-*to develop*
серди́ть/ рассерди́ть	- серди́ться/ - рассерди́ться	-*to anger, be angry*
скрыва́ть/ скрыть	- скрыва́ться/ - скрыться	-*to conceal (oneself)*

[1] Has reciprocal meaning

(continued)

собира́ть/ собра́ть	- собира́ться/ - собра́ться	-*to gather*
тороп́ить/ потороп́ить	- тороп́иться/ - потороп́иться	-*to hurry*
трево́жить/ потрево́жить	- трево́житься/ - потрево́житься	-*to worry*
трясти́/ потрясти́	- трясти́сь/ - потрясти́сь	-*to shake*
удивля́ть/ удиви́ть	- удивля́ться/ - удиви́ться	-*to surprise, be surprised*
целова́ть/ поцеловать	- целова́ться/[1] - поцеловаться[1]	-*to kiss*
чувствовать/ почувствовать	- чувствоваться/ почу́вствоваться	-*to feel*[2]
шепта́ть	- шептаться[1]	-*to whisper*

[1]Has reciprocal meaning

[2]*В воздухе чувствуется сырость* -*Dampness is felt in the air*
BUT: How do you feel? -Как ты <u>*себя*</u> *чувствуешь?*

c. The reflexive ending -*ся* (-*сь*) may form a verb with a new meaning:

балова́ть -*to spoil (a child)*	балова́ться -*to be mischievous (coll.)*
бить/побить -*to hit*	биться[2] с/против -*to fight*
бросать/бросить -*to throw*	броса́ться/бро́ситься[1]-*to rush*
водить/вести/повезти -*to lead*	водиться с -*to associate with (coll.)*
возить/везти/повезти -*to transport*	возиться -*to fuss, to be busy (coll.)*
делить/поделить -*to divide*	делиться/поделиться чем-н. с -*to share*
дуть/подуть -*to blow*	дуться -*to sulk*

[1]*бросаться/броситься в глаза* -*to be conspicuous*

[2]*биться* can also mean 'to try extremely hard':
Он так бился, но ничего не вышло.

занимать/занять -*to occupy, entertain (guests)*	заниматься -*to study, to be occupied*
име́ть -*to have, possess*	име́ться -*to be available*
коси́ть/скоси́ть -*to mow*	коси́ться/покоси́ться -*to look askance*
лечи́ть/вылечить -*to treat, cure*	лечи́ться/вылечиться -*to receive treatment, be cured*
моли́ть/умоли́ть -*to implore*	моли́ться/помоли́ться -*to pray*
находи́ть/найти -*to find*	находи́ться -*to be located*
носить/нести/понести -*to carry*	носи́ться/нести́сь -*to rush about (coll.)*
пить/выпить -*to drink*	напива́ться/напи́ться -*to get drunk*
полагать -*to assume*	полага́ться/положиться на + acc. -*to rely on*
проща́ть/прости́ть -*to forgive*	проща́ться/прости́ться с -*to say goodbye*
собира́ть/собра́ть -*to gather, pick*	собира́ться/собра́ться -*to assemble, plan, get ready*
справля́ть/спра́вить -*to celebrate*	справля́ться/спра́виться -*to manage*
стесня́ть/стесни́ть -*to hamper*	стесня́ться/постесня́ться -*to feel shy*
счита́ть/сосчита́ть -*to count*	счита́ться с -*to take into consideration*
учить/научить -*to teach*	учи́ться/научи́ться -*to learn*
увлека́ть/увле́чь -*to fascinate*	увлека́ться/увле́чься + instr. -*to be infatuated, take great interest in, be carried away by*
чеса́ть/почеса́ть -*to scratch*	чеса́ться -*to itch*

Note: Откýда это берётся (взялóсь)?	-*Where does (did) this come from?*
любить, влюбúться в + acc.	-*to fall in love with*
ждать = дожидáться	-*to wait*
дождáться	-*to wait until the desired result has been attained*

Я тебя долго ждал и наконец дождáлся (= ты пришёл).

---

d. Impersonal Verbs ending in -*ся*:

a) Used with the Dative

Как вам живётся?	-*How is everything with you?*
Мне кáжется	-*It seems to me*
Тебе нездорóвится	-*You don't feel right*
Ему нрáвится	-*He likes (...pleases him)*
Ей прихóдится	-*She has to*
Нам не сидúтся	-*We don't feel like sitting*
Ребёнку снится[1]	-*The child dreams*
Вам удаётся	-*You succeed*
Им хóчится	-*They feel like*
Мне сегодня что-то не работается (coll.)	-*Somehow, I don't feel like working today*

[1] *сниться/присниться*

b) Used without the Dative

Станóвится жарко	-*It is becoming hot*
Уже смеркáется	-*It is getting dark already*
Здесь лéгче ды́шится	-*It is easier to breathe here*

---

e. Reflexive Verb in Russian, but no reflexive in English:

беспокóиться	-*to be worried, to worry*

(continued)

боя́ться	-*to be afraid, to fear*
вари́ться	-*to cook (intrans.), boil*
влюбля́ться/влюби́ться в+асс.	-*to fall in love*
годи́ться	-*to be fit, suitable*
гордиться + instr.	-*to be proud of*
ложи́ться	-*to lie down*
находи́ться	-*to be situated*
ошиба́ться/ошиби́ться	-*to be wrong*
рожда́ться/роди́ться	-*to be born*
серди́ться/рассерди́ться на + асс.	-*to be angry, to get angry*
счита́ться + instr.	-*to be considered*

боро́ться	-*to struggle*
заблужда́ться	-*to err*
здоро́ваться с	-*to say hello to*
кля́сться/покля́сться	-*to swear*
наде́яться + асс.	-*to hope*
остава́ться/оста́ться	-*to remain*
относи́ться/отнести́сь к	-*to relate to, have an attitude toward*
смея́ться	-*to laugh*
стара́ться/постара́ться	-*to try, make an effort*
улыба́ться/улыбну́ться	-*to smile*

Exercise 20:

Переведите на русский язык.

1. I am not used to going to bed so late.
2. It will be necessary to avoid meeting people.
3. Try not to break[1] the rules.
4. When did you stop smoking?
5. Stop talking so loudly.

(continued)

---

[1] *наруша́ть*

6. Ivan Ivánovich promised not to return home without money.
7. Instead of studying, Nina went to Mexico.
8. I had the pleasure of spending the whole day with our chairman.[2]
9. Instead of being afraid of the bombs, Boris went out into the street as if nothing was the matter.
10. Tamara, please start singing.
11. The doctor asked me not to forget what he had said about my condition.[3]
12. Are you interested in such work?
13. We must try not to complain too much.
14. The doctor ordered his patients not to eat sweets.[4]
15. We are determined not to miss anything.
16. There is no reason to spend so much money.
17. I implored the surgeon[5] not to mention[6] the operation to my mother.
18. It was getting dark.
19. Do you think it is worth while to buy this car?
20. What is this mushroom called?
21. We had an opportunity to speak with the president himself.
22. I remember - on Saturdays, school would be over at noon and we did not feel like going home right away.[7]
23. Last night, an important meeting took place in our club.
24. You know - Ivan quit his job again.
25. Is it permitted to park here?
26. My wife asked me not to remain in the city when it gets hot.
27. I was about to offer him some money, but then I decided that it was not worth while.

(continued)

---

[2]*председáтель* [3]*состоя́ние* [4]*слáдости* [5]*хиру́рг*
[6]*упоминáть/упомянуть* [7]*срáзу же*

28. My parents are tired of arguing with me.

29. How much food do you have left?

30. I did not feel like talking about it.

31. Sit a while with me.

32. There is nothing left for me[8] except[9] to leave my husband.

33. All the problems were discussed over and over[10] again.

34. Does this behavior surprise you? I am no longer surprised by anything.[11]

35. Are you worried? Pardon me, I did not want to worry you at all.

---

[8] Use the Dative [9] *кро́ме как* [10] *сно́ва и сно́ва*
[11] Use *удивля́ться*

Exercise 21:

Complete the following sentences.

1. Когда концерт *(will begin)*?

2. Мы скоро *(will see each other)*.

3. Интересно, когда же он, наконец *(will stop)(asking questions)*?

4. Это меня очень *(surprised)*.

5. Вы знаете, как этот цветок *(is called)*?

6. Мы ещё никак не *(named)* собаку.

7. Сто лет тому назад эта книга *(was considered)* интересной.

8. Здесь никому́ не *(is permitted)* курить.

9. Ча́шка *(broke)*. Кто её *(broke)*?

10. Я *(returned)* все книги в библиотеку сра́зу же как *(returned)* из деревни.

11. Эта работа слишком трудная; боюсь что ты *(will not manage)* с ней.

12. Я не помню, когда это кафе́ *(will open)*.

13. Друзья торже́ственно *(swore)(never to forget)* друг-друга.

(continued)

14. Дети старше четырёх лет должны́ сами *(dress)*. Поэтому я тебя *(will not dress)*.

15. На пло́щади *(gathered)* большая толпа́.

16. Прошу вас особенно не *(to dress up)*.

17. Жаль, что ле́то *(is ending)* и о́сень *(is beginning)*.

18. В посло́вице *(it is said)*: „Не да́ром говори́тся, что дело ма́стера бои́тся."

19. У како́го доктора ты раньше *(received treatment)*?

20. Эта бумага слешком то́нкая; она *(will not do)*.

21. У меня всё те́ло[1] *(itches)*. *(Don't scratch)* го́лову!

22. Этот о́стров *(is situated)* на са́мом се́вере.

23. Сегодня представле́ние *(will end)* довольно поздно.

24. В субботу *(was celebrated)* пятидесятиле́тие дяди Серёжи.

25. Ва́ренька, как ты *(have changed)*!

26. Де́вочки *(were whispering)* в углу́.

27. Ваня, *(don't be shy)* - войди́!

28. Мальчики, только *(don't fall)*! *(Hold on)* за пери́ла.[2]

29. Ляля, *(turn)* нале́во, а то я не вижу твоей причёски.

30. Коля уже *(has shaved)*.

31. Катю́ша *(was swinging)* на каче́лях.

32. Анна Ива́новна, очень прошу вас, как-нибудь неча́янно не *(give away)* нашу тайну.[3]

33. Бе́дная де́вочка вся *(was shaking)*.[4]

---

[1]*body* [2]*railing* [3]*secret* [4]use *трясти́сь*

Exercise 22:

Как это будет по-русски?

1. Andrew did not feel right yesterday.
2. How is this vowel pronounced?

(continued)

3. Ivan Ivanovich, are you not surprised at such an ending[1] of the movie?
4. I would like to know how do you say this (= how this is said) in Russian?
5. This affair worries me. Aren't you worried?
6. Such things are simply not done in polite[2] society.
7. It is getting warmer.
8. Do you like to go to bed early?
9. Are you planning to go mushroom picking?
10. It is permitted to smoke during an examination.
11. Are the judges (being) elected or appointed?[3]
12. How do you feel today?
13. It is absolutely useless to try to convince him.
14. While taking leave from me, Masha started crying.
15. I will quickly change my clothes.
16. Our neighbor asked me not to forbid the children to play in his garden.
17. As is often the case, all his friends left him.
18. Boris promised not to come so often any more.
19. Tamara fell in love with Vanya.
20. Such actions[4] are seldom forgiven by people.
21. The dog was rushing around in the garden like mad.
22. We will share the inheritance[5] with our relatives.[6]
23. Ivan, move your chair a little.
24. Suddenly I felt that I could not move.
25. Please keep in mind that the heat will soon start.
26. What is cooking in the large pot?[7]
27. Natasha turned so that I could see her.
28. You can not leave work without telling anything to your boss.

(continued)

---

[1] Use Dative [2] Use *'good'* [3] *назнача́ть* [4] *посту́пок*
[5] *насле́дство* [6] *ро́дственник* [7] *котёл, -ла*

29. No one wants to have to do with such a person.
30. What did you dream?
31. Natasha is infatuated with contemporary music. This infatuation[8] may continue a long time.
32. All books are usually returned at the end of each month.
33. If the whole truth is told,[9] the people will help.
34. If you knew how tired (and bored) I am of living in this village!
35. Did you say 'hello' to everyone?

---

[8] *увлече́ние* [9] Use the infinitive

Exercise 23:

Translate the following passage into English and then back again into Russian. Examine every participle carefully.

В раннем, части́чно автобиографи́ческом произведе́нии Толсто́го *Де́тство* опи́сывается жизнь Нико́леньки Ирте́нева. Читатель узнаёт, как ему жилось, как он относи́лся к родителям и как было при́нято в то время воспи́тывать детей.

Будучи вду́мчивым[1] и не́сколько чувстви́тельным ребёнком, Николенька рано ста́лкивается с лицеме́рием[2] в так называемом хоро́шем о́бществе. Ища и́скренности,[3] он инстинкти́вно тя́нется к Ната́лье Саввишне - простой женщине из народа, явля́ющейся одним из са́мых положи́тельных[4] персона́жей,[5] со́зданных Толстым. О ней говорится уста́ми а́втора так: „Вся её жизнь была чистая, бескоры́стная[6] любовь и самоотверже́ние[7]... Она оставила жизнь без сожале́ния, не боялась сме́рти и приняла́ её как бла́го.[8] Наталья Саввишна могла не бояться смерти, потому что умирала с непоколеби́мой[9] верой, испо́лнив зако́н Ева́нгелия. Она соверши́ла лучшее и велича́йшее дело в этой жизни - умерла́ без сожале́ния и стра́ха."

Ви́димо у Толсто́го рано начали выраба́тываться определённые[10] крите́рии, определя́ющие[11] мора́льные

(continued)

---

[1] *thoughtless* [2] *hypocrisy* [3] *sincerity* [4] *positive* [5] *character* [6] *selfless* [7] *self-denial* [8] *good (n.)* [9] *unshakable* [10] *definite* [11] *defining*

ка́чества[1] человека, и эти крите́рии в осно́ве[2] не изменя́лись, а только развива́лись по мере того, как Толстой всё чаще и чаще заду́мывался над вопро́сами, относя́щимися к человеку и его отноше́нию к о́бществу. Одни из задаваемых Толстым вопросов был: Как сле́дует жить? Что такое правда и где искать её?

Если вспомнить не́сколько устаре́вшее значе́ние слова 'правда',[3] то вся филосо́фия Толстого, осно́ванная на стремле́нии[4] к соверше́нствованию человека, оказывается после́довательным[5] иска́нием ответа всё на тот же самый вопрос: где найти и́стину?

Вера Толстого в человека и его спосо́бность к самосоверше́нствованию - непоколеби́ма. Может быть, этим объясняется его нелюбовь к це́ркви, отрицающей, как пра́вило, всемогу́щего человека и признаю́щей в нём лишь ка́ющегося[6] грешника.[7]

Что бы ни говорили осужда́ющие[8] Толстого, он никогда не был атеистом. Не был он и анархи́стом; правда, отверга́я вся́кого рода наси́лие,[9] он отверга́л и госуда́рство; осужда́я произво́л,[10] он восстава́л против зако́нов, со́зданных властью сильных не во и́мя[11] добра́ и справедли́вости, а во и́мя со́бственной по́льзы. Одна́ко надо иметь в виду, что Толстой никогда и ни в чём ни шёл на компромисс - а меньше всего со своей со́вестью.[12] Пусть он даже и ошиба́лся и заблужда́лся во многом; он всё-таки был и оста́нется одним из выдаю́щихся идеали́стов, стреми́вшихся к добру́, боро́вшихся про́тив зла и ве́ривших в коне́чную побе́ду добра над материали́змом и себялю́бием.

Ведь всегда существова́ли и всегда будут существова́ть такие люди как Наталья Са́ввишна.

---

[1]*qualities* [2]*basically*
[3]*Оно раньше значило то же самое что 'справедли́вость'*
[4]*striving* [5]*consequent* [6]*repenting* [7]*sinner* [8]*critics*
[9]*violence, force* [10]*arbitrariness* [11]*in the name of* [12]*conscience*

Exercise 24: COMPREHENSIVE REVIEW

Supply the correct form.

1. Из многих произведе́ний *(written by Tolstoy)*, видно, что он *(was carried away)* морально-религио́зными пробле́мами.

(continued)

2. Невозможно читать Толстого *(without realizing*[1]*)* что смерть представлялась ему сложной проблемой.

3. Толстой до сих пор *(is considered by some people)* опасным нигилистом *(who had prepared a suitable climate)* для революции в 1917-ом году. Такие люди *(do not take into consideration)* с его стремлением к общему благу.[2]

4. Известно, что Толстой *(while being)* восьмидесятилетним стариком, *(left his home in order to find peace and quiet*[3]*)*. Он решил *(not to stay)* среди чуждых ему людей. Его жизнь *(ended)* на маленькой железнодорожной станции.

5. В последние годы жизни Толстого многие из его бывших друзей избегали *(to meet)* с ним, потому что он был *(excommunicated*[4]*)* от церкви.

6. Многие были знакомы лишь с *(simplified)* версией его учения и видели в нём человека, *(who was spreading*[5]*)* разные *(forbidden)* идеи.

7. В романе *Воскресенье* *(is described)* перерождение человека, *(who belonged*[6]*)* к высшему классу общества. Толстой считал нужным, чтобы люди *(would understand)* его идеи, и он надеялся, что его герой Нехлюдов *(would convey*[7] *them)* читателям.

8. Толстой был уверен, что каждый человек - *(whoever he is)* должен спросить себя, *(whether he is living correctly)* или нет: *("Let no one deceive himself into thinking)* что он один знает истину!"

9. Тот, кто хочет понять Толстого - мыслителя, должен *(bear in mind)* что его интеллект продолжал *(develop)* всё время, и то, что может показаться проитворечием,[8] по-настоящему является только как бы *(the following step*[9]*)* последовательного[10] развития.

10. Уже в романе *Война и мир* и даже в ранней повести *Казаки* *(there are)* зачатки[11] многих мыслей, *(expressed)* в его более поздних философских трактатах.

(continued)

---

[1] *замечать* [2] the good (noun) [3] *покой* [4] *отлучить* [5] *распространять* [6] *принадлежать* [7] *передавать/передать* [8] contradiction [9] *шаг* [10] logical [11] embryo, root

11. Одна из книг Толстого *(which startled*[1]*)* читателей, это - *Что такое искусство?* *(If one were to accept*[2]*)* буква́льно[3] каждую мысль Толстого, то пришлось бы отказаться от многих общепри́нятых понятий.[4]

---

[1] Use a participle [2] *принять* [3] *literally* [4] *concepts*

REMARKS ON THE PRONOUNS

A. Personal Pronouns

Reminders: a) он, она, они take н- after prepositions: Я иду к *н*ему, к *н*ей, к *н*им.

b) The personal pronouns can be omitted - especially in questions and in answers where the subject is clearly understood:

„Ты едешь сегодня в город?"
„Да, еду/Нет, не еду."
„Наташа отдохну́ла?"
„Да, отдохну́ла."
„Сергей не хочет учиться?"
„Не хочет."
„Вы всё ещё гуляете?"
„Гуляю."

1. If 'они' or 'ты' is omitted, the statement becomes impersonal:

В газетах пишут, что в Пе́рсии землетрясе́ние.[1]

Что сегодня сказали по радио?

Ничего не поделаешь! *(There is nothing to be done; one can do nothing.)*

Что же на это скажешь? *(What is there to say?)*

„Поспеши́шь - людей насмеши́шь." *(Proverb - 'If one hurries, one will only make people laugh.')*

Note: Оно is sometimes used in substandard colloquial Russian (as well as frequently in stories by Zо́shchenko) to mean 'it':

Оно, конечно, поня́тно. - *It's certainly understandable.*

2. *Special construction:*

A plural pronoun is used, although only one person is in question:

[*Мы*] *с Иваном* часто ходим в театр.[2]	- *Ivan and* [*I*] *often go to the theater.*

---

[1] *earthquake*

[2] Cf.: *Мы пошли с Иваном в театр/Мы ходим в театр с Иваном.* - *We go to the theater together with Ivan.*

Вы с матерью поехали на Кавказ.	- *You and your mother went to the Caucasus.*
Они с дедушкой рано легли́ спать.	- *He (she) and Grandfather went to bed early.*
Мы с му́жем опоздали на поезд.	- *My husband and I missed the train.*
Нам с тобой повезло́.	- *You and I were lucky.*
Нас с Бори́сом никто не узнает.	- *No one will recognize Boris and me.*
Вас с женой нигде не ви́дно.	- *You and your wife are not seen anywhere.*

Note: When 'I' is part of a compound subject, *мы* is used and the verb accompanying it must be in the first person *plural*:

Мы с вами поедем на поезде.	- *You and I will take the train.*

B. Reflexive Pronouns

Reminder: The reflexive pronouns are себя́, себе́,[1] себя́, собо́й, and себе́. There are no plural forms:

Я говорил о себе.
Мы говорили о себе.

The reflexive pronoun always refers back to the subject.

Examples:

Как вы себя чу́вствуете?	- *How do you feel?*
У неё нет интере́сов вне себя.	- *She has no interests outside of herself.*
Купи́ себе что-нибудь вку́сное.	- *Buy yourself something tasty.*
Посмотри́ на себя в зе́ркало!	- *Look at yourself in the mirror.*

---

[1] *себе́* as an unstressed particle conveys a casual atmosphere and is not translated:

Володя только улыбался себе и не отвечал ничего.	- *Volodya just kept on smiling and answered nothing.*

Надо уметь постоя́ть за себя.	- *One must know how to defend oneself.*
Разве Иван дово́лен собой?	- *Is it possible that Ivan is pleased with himself?*
Эти люди говорят только о себе́.	- *These people speak only about themselves.*
Держи па́спорт при себе́.	- *Have your passport close at hand.*
Как плохо ты себя ведёшь!	- *How poorly you behave!*
Лучше взять чемодан с собой.	- *It's better to take the suitcase along.*

Note:

Мне сегодня не по себе́.	- *I am not myself today.*
Пого́да сегодня так себе.	- *The weather today is so-so.*
Старушка что-то бормотала про себя.	- *The old woman muttered something to herself.*
Отец вышел из себя.	- *Father lost his temper.*
Эта же́нщина себе на уме́.	- *This woman is quite crafty.*
Вы принесли с собой де́нег?	- *Did you bring along some money?*
Иван краса́вец собой.	- *Ivan is very good-looking.*

C. Emphatic Pronouns

Reminder: The emphatic pronouns (сам, сама́, само́, са́ми) have an adjectival declension - with the exception of acc. fem. sg. самоё (саму́). They are often used in combination with the reflexive pronoun.

Это произошло само́ собо́ю.	- *This happened all by itself.*
Надо наде́яться на самого́ себя́.	- *One must rely on oneself.*
Я сам себе хозя́ин.	- *I am my own master.*

(continued)

Этот город сам по себе довольно скучный. - *This city, as such, is rather boring.*

Это само́ по себе не имеет значе́ния. - *By itself, this has no significance.*

Это само́ собо́й разуме́ется. - *This goes without saying.*

Он говорил сам с собой. - *He talked to himself.*

Нельзя же всё время говорить о самом себе! - *You can't talk all the time about yourself.*

Они са́ми себе всё испо́ртили. - *They spoiled it all for themselves.*

Note:

В са́мом деле? - *Really?*

This is the prep. case of са́мый (not сам). The accent is on the first syllable, whereas

В само́м городе всё было тихо. - *In the city itself, all was quiet.*

The emphatic pronoun may stand before or after the noun it emphasizes.

Proverb (Посло́вица):

Сама́ себя раба́ бьёт, что не чи́сто жнёт.[1] - *The slave punishes herself for not doing a good job reaping.*

D. Possessive Pronouns

Reminder: The possessive pronouns are used less frequently in Russian than in English: whenever it is clear from the context who is the possessor, Russian drops the pronoun.

1. *(no possessive pronoun)*

All my life, I worked hard. - Всю жизнь я много (тяжело) работал.

Give me your word of honor! - Дай че́стное слово!

Mary, do your homework! - Маша, делай уро́ки!

---

[1] *жать, жну, жнёшь - to reap (a harvest)*

Mrs. Ivanov, take your medicine (vitamins).	- Госпожа Иванова, примите лека́рство (витами́ны).
I have paid all my bills.	- Я заплатила все счета́.
Did you pass all your exams?	- Ты выдержала все экза́мены?

---

2. With parts of the body: *(no possessive pronoun)*

Close your eyes!	- Закрой глаза́!
Open your mouth!	- Откройте рот!
The children washed their hands.	- Дети вымыли руки.
The woman was on her knees.	- Женщина стоя́ла на коле́нях.
He put his hand into his pocket.	- Он положил руку в карма́н.
I will carry the baby in my arms.	- Я понесу малыша́ на руках.
Andrew shook his head.	- Андрей покача́л головой.

---

3. With words denoting relatives:

I will introduce you to my brother.	- Я познако́млю вас с братом.
My wife and I went to the concert.	- Мы с женой пошли на концерт.
Our parents will live with us.	- Родители будут жить с нами.
When is your uncle coming to see you?	- Когда к тебе приезжает дядя?
Olga came without her husband.	- Ольга пришла без мужа.

---

4. With articles of clothing:

Wait a moment - I will put on my coat.	- Подожди́те минутку - я наде́ну пальто́.

(continued)

You are wet - take off your shoes.	- Ты промо́к - сними сапоги́.
Vera was wearing her new fur coat.	- На Вере была новая шу́ба.
He took off his hat.	- Он снял шля́пу.

---

5. With food, meals, seasons:

I like my coffee hot.	- Я люблю пить кофе горя́чим.
When do you want your breakfast?	- Когда ты хочешь поза́втракать?
Ivan prefers his milk cold.	- Иван предпочита́ет пить молоко холо́дным.
Where do you spend your summers?	- Где вы прово́дите лето?

NOTE: 'My lawyer,' 'your doctor,' 'her hairdresser,' etc. - in ordinary speech, without special emphasis - are translated without the possessive pronoun.

Did you see your doctor?	- Ты был(а) у доктора?
I talked to my lawyer.	- Я говорил(а) с адвока́том.

A personal or reflexive pronoun is sometimes used instead of a possessive:

У меня болит голова́.	- *My head aches.*
Иван слома́л *себе* но́гу.	- *Ivan broke his leg.*
Завтра мы придём *к вам*.	- *Tomorrow, we will come to see you.*
Маша пригласила нас *к себе*.	- *Masha invited us to her house.*
Профессор *у себя* в кабинете.	- *The professor is in his office.*

If the idea of 'one's own' is stressed, свой/ая/оё/ои may replace мой, твой, etc. It can be stressed even further by the addition of the adjective со́бственный.

(continued)

Он купил это на свой (со́бственные) деньги.	- *He bought this with his (very) own money.*
Я видел всё своими (со́бственными) глазами.	- *I saw everything with my (very) own eyes.*
Я не поверил своим глаза́м.	- *I did not believe my eyes.*
Теперь это моё (со́бственное) име́ние.	- *Now, this is my (very) own estate.*

In the 3rd person, the use of свой is obligatory to avoid ambiguity when the subject is the possessor:

Аня принесла свою игру́шку.

...её игрушку would mean that Anya brought someone else's toy.

Remember such constructions as:

В своё время - эта женщина была красивой.	- *At one time, this woman was beautiful.*
Всё будет в поря́дке - в своё время.	- *In time, everything will be in order.*
Ты не в своём уме́!	- *You are crazy!*
Кто-то кричал не свои́м голосо́м.	- *Someone screamed in a terrible voice.*
Было устано́влено, что старик не был убит, а умер свое́й смертью.	- *It was established that the old man had not been murdered, but had died a natural death.*
Каждый думает и поступает по-сво́ему.	- *Everyone thinks and acts in his own way.*
Не могу сказать, который цветок красивее всех; каждый в своём ро́де.	- *I could not tell which flower is the most beautiful; each one is beautiful in its own way ('is of its own kind').*
Хорошо жить среди своих!	- *It's nice to live among one's own people.*
Среди образо́ванных людей Иван всегда чувствовал себя не в своей таре́лке.	- *Among educated people, Ivan always felt out of place.*

Иди-ка, друг, восвоя́си (coll.).	- *Well, friend, you'd better go back where you came from.*
Не соглашайся - продолжай наста́ивать на своём.	- *Don't agree - continue to insist on your own point of view.*

Note: As a rule, свой/ая/оё/ие is not used in the nominative case except in certain constructions:

У нас своя дача.	- *We have our own country home.*
У вас есть своя комната?	- *Do you have a private room?*
Молодому врачу́ ну́жен (необходи́м) свой кабине́т.[1]	- *A young physician needs his own office.*
Директору полага́ется своя секретарша.	- *The manager is entitled to have a private secretary.*
Ему был предоста́влен свой телефон.	- *He was given a telephone of his own.*
Каждому - своё.	- *To each one according to his tastes (=that which suits him best).*
Александру можно верить - он свой человек.	- *Alexander can be trusted - he is one of our own people.*[2]
Сегодня Анна сама́ не своя́.[3]	- *Ann is not herself today.*

Proverbs:

Свой своему́ - понево́ле брат.	- *Blood is thicker than water.*
Своя́ руба́шка бли́же к те́лу.	- *Oneself comes first (=look out for #1).*

---

[1] *office* [2] There is a play by N. Ostrovsky, *Свои люди - сочтёмся (We are not strangers - We will come to terms).* [3] The corresponding masculine expression would be *сам не свой.*

Exercise 1:

Supply the correct form.

1. Чтобы познать другого, снача́ла надо познать *(one-self)*.
2. Что Ваня сказал *(you)* о *(himself)*?
3. Я принёс *(along)* интересную книгу.
4. Коля, пожалуйста *(behave)* прили́чно.[1]
5. Наташа *(herself)* винова́та.
6. Этот человек очень *(crafty)*.
7. Играя в футбол, Николай *(broke his foot)*.
8. Неужели ты забыл *(your parents)*?
9. У каждого из нас *(his own money)*.
10. У Бори́са завтра трудный экзамен и потому он *(is not himself)*.
11. Завтра я зайду *(to your place)*.
12. Отец сейчас *(in his room)*.
13. Разве Наташа купила эти вещи на *(her own money)*?
14. Девочка вытерла[2] *(her hands)*.
15. Я так и не нашёл *(my brother)* на аэропо́рте.
16. Войдя в комнату, гость *(took off his hat)*.
17. И́горь су́нул руки *(into his pockets)*.
18. Ты помнишь *(your grandfather)*?
19. Жизнь в дере́вне *(as such)* не такая уж скучная.
20. *(Take off[3] your galoshes)*, а то намочишь мне пол.
21. Что бы отец ни говорил, Женя всё равно поступил *(in his own way)*.
22. Мне пришлось говорить с *(the president himself)*.
23. Дети *(themselves)* всё приготовили.
24. Старик провёл *(all his life)* в этой деревне.
25. Перед тем как осужда́ть[4] других, посмотри на *(your-self)*.

(continued)

---

[1] *decently* [2] *dried* [3] *(снять) Сними!* [4] *judge, condemn*

26. Это *(our)* комната, а та *(theirs)*.
27. Нина, ты, кажется, говоришь *(to yourself)*.
28. Положи́ *(your hand)* мне на лоб.[1]
29. *(At one time)* этот город был столи́цей страны.
30. Я очень интересуюсь *(your)* книгой.
31. Миша и Во́ва *(themselves)* пригласили нас пойти в театр с *(their)* друзьями.
32. Теперь я уже привык к *(my)* комнате.
33. Надо приуча́ть *(oneself)* к работе.
34. Володя заехал за нами в *(his own)* автомобиле.
35. Ли́дия так элега́нтно оде́та! Это ты сшила *(her)*[2] блу́зку? -Нет, я сшила только *(my own)*.

[4] *forehead* [5] Use dative of the personal pronoun.

Exercise 2:

Переведите на русский язык.

1. Anna Ivanovna, how do you feel today?
2. Children, please behave well.
3. Our old cat died a natural death.
4. How do you like to drink your cocoa - hot or cold?
5. I hurt[1] my[2] back.
6. Why are you closing your eyes all the time?
7. Give me your hand.
8. When did you see your grandmother?
9. The president himself will answer this question.
10. Why don't you ask the teacher himself?
11. What did your lawyer tell you?
12. What did they say on the radio about the earthquake?
13. Don't put the ticket in your pocket - keep it close at hand.

(continued)

[1] *повреди́ть* [2] Use dative

14. Tell me something about yourself and about your family.
15. Vera does not want to take her medicine.
16. Little Katya is so happy that she has her very own kitten.
17. The work - as such - is not too difficult, but I don't like it.
18. Sergei is not himself today.
19. Do you have your own telephone?
20. Ivan Ivanovich, you don't need your own car. You can use[3] mine.
21. My brother and I both studied at Moscow University.
22. These people are my friends; don't say anything bad about them.
23. The climate here is not too good (so-so).
24. It goes without saying that you will live with us (=in our house).
25. In the village itself, there were no stores.
26. We traveled in Russia together with our parents.
27. My husband and I like London.
28. He hit me on[4] my head.
29. I like to spend my summers in the north.
30. Grandfather drinks his vodka cold.
31. I saw you and your brother last year in Rome.[5]
32. Nikolai told us about his difficulties.
33. Among poets, I feel completely out of place.
34. Poor Vera - she has no life of her own.
35. In this family, I always feel as if I were among my own people.
36. You may need[6] a car of your own.

---

[3] *по́льзоваться* + Instrumental
[4] *по* + Dative
[5] *Рим*
[6] Use Dative + *может пона́добиться*

E. Demonstrative Pronouns

Reminders: a) The Russian этот/эта/это/эти and тот/та/то/те do not necessarily correspond to the English *this/these* and *that/those*. Этот (etc.) often covers both, unless special emphasis is called for.

Give me that book.
-Дай мне эту книгу!

That is rendered by это when it does not refer to a specific noun:

I did not know that.
-Я этого не знал.
Did you tell him that?
-Вы это ему сказали?
What will I do with all that?
-Что мне делать со всем э́тим?
I did not like that.
-Мне это не понравилось.

b) Тот (etc.) is used in case of a contrast:

Эта книга ваша - *а та* - моя.

c) The neuter form это is also used in the meaning of *this is/that is these are/those are*:

Это мой друг.
Это мои друзья.

This это is carried over into the different tenses.

Это была моя соба́ка.
Это будут наши дома́.

NOTE: When something is directly indicated or emphatically pointed to, as in *this is/these are/here is, are/this is why/that's where*, etc., use вот:

That's why I stayed home.	-Вот почему я (и) оста́лся дома.
That's where he went.	-Вот куда он (и) пошёл.
Here is my book.	-Вот моя книга.
This is my friend.	-Вот мой друг.
That's just what I wanted to know.	-Вот что я хотел знать /Вот я это и хотел знать.
That's just it!	-То́-то и есть!

1. The pronoun *TOT* has several special uses:

на том свéте	- *in the other world (beyond the grave)*
на той сторонé	- *on the other side*
на том берегý	- *on the other shore*
на тот/не та/не те	- *the wrong one(s); different one(s)*
тот и другой	- *both*
то сáмое	- *the very thing*
не то	- *the wrong thing*
тот же сáмый/та же сáмая /те же сáмые	- *the same one(s)*
то же сáмое	- *the same thing*

---

2. The pronoun *TOT* 'extends' a preposition into a conjunction:

без того, чтобы	- *without (...-ing)*
ввúду того, что	- *in view of (the fact that), as*
вмéсто того, чтобы	- *instead of (...-ing)*
в сúлу того, что	- *owing to, by virtue of (the fact that)*
вслéдствие того, что	- *in consequence of (the fact that)*
для того, чтобы	- *so that*
до того, как	- *before*
из-за того, что	- *because*
кроме того, что	- *besides (the fact that), except that*
между тем, как	- *while*
несмотря́ на то, что	- *regardless of (the fact that), although*
перед тем, как	- *before*
после того, как	- *after*
о том, как/о том, что	- *about*
от того, что	- *because*

---

3. The pronoun *TOT* appears in conjunctive and adverbial phrases:

в то время, как	- *while*
дело в том, что	- *the fact is, that*
дело зашлó до того, что	- *the affair has gone so far, that*
с тем, чтобы	- *with the intention to*
по мéре того, как	- *in proportion to, as*
без того	- *as it is/was/will be*
вместе с тем	- *at the same time*
тем не мéнее	- *nevertheless, all the same*
тем сáмым	- *thereby*
тем врéменем/мéжду тем	- *meanwhile*
со всем тем	- *notwithstanding all this*
и тому подóбное	- *and so on, things like this*
к томý же	- *moreover, in addition*
томý назáд	- *ago*
с той пары́/с тех пор, как	- *from that time on*
до тех пор/пока не	- *until*

Idiomatic constructions:

да и то сказать	- *indeed*
ни с тогó, ни с сегó	- *for no reason at all*
ни то, ни сё	- *neither fish nor fowl*

Constructions with the subjunctive:

ни то, чтобы...но	- *not that, but*
во что бы то ни стáло	- *at all cost, no matter what*

---

4. The pronoun *TOT* is used in order to 'balance' certain constructions:

a) With verbs that take special cases, or are followed by a preposition.

Я горжýсь тем, как ты вёл себя во время войны (= я горжусь твоим поведéнием...)

Я ещё не *привык к тому*, что я один.

Я *боюсь того*, что скажет отец.

Мы *думали о том*, как заработать побольше денег.

Всё зависит от того, что случится завтра.

b) With the relative pronoun *the one(s) who/ that which*:

Тот, кто написал эту сонату, давно забыт.

Мы говорили *о том, что* случилось вчера.

Забудь *то, чего больше* не вернуть. *(Forget that which cannot be brought back.)*

Сергей всегда будет помнить *ту, кого* так любил.

Это совсем не *то, что* нам надо.

Exercise 3:

a) Study the following sentences.
b) Cover the Russian text and reconstruct it.

1. Об этом никто не подумал. - *No one had thought about that.*
2. Дайте мне не тех, а этих яблок. - *Give me some of these apples, not those.*
3. Это были мои письма. - *These were my letters.*
4. Вот эти редкие книги. - *There are those rare books.*
5. Я потеряла место - вот почему я переехала сюда. - *I lost my job - that's why I moved here.*
6. Ах - вот ты где! - *Oh, that's where you are!*
7. Коля и Вася вернулись из Ялты - и тот, и другой очень загорели. - *Kolya and Vasya have returned from Yalta, and both are tanned.*
8. На той стороне реки виднелись огоньки. - *On the other side of the river, lights could be seen.*
9. Ты мне принёс не ту книгу. - *You brought me the wrong book.*
10. Это не то. - *This is the wrong thing.*

(continued)

11. Мы употребля́ем тот же самый уче́бник, как и ты. - *We are using the very same textbook as you are.*

12. Скучно говорить сно́ва и сно́ва о тех же са́мых вещах. - *It is boring to talk about the same things over and over again.*

13. Нельзя было уйти без того, чтобы поблагодарить хозяйку. - *It was impossible to leave without having thanked our hostess.*

14. Ввиду того, что погода была плохая, мы остались дома. - *In view of the fact that the weather was bad, we stayed home.*

15. Вместо того, чтобы погулять, он лёг спать. - *Instead of walking, he went to bed.*

16. В силу того, что у них были свя́зи, они спасли́сь. - *Owing to the fact that they had connections they were saved.*

17. Всле́дствие того, что Николаю не сделали операцию, он умер через месяц. - *In consequence of the fact that Nikolai was not operated on, he died within a month.*

18. Я приехал в Босто́н для того, чтобы найти место. - *I came to Boston in order to find a job.*

19. До того как Иван женился, он жил в деревне. - *Before he got married, Ivan lived in the country.*

20. Из-за того, что Андрей должен был зараба́тывать деньги, он бросил учиться. - *Because Andrew had to earn money, he quit studying.*

21. Кроме того, что ты мне сказал, я ничего не знаю об этом. - *Except what you told me, I don't know anything about this.*

22. Между тем, как становилось всё жарче, путеше́ственники стали заме́тно устава́ть. - *While it was getting hotter and hotter, the travelers became noticeably tired.*

23. Несмотря́ на то, что мы его предупреди́ли, Константи́н всё таки насто́ял на своём. - *Although we had warned him, Constantine still insisted on doing it his own way.*

24. Перед тем, как ты сможешь поехать загра́ницу, ты должен достать паспорт. - *Before you will be able to go abroad, you'll have to get a passport.*

25. После того, как Андрей вернулся из Европы, он был у нас только раз.	- *After he returned from Europe, Andrew has been to see us only once.*
26. Мы говорим о том, как умер дедушка.	- *We talked about how Grandfather died.*
27. Мы думали о том, что скоро придётся уехать.	- *We were thinking that soon we would have to leave.*
28. В то время, как мы беспоко́ились о ней, Нина скрыва́лась заграницей.	- *While we were worrying about her, Nina was hiding abroad.*
29. Дело в том, что получить место не так-то легко.	- *The fact is, that finding a job is not all that easy.*
30. Скандал дошёл до того, что люди ни о чём другом больше не говорили.	- *The scandal reached such proportions, that the people did not speak of anything else.*
31. Иван пришёл к нам с тем, чтобы рассказать что-то интересное.	- *Ivan came to see us with the intention of telling us something interesting.*
32. По мере того, как больной поправля́лся, он становился веселе́е.	- *As the patient got better, he became more cheerful.*
33. Пётр и без того уже много работает, а тут ещё новый зака́з!	- *Peter works a lot as it is, and now comes a new order in addition.*
34. Бори́с очень заинтересова́лся этой лекцией, но вместе с тем не решался задавать вопросов.	- *Boris got very interested in this lecture, but at the same time, he would not dare ask questions.*
35. У нас остаётся мало времени, но тем не ме́нее, надо будет постара́ться закончить всё во́-время.	- *We have little time left, but, all the same, we will have to try to finish everything on time.*
36. Гости весели́лись, а хозяин тем временем крепко спал.	- *The guests had a good time while the host was sound asleep.*

(continued)

37. Александр сдал все экзамены и тем самым доказал, что он совсем не глуп.	- *Alexander passed all his exams, and thereby proved that he is not at all stupid.*
38. И́горь бога́т и умён, но со всем тем ему не везёт.	- *Igor is rich and smart but, notwithstanding all this, he does not have luck.*
39. Мой друг бе́ден и к тому же бо́лен туберкулёзом.	- *My friend is poor, and moreover sick with tuberculosis.*
40. Наш сосед был очень бо́лен, да и то сказать - чуть не умер.	- *Our neighbor was very sick, and, indeed, all but died.*
41. Управля́ющий стал ни с того, ни с сего кричать на слу́жащих.	- *The manager started to shout at the employees for no good reason at all.*
42. Не то, чтобы Николай был глуп, но у него не хвата́ет энергии.	- *It is not that Nikolai is stupid, but he does not have enough energy.*
43. Тамара хочет во что бы то ни ста́ло стать доктором.	- *Tamara wants to become a doctor, no matter what.*
44. Стремя́сь жить как можно про́ще, Иван дошёл до того, что перестал по́льзоваться даже машиной.	- *Trying to live as simply as possible, Ivan went so far as even to stop using his car.*

F. Interrogative Pronouns

1. КТО?	Кто из вас?	- *Which one of you?*
	У кого?	- *At whose house?*
ЧТО?	Что из этого?	- *What of it?*

NOTE: When a definition is required, кто and что may be reinforced with такой/такая/такое/такие:

Кто это такие?

Что это такое?

a) Special constructions with *КТО*:

Кто кого?	- *Who will win?*

b) Special constructions with *ЧТО*:

Что стоит эта книга?	- *How much does this book cost?*
Что этот человек из себя представля́ет?	- *What is this person like?*
Что с вами?	- *What is the matter with you?*
Что это за книга?	- *What kind of book is this?*[1]
Что это за люди?	- *What kind of people are these?*[1]
Взять книгу с собой, что ли?	- *Should the book perhaps be taken along, or what? (coll.)*
Что пользы[2] от этого? Что то́лку от этого?	- *What is the use of this?*
Что ты плачешь? (coll.) Чего ты плачешь? (coll.)	- *Why are you crying?*
С чего бы это (вдруг)?	- *What is the cause? Now why?*
К чему всё это?	- *What is all this good for?*
При чём тут я?	- *What have I to do with it?*
В чём дело?	- *What is the matter?*

In exclamations:

Что вы!	- *You don't say so! Oh, no! Please don't!*
Чего там разговаривать!	- *What's the use of talking?*
Чего он только не видел!	- *The things he has seen!*
Чего бы он не дал за это!	- *What wouldn't he give for that!*
Одно назва́ние чего сто́ит!	- *The name alone counts for a lot!*

---

[1] The same construction can also be used as an exclamation.
[2] Coll.; normally one would say *какая по́льза?*

NOTE: What is translated at times by как *(how)*:

What is your name? – Как ваше имя? Как ваша фами́лия?

What do you think? – Как вы думаете?

What did you say? – Как вы сказали?[1]

What is this village called? – Как называ́ется эта деревня?

What it the title of this book? – Как называ́ется эта книга?

[1]used if one did not hear what was said and wants it repeated

---

2. КОТОРЫЙ/АЯ/ОЕ/ЫЕ – *which (one)?*
   Который из них? – *Which (one) of them?*

   КАКОЙ/АЯ/ОЕ/ИЕ – *what kind (of)?*

NOTE: Который and какой are both often translated as *what.*

a) Examples of *КОТОРЫЙ*:

Которую главу ты читаешь? – Пятую.

Который из твоих братьев придёт? – Младший, Серёжа.

В котором ты классе?[1] – В шесто́м.

Который час? – Полови́на второго.

В котором часу ты придёшь? – В восемь часов.

В котором году́[1] он родился? – В тысяча девятьсот пятом.

Который раз я тебе это уже повторяю! Запомни же, наконец![2]

Который тебе год?[3] – Седьмо́й (мне уже испо́лнилось шесть.)

На который день после операции он сможет встать? – На пятый.

На котором ты курсе?[4] – На последнем.

[1]*в каком* can also be used here. [2]*How many times have I already told you this?!* [3]*How old are you?* [4]*What year are you in?*

b) Examples of *КАКОЙ*:

Какая это пло́щадь?	- Это Красная площадь.
Какой сегодня день?	- Пятница.
Какое завтра будет число?	- Шестое ию́ня.
Какого числа́ вы уезжаете?	- Двенадцатого а́вгуста.
В какой день пришло это письмо?	- В субботу.
Какая ра́зница между этими книгами?	- Никакой.
Каких он лет?/Какого он во́зраста?	- Он сре́дних лет[1] - сорока́ пяти́.
Какого цве́та у неё глаза?	- Синие.
Какого со́рта эти яблоки?[2]	- Они кислые; это антоновка.[3]
По какому пра́ву вы это спрашиваете?	= *What right do you have to ask this?*
Каким о́бразом ты всё успел сделать?	- Я работал по ноча́м.
По какому делу[4] ты приехал в город?	- Мне нужны́ деньги.
С каких пор[5] ты интересуешься футболом?	- С детства.
Какой смысл кричать? /Какой толк делать сце́ну?	= *What's the use of shouting/...making a scene?*
In exclamations:	
Который год он уже в Сибири!	= *How many years he's already spent in Siberia!*
Какая она хоро́шенькая де́вочка!	= *What a pretty girl she is!*
Какой он умный!	= Как он умён!
Какое безобра́зие!	= *What an outrage!*
Какими судьба́ми! (Coll.)	= *Fancy meeting you!*

Reminder and caution: English uses *what* in many of the sentences in both a) and b) above.

---

[1] *middle-aged* [2] *What kind are these apples?* [3] These are a popular kind of apple in Russia; fragrant, and with a pleasant taste. [4] *On what business...* [5] *Since when...*

3. КАКÓВ/Á/Ó/Ы́ *(What kind)* is used only in the nominative case.

Какóв результат?	- *What is the result? (=of what kind is the result)*
Какóв он собой?	- *What does he look like?*
Трудно сказать, каковы́ будут послéдствия.	- *It is difficult to say what the consequences will be.*

In exclamations:

Вот он какóв![1]	- *That's what he is like.*
Каковó![1]	- *How do you like this!*

[1] Such expressions carry a negative connotation.

4. ЧЕЙ, ЧЬЯ, ЧЬЁ, ЧЬИ - *Whose?*

Exercise 4:

a) Review the declension of the pronouns чей, чья, чьё, чьи.
b) Translate the following sentences, using both singular and plural forms for additional practice.

1. Whose seat is this?
2. Whose money is this?
3. About whose book are you speaking?
4. With whose work are you not satisfied?
5. Whose sister is this?
6. Whose are these flowers?
7. Whose room did you see?
8. In whose garden were you?
9. With whose brother did you work?
10. In whose book did you find this?
11. Whose guests were late?
12. Whose friend is this?
13. Whose name don't you remember?

(continued)

14. Whose parents did you meet?
15. To whose friends did you write?

Exercise 5:

Supply the correct form.

1. Скажите, *(in what city)* вы родились?
2. Интересно было бы узнать, *(which of the girls)* вы увидели первой.
3. Извините, *(what is your name)*?
4. *(What flowers)* нравятся вам больше всего?
5. *(On what date)* будет у вас экзамен?
6. Вы знаете, *(at whose house)* мы были вчера?
7. *(What date)* было вчера?
8. *(In whose)* статье ты нашёл это?
9. Там было три комнаты - *(which one)* из них вы выбрали?
10. *(On what day)* вы собираетесь ехать в город?
11. Скажите, *(what is this poem[1] called)*?
12. Идти нам в театр или нет? - *(what do you think)*?
13. Спросите у гида, *(what is this building)*.
14. *(What date)* будет в среду?
15. *(What color)* у вас чулки?[2]

---

[1] *стихотворение* [2] *stockings*

Exercise 6:

Переведите.

1. What is Vera's last name?
2. What a stupid question!
3. What book are you reading now?
4. What's the use of asking questions?

(continued)

5. Petrov is a learned man. The things he knows!
6. Should I perhaps write to John, or what?
7. What is the matter with Nina?
8. What have the children to do with it?
9. On what day did you receive the telegram?
10. On what date does the spring semester end?
11. From what time on have you been living here?
12. What difference can there be between these two drugs?[1]
13. At what time will the train arrive?
14. I did not hear - what did you say?
15. Which one of the musicians[2] was late?
16. What color is the sky today?
17. In whose garden did you see those flowers?
18. Which of Chekhov's plays did you see last night?
19. What nice people!
20. About whose work[3] are you speaking?

---

[1]*лека́рство* [2]*музыка́нт* [3]*произведе́ние*

G. Indefinite Pronouns

Reminder: To form indefinite pronouns, the suffixes -то, -нибудь, -либо are attached to the interrogative pronouns кто, что, какой, чей. -то makes the pronoun the least definite (and is used to refer to persons and things that can be identified), and -либо (used in more formal speech) makes it the most definite. These suffixes are never accented, and the pronouns formed with them are not used in negated sentences.

Кажется, кто-то пришёл. - *It seems that someone came.*

Кто-нибудь пришёл? - *Did anyone come?*

(continued)

Не знаю, придёт ли кто-либо. - *I doubt whether anyone at all will come.*

Он был чем-то недово́лен. - *He was displeased with something.*

Поговорим о чём-нибудь интересном. - *Let us talk about something interesting.*

Разве кто-либо что-либо сказал? - *Did anyone really say anything?*

Чья-то книга лежит на полу. - *Someone's book is on the floor.*

Эта дача какого-нибудь богача́. - *This villa belongs to some rich man.*

Я не люблю говорить о чьих-либо ли́чных делах (= о чьих бы то ни было...). - *I don't like to discuss anyone's private affairs.*

Idiomatic constructions:

Кто что любит
Кому что нравится - *Tastes differ.*

Кому-кому, а им должно быть всё изве́стно. - *They should know, if anyone does.*

Кому пироги́ и пы́шки, кому синяки́ и ши́шки. - *Some get buns and pies, and some the bumps and black eyes. (Proverb)*

Special usages:

1. Ко́е-кто пришёл. - *A few people, certain people came.*

   Да, я встретил ко́е-кого́.
Я обещал ко́е-кому́ прийти на лекцию.
Я поговорил ко́е с кем.

2. Кое-что - *a thing or two; certain things* (что-то)

   Мы говорили ко́е о чём.

3. Не́кто Иванов (used only in the nominative) - *a certain Ivanov*

   Не́кий Иванов - *a certain Ivanov*

   Я был знаком с не́ким Ивановым.

4. Не́что (used only in nom. and acc.; equals что-то)

   Я вам расскажу не́что странное. - *I will tell you something strange.*

NOTE: The relative pronouns are discussed in connection with relative clauses in Chapter 6. The declension of the reciprocal pronoun is in the Appendix.

Exercise 7: REVIEW

a) Read the following passage several times aloud.
b) Examine all pronouns.
c) Translate the passage into English, and then back again into Russian.

Станисла́вский - один из самых выдаю́щихся и интересных ли́чностей, свя́занных с русским театром конца 19-ого и первой тре́тью 20-ого века. Сам он не имел осо́бенно высокого мнения о себе, всегда отдавая до́лжное[1] сотру́дникам. Это видно из того, что он сам пишет в своих трудах, а также и из того, как к нему относи́лись „его" актёры. Его знаменитый „ме́тод" сам по себе не привёл бы ни к чему, если бы сотру́дники - со своей стороны́ - не приняли его и не призна́ли бы его „свои́м." Станиславский имел спосо́бность увлека́ть за собой всех тех, кого воодушевля́ло[2] театра́льное искусство.

„Метод" Станиславского заключался в том, что каждый актёр сам работал над собой и своей ролью после того, как на первой репети́ции[3] были разрабо́таны так называ́емые „основны́е при́нципы." Каждому было отведено́[4] как бы[5] „своё место" в спекта́кле, и каждый играл свою роль по-сво́ему, т.е. жил свое́ю жизнью на сцене и вёл себя совершенно есте́ственно, тем самым создава́я по́лную иллю́зию реа́льной жизни.

В то время русский театр не имел своей со́бственной тради́ции - а лишь подража́л французам, с прихо́дом же Станисла́вского всё измени́лось. Тот, кто интересуется историей русского театра, не может не отме́тить[6] того, что происходило во время сотру́дничества Станиславского и Чехова. „Нам с вами сам Бог велел работать вместе!" воскли́кнул как-то Станиславский, пожима́я руку Чехову. Ни тот, ни другой, кажется, не сомнева́лись[7] в пра́вильности этих слов.

Пу́блика быстро привы́кла к тому́, что если Станисла́вский ста́вил что-ли́бо, то получа́лось не́что необыкнове́нное. И правда - чего Станисла́вский только не предпринима́л,[8] чтобы воссозда́ть[9] действи́тельность на

(continued)

[1] *what is due* [2] *inspire* [3] *rehearsal* [4] *assigned* [5] *so to speak* [6] *to note* [7] *doubt* [8] *undertake* [9] *recreate*

сце́не! Каких бы уси́лий[1] ни сто́ила постано́вка,[2] Станисла́вский брал на себя отве́тственность за успе́х спектакля. Он точно знал, чего хотел, и всегда умел настоя́ть на своём. Сто́ило ему только покача́ть головой и сказать „Нет, не то, не то!", - самому́ сделать какой-нибудь жест или указать ве́рную интона́цию - и всё снова шло как надо.

Правда, кое-кому не нравились приёмы[3] Станиславского. Так ю́ный Все́волод Мэ́йерхольд не соглашался со Станиславским, и не считал, что на сце́не непреме́нно должно происходи́ть то же са́мое, что и в жи́зни. „То́-то и есть," говорил он, „что сце́на должна остава́ться сце́ной; каким о́бразом она может быть действи́тельностью?" Это - слова второго замечательного русского актёра и режиссёра того же времени. Не то, чтобы Мэйерхольд враждова́л[4] со Станисла́вским - он про́сто не соглаша́лся с ним. У каждого из них был свой взгляд на театра́льное иску́сство, и что за замечательные спектакли ставили они о́ба! - Каждый из этих спектаклей был в своём роде неповтори́мым, и публика неизме́нно[5] восторга́лась[6] и тем, и другим режиссёром.[7]

---

[1]*effort* [2]*staging, production* [3]*device* [4]*waged war*
[5]*invariably* [6]*be enraptured (with)* [7]*stage direction*

Exercise 8: REVIEW

Supply the correct form.

1. Что каса́ется драмату́рга и режиссёра, то нередко у каждого из них бывает *(his own)* точка зре́ния.[1] Каждый понимает пьесу *(in his own way)*.

2. Даже Чехов и Станиславский могли не соглаша́ться *(with one another)* по по́воду[2] интерпрета́ции *(of some)* ро́ли.

3. Когда Станиславскому надо было серьёзно подумать *(about something)*,[3] он запира́лся у себя в кабинете и иногда даже разговаривал *(with himself)*, стара́ясь уточни́ть *(his thoughts)*.

4. Станиславский требовал от *(his)* актёров, чтобы они во время игры забывали *(their own)* ли́чность - своё со́бственное „я" - и превра́щились в *(that)*

(continued)

---

[1]*point of view* [2]*because of* [3]translate in two ways

человека, которого представля́ли на сце́не.

5. Если *(someone's)* роль не удава́лась, то это касалось всех, а не только *(the one)*, у кого были тру́дности.

6. Московский Художественный Театр до сих пор сла́вится[4] *(its acting)*[5] и если он обя́зан *(to anyone at all)*, этой *(its)* сла́вой, то это, конечно, Станиславскому.

7. Мэйерхольд сначала не думал *(about himself)* как о самостоя́тельном режиссёре. Если бы *(someone)* предсказал ему *(his)* блестя́щую театра́льную карье́ру, то он вряд ли поверил бы *(such words)*.

8. Мэйерхольд был *(so)* тала́нтливым, что вряд ли *(anyone)* мог сопе́рничать[6] с ним.

9. Спектакли Мэйерхольда всегда были *(something)* необыкновенным, новым и неожи́данным. *(This)* ге́ний нашёл *(something)*[8] о́бщее с ге́нием Маяко́вского: они дополня́ли[7] *(each other)*.

10. Вряд ли *(at any other time)*[8] русское театральное искусство достигло[9] *(such)* высоты́ и оригина́льности, как в первые 15 лет после революции 1917-ого года. Станиславский и Мэйерхольд сделали для этого больше чем *(anyone)* другой.

---

[4] followed by instrumental case [5] *игра* [6] *compete*
[7] *supplement* [8] translate in two ways [9] *attain*

CHAPTER 11

REMARKS ON THE RELATIVE CLAUSE AND THE APPOSITIVE

A. Relative Clauses

Reminders: a) The relative pronoun can not be omitted:

This is the book he wrote. - Вот книга, *которую* он написал.

b) The relative pronoun который/ая/ое/ые can not be the subject of the relative clause if the verb быть is omitted (as in the present tense). For example, there is no Russian equivalent for the English sentence:

This is my friend who is a journalist.

One can *not* say in Russian:

Вот мой друг, который журналист.[1]

1. The relative pronoun который/ая/ое/ые *(who, which)* agrees in gender and number with its antecedent, but the *case* in which it appears is determined by its function within the relative clause itself.

   NOTE: The relative clause has its own subject, its own predicate, and its own objects. Thus, the relative clause, *not the main clause*, determines the case of the relative pronoun.

---

2. If который/ая/ое/ые appears in the genitive, its position in the clause becomes second or even third (if there is a preposition).

   Человек, *дом которого* ты видишь, сейчас не здесь.

   Даму, *дочь которой* у́чится у нас, зовут Анной Ивановной.

   Де́рево, *ли́стья которого* па́дают, надо сруби́ть.

   Детей, *с родителями которых* вы дру́жите, надо будет пригласить.

---

[1] This can only be expressed with two separate sentences: *Вот мой друг; он журналист.*

3. The pronoun чей, чья, чьё, чьи *(whose)* may replace the genitive of the pronoun который. Чей, чья, чьё, чьи does not agree with its antecedent. Instead, it agrees in gender, number, and case with the word it qualifies in the subordinate clause.

   Вот девочка, чью мать (мать которой) я хорошо знаю.

   Люди, в чьих чемода́нах (в чемоданах которых) нашли деньги, оказались ворами.

---

4. Что is used as a relative pronoun if:

   a) The antecedent is что-то, то, всё, многое, and such neuter forms as вся́кое *(all sorts of things)*, такое, (самое) гла́вное, etc.

      То, что ты говорил, пра́вильно.

      Всё, что нахо́дится здесь, моё.

      Ничего из *того, что* я прочитал, не заинтересова́ло меня.

      Многое говорили, о *чём* не сто́ит и вспоминать.

      Сейчас я скажу *что-то, чем* вы останетесь дово́льны.

      Вся́кое бывает в жизни, *чего* не должно́ было бы быть.

      Он предложил *такое,* о *чём* никто и не думал.

      То хорошее, *что* он сделал, не забу́дется.

      Погово́рка: (То), *чем* бога́ты, *тем* и рады (угостить). *(Whatever we have we are glad to share.)*

   b) The antecedent is *not one word* but an entire statement.

      В Аляске зимой очень холодно, что не всем нравится.

      NOTE: Что may be used instead of который/ая/ое/ые only in the nominative or accusative case. However, что in this connection is quite colloquial and should be avoided.

      Дом, *что* стоит на берегу, наш.

(continued)

Дача, *что* была постро́ена в прошлом году, сгоре́ла.

Дере́вья, *что* мы посадили, будут хорошо расти́.

c) Что is used in the meaning of *whatever*:

Принеси, *что* оста́лось.

---

5. Кто is used as a relative pronoun:

a) If the antecedent is a pronoun or вся́кий *(anyone)*, все, каждый.

Это *тот, кто* должен был приехать вчера.

Те, кому он написал, его не знают.

Ты *та, кого* я люблю.

Всякий, кто хочет работать, найдёт себе работу.

Каждому, кто приходил, давали денег.

Все, кто хотят, могут войти.

Тот, кто заказал это вино, и выпил его.

NOTE: Тот may be omitted after an adjective with a short ending (in solemn statements).

Блаже́н, *кто* не теря́ет ве́ры. *(Blessed is he who does not lose his faith.)*

Also, if the pronoun antecedent is very emphatic *(the one who, those people who)* который may be used instead of кто.

Неужели это *тот* (самый человек), *которого* я любила?

In case of те, которые/все, которые the verb is in the plural. Все, кто can be followed by either a singular or a plural verb.

Те, кто бежал (бежали), спаслись.

Все, кто приехал (приехали) очень веселились.

b) In the meaning of *whoever* or *every one who*.

Кто захочет, пусть приходит. *(Whoever wants to come, let him.)*

---

6. Какой/ая/ое/ие as a relative pronoun frequently has the antecedent такой/ая/ое/ие (or тот).

   У него *такое* богатство, *какого* ты нигде не найдёшь.

   Тут опи́сывают *таких* женщин, *каких* никто не видел.

Exercise 1:

a) Study the following sentences, paying special attention to the relative pronouns.
b) Cover the Russian text and reconstruct it.

1. Дай мне книгу, которая у тебя в руке! - *Give me the book which is in your hand.*

2. Мы не знако́мы с соседом, о котором вы говорите. - *We are not acquainted with the neighbor about whom you are speaking.*

3. Вот картина, которую он купил. - *Here is the picture he bought.*

4. Мне не нравится дача, цена которой такая высокая. - *I don't like the cottage the price of which is so high.*

5. Вот друг, чьи письма меня всегда радовали. - *Here is the friend whose letters always gave me joy.*

6. Скажи мне имя мальчика, которому сегодня исполня́ется десять лет. - *Tell me the name of the boy who is turning ten today.*

7. Позови девочку, с которой Маша вчера играла. - *Call the girl with whom Masha was playing yesterday.*

8. Я читаю о поэте, стихотворе́ние которого тебе так понравилось. - *I am reading about the poet whose poem you liked so much.*

9. Не говори о вещах, которых ты не знаешь! - *Don't talk about things you don't know.*

10. Пригласите детей, чьих родителей вы хорошо знаете. - *Invite the children whose parents you know well.*

(continued)

11. Те, кто придут рано, получат хорошие места. - *Those who come early will get good seats.*

12. Не вся́кий, кому ты об этом расскажешь, поверит тебе. - *Not everyone whom you tell about this will believe you.*

13. Тот, кто это сделал, подле́ц. - *He who did this is a scoundrel.*

14. Все, кого я пригласил, пришли. - *All whom I invited came.*

15. Покажите мне, что можете. - *Show me whatever you can.*

16. Иван простуди́лся, что очень неприятно. - *Ivan has caught a cold which is very unpleasant.*

17. Многое было сделано, о чём мы не знали. - *Much has been done about which we did not know.*

18. Всё, о чём вы говорите, верно. - *Everything you are talking about is correct.*

19. Я не знаю таких людей, каких ты ищешь. - *I don't know the kind of people you're looking for.*

20. Нина ещё не пришла, что меня беспокоит. - *Nina has not come yet, which worries me.*

21. Всё хорошо, что хорошо кончается. - *All is well that ends well.*

Exercise 2:

Indicate the correct relative pronoun. Remember that certain verbs require special constructions, e.g.:

горди́ться	*+ instrumental case*
избега́ть/избежа́ть	*+ genitive*
доверя́ть	*+ dative*
упрека́ть/упрекну́ть	*+* в *+ prepositional*
нравиться/понравиться	*+ dative*
казаться/показаться	*+ instrumental*
etc.	

1. Книга, *(which)* я пишу, скоро будет зако́нчена.

2. Это люди, *(whom)* можно верить.

(continued)

3. Меня познакомили с человеком, *(who has)* много денег.

4. Все, *(to whom)* мы написали, ответили сра́зу.

5. Иван потерял интерес к занятиям, *(which is)* очень печа́льно.

6. Пётр Петрович освободи́лся на всё лето, *(which)* он теперь наслажда́ется.

7. Я не понимаю всего, *(that)* ты сказал.

8. Сосе́ди, *(whom)* ты всегда избега́л, оказались очень сла́вными.

9. Не повторяй того, *(which)* было уже ска́зано.

10. Как он соску́чился по той, *(whom)* любит!

11. Не покупайте тех книг, *(which)* сто́ят до́рого.

12. Где дама, *(for whom)* я доста́л билеты?

13. Семья, всё состо́яние[1] *(whose)* было поте́ряно во время войны, теперь бе́дствует.[2]

14. Бе́женцы,[3] *(?)* необходи́мо помо́чь, нахо́дятся сейчас в ла́гере.

15. Каждому, *(?)* попросит по́мощи, надо будет помочь.

16. Друзья, *(whose)* сове́ты нам до́роги, теперь, к сожале́нию, далеко́.

17. Многое, *(about which)* мы мечта́ли, так и не[4] сбылось.[5]

18. Началась страшная гроза́, *(?)* испуга́ло детей.

19. Судьба́ дала тебе всё то, *(?)* ты добива́лся.

20. Концертов, *(?)* я так наслажда́лась в прошлом году, больше не будет.

21. Какой номер телефона у товарища, *(?)* ты звонил вчера?

22. Кто это был, *(with whom)* ты так долго разговаривал?

23. То, *(about which)* ты мечта́ешь, никогда не случи́тся.

24. Я вас познако́млю с людьми, *(?)* можно верить.

25. Самое гла́вное, *(?)* нужно добива́ться в жизни - это душе́вное споко́йствие.[6]

---

[1] *fortune* [2] *is in need* [3] *refugees* [4] *never* [5] *came true* [6] *calm*

Exercise 3:

Переведи́те на русский язык.

1. The lady whom Ivan married is very nice. The people in whose house she lived were foreigners whom no one knew well. All I had heard about them was that they spoke a language no one understood. But the language in which[1] Ivan and his wife now speak is English.

2. The road along which we walked was narrow.[2] Those among us who did not like long walks[3] were dissatisfied. But everything we saw was beautiful: such flowers as[4] we had never seen and in the trees were birds whose songs were wonderful.

3. I envy people who succeed in everything they do. Those with whom I sometimes speak about it usually do not like my ideas. The main thing I am interested in is to achieve something that one could be proud of.[5]

4. In the cities in which we live nowadays[6] there is much that frightens[7] people. The streets along which we walk are often dirty; the people we meet do not smile. All who live in a big city know the danger which it is impossible to forget: a robber[8] whom it is difficult to see in the dark may suddenly appear.[9]

5. The main thing about which mankind[10] has been dreaming is justice. This is the truth which must not be forgotten. Many experiments about which we have read did not succeed. But justice is a dream[11] in which mankind still[12] believes and with which it does not want to part.[13]

6. The man whose house is open to others will never feel[14] lonely, and he who knows how to share will never be hungry. This is something that everyone should know.

---

[1] use *на* + prep. [2] *у́зкая* [3] *прогу́лка* [4] use *такие* + *каких* [5] use the impersonal: *можно было бы* [6] *в тепе́решнее время* [7] *пуга́ть* [8] *граби́тель* [9] *появи́ться* [10] *челове́чество* [11] *мечта́* [12] *всё ещё* [13] *расста́ться* [14] *чу́вствовать себя*

B. The Appositive

Reminder: The appositive provides additional information about a specific noun or pronoun.[1]

1. The appositive may be linked with the noun it defines:

   a) By a hyphen: Москва-река,[2] герой-город, поэт-самоу́чка, ученики́-отли́чники.

   b) By means of such words as как, а и́менно, или, то есть, по имени, по профе́ссии:

      Все уважа́ли профессора Петрова *как человека учёного*.
      Иван жил со своим лучшим другом, *а и́менно - Сергеем Городе́цким*.
      Позови Николая, *или* по́просту[3] *Кольку*!
      Мы построили дачу, *то есть (т.е.) обыкновенную избу́*.
      Наши соседи познакомились с Петром Ивановичем Казанским, *по профессии архитектором*.

NOTE: In both situations, the basic components of the appositive must be in the same case as the noun that is being defined. This rule applies also to names of cities, villages, rivers, and lakes:

В *городе Киеве* много парков.
Вдоль берегов *реки Енисея* находится бесконечная тундра.

BUT: The names of newspapers, magazines, literary works, publishing houses, organizations, stations, vessels, and specific places (such as estates, collective farms, restaurants, and factories) always appear in the nominative case.

В газете „Правда" сегодня интересная передови́ца *(editorial)*.
Что ты нашёл в журнале „Юность"?
В романе „Анна Каренина" много персона́жей.
Недалеко от колхоза „Красная Звезда" были дрему́чие *(dense)* леса́.

(continued)

---

[1]Occasionally, a collective numeral may also be defined: *Трое пришли - замеча́тельная молодёжь*.
[2]If a common noun stands before the proper noun, the hyphen is not used: *река Москва*.
[3]*simply*

Туристы осмотрели фабрику „Советская Сталь" *(steel)*.
Пойдём в ресторан „Ко́рюшка"!

---

2. The appositive usually *follows* the word it defines, but if it has *causative* or *concessive* meaning, it often *precedes* it.

Ещё сла́бый от боле́зни, Андрей легко уставал. *(Cause)*
Обычно спокойная и сде́ржанная, Анна на этот раз рассердилась. *(Concession)*

Exercise 4:

a) Study the following sentences.
b) Cover the Russian text and reconstruct it.

1.	Мы читали о не́нцах, пле́мени, живущем на далёком се́вере.	- *We read about the Nentsi, a tribe living in the Far North.*
2.	Позволь представить тебе моего друга, интереснейшего человека.	- *Allow me to introduce my friend, a most interesting person.*
3.	Нас троих, весёлых и беззабо́тных студентов, можно было встретить на всех вечеринках.	- *The three of us, gay and carefree students, could be seen at all parties.*
4.	У нас, двух товарищей с де́тства, было много о́бщего.	- *The two of us, friends from childhood on, had a lot in common.*
5.	Надо будет всё рассказать Анне Ивановне, нашей русской препода-ва́тельнице.	- *It will be necessary to tell everything to Anna Ivanovna, our Russian teacher.*
6.	При Николае Ивановиче, пожилом и очень стро́гом профессоре, никто не посмел бы курить.	- *In the presence of Nikolai Ivanovich, an elderly and very strict professor, no one would dare smoke.*
7.	На этой неде́ле мы читаем о поэтах-революционерах.	- *This week we are reading about the revolutionary poets.*

(continued)

8. Я люблю погулять вдоль Москвы-реки. - *I like to go for a stroll along the river Moskva.*

9. Бледного и усталого, но спокойного, Николая отвезли в больницу. - *Pale and tired, yet calm, Nikolai was taken to the hospital.*

10. Кто читал мою статью́ в журнале „Октябрь"? - *Who has read my article in the journal "October"?*

11. Толстой написал роман „Война и мир," живя в своём име́нии „Ясная Поляна." - *Tolstoy wrote his novel War and Peace while living on his estate Yasnaya Polyana.*

12. Председатель колхоза „Красная Новь" хороший мой приятель. - *The chairman of the collective farm "Krasnaya Nov'" is a good friend of mine.*

13. О́коло ресторана „Россия" собралась толпа́. - *A crowd gathered near the restaurant "Rossiya."*

14. Мы приехали на пароходе „Лермонтов." - *We came on the steamship "Lermontov."*

15. Нина вышла замуж за Сергея Ивановича, человека не плохого, по профессии адвоката. - *Nina married Sergey Ivanovich, not a bad fellow - by profession a lawyer.*

16. Мне нужна помощь, т.е. небольшая сумма денег. - *I need help - that is, a small sum of money.*

Exercise 5:

Combine each pair of sentences into one by turning the second sentence into an appositive.

1. Мы слушали поэта. Он изве́стен во всём мире.
2. Конечно я люблю Лялю. Она моя лучшая подруга.
3. Ивану не трудно будет перевести́ эту статью́. Он специали́ст по хи́мии.
4. Не вспоминай об этом посту́пке. Это был нече́стный и некрасивый посту́пок.

(continued)

5. Мы разговаривали с журналистами. Они очень симпатичные люди.

6. Туристы побывали в Киеве. Это большой и красивый город.

7. Маша прочитала пять глав из длинного романа. Это, кажется, произведе́ние Горького.

8. Отец утеша́л детей. Они устали[1] и были го́лодны.[1]

9. Ученики переночева́ли в деревне. Это была Сосно́вка.

10. Дедушка каждый день что-то читает. Это, вероя́тно, какая-нибудь иностра́нная газета.

11. Отец говорил об осложне́ниях. Это были потеря́нные деньги.

12. Охотник шёл с Лизкой по тропи́нке. Лизка была его охо́тничья собака.

13. Мы увидели ребёнка. Это был семилетний мальчик.

---

[1] Use the corresponding adjective.

Exercise 6:

Change the relative clause into an appositive. (Remember to use the long adjective ending.)

1. Бабушка рассказала ска́зку, которая была длинная и интересная.

2. Лучшим воспомина́нием жизни было детство, которое было беззабо́тным и счастливым временем.

3. У меня не было ничего о́бщего с этими людьми, которые были совсем необразо́ванные иностра́нцы.

4. Дети играли с девочкой, которая была сла́вная и весёлая.

5. Нас вёл по лесу мальчик, который был весёлым, синеглазым подро́стком.[1]

6. Дай мне книгу, которая интереснее[2] чем моя.

7. Не ходи по этой дороге, которая у́зкая и очень ско́льзкая.[3]

8. В кабинете шкаф, который по́лон книг.

(continued)

---

[1] *teenager* [2] Use the compound comparative. [3] *slippery*

9. В комнату вбежала девочка, которая была очень похо́жа на своего брата.

10. По улицам, которые были мо́крые от дождя, спешили люди.

11. Здесь в лесу, который какраз в этом месте особенно привлека́телен,[4] много грибо́в.

12. Мы уже взяли из библиотеки книги, которые нам нужны.

13. К цене́ дачи, которая была и так уж высокая, приба́вили ещё тысячу рублей.

14. Из по́езда, который был по́лон отъезжающих солдат, вышел знакомый офицер.

15. Я не люблю людей, которые всегда довольны собой.

16. Разве можно нанимать[5] этих людей, которые не спосо́бны ни к како́му труду́![6]

17. Бе́женцев, которые были голо́дные и больные, перевезли в больни́цу.

18. Не надо бояться жизни, которая всегда полна́ неожи́данностей.

19. Мы говорили о герои́ческом посту́пке, который досто́ин уваже́ния.

20. Пришлось навсегда расста́ться с жизнью, которая была привы́чна и легка́.

---

[4]*attractive* [5]*hire* [6]*hard work*

NOTE: The participial construction which substitutes for a relative clause with its pronoun in the nominative or accusative case (without a preposition) can also be considered an appositive.

а. Книгу, *которая уже прочитана всеми*, надо отнести в библиотеку.
Книгу, *уже прочитанную всеми*, надо отнести в библиотеку.

б. Я хотела бы послушать этих композиторов, *которые так любимы пу́бликой*.
Я хотела бы послушать композиторов, *так любимых пу́бликой*.

(continued)

в. Разве можно спорить с Богом, *который является всемогущим творцом* неба и земли?!
Разве можно спорить с Богом, *всемогущим творцом* неба и земли?!

г. Мы все узнали даму, *которая встала* нам навстречу.
Мы все узнали даму, *вставшую* нам навстречу.

д. Отдай книгу, *которую я одолжил тебе* вчера!
Отдай книгу, *одолженную тебе* мною вчера!

е. Не стоит поднимать вопросов, *которых публика не понимает*.
Не стоит поднимать вопросов, *не понимаемых публикой*.

ж. Все посмотрели на актёра, *который вышел* на сцену.
Все посмотрели на актёра, *вышедшего* на сцену.

Exercise 7:

Change the relative clause to a participial construction with the function of an appositive.[1]

1. Я хорошо вижу человека, *который сидит* в углу.
2. Покажи скорее задачу, *которая была задана* нам на завтра.
3. Иван принёс картину, *которая была найдена* на чердаке.[2]
4. Я не знаю этих людей, *которые пришли* сюда.
5. Мы познакомимся с людьми, *которые уважаемы* многими.
6. Толстой писал много о проблемах, *которые теперь могут казаться* устарелыми.
7. Иногда приходится задуматься о многом, *что было сказано* Толстым.

[1] In case of a negative object, the pronoun is in the genitive.
[2] *attic*

Exercise 8:

Read the following excerpts (from L. Tolstoy's essays "About the significance of science and art" and "About work and luxury") and pay special

(continued)

attention to relative clauses, participial constructions, and appositives.

Многие люди, око́нчившие курс в университете, не знают, что им делать, потому что вопрос этот не сто́ит для них, так как должен стоя́ть, - а и́менно: "Как мне, беспо́мощному, бесполе́зному человеку, по несча́стию моих усло́вий погуби́вшему лучшие уче́бные годы на развраща́ющее душу и те́ло изуче́ние нау́чного талму́да, поправить эту ошибку и выучиться служить людям?" А он у них сто́ит так: "Как мне, приобре́тшему столько прекрасных знаний человеку, быть этими знамиями поле́зным людям?"

Мы устро́или себе жизнь, проти́вную нра́вственной и физи́ческой приро́де человека. Мы предклоняемся[1] перед культурой и искусством, т.е. усоверше́нствованиями[2] прия́тностей жизни, являющимися попы́ткой[3] обману́ть нра́вственные тре́бования человека.

Мы говорим с убежде́нием о медици́не и так называ́емой гигие́не, т.е. о попы́тке обману́ть есте́ственные, физические требования человеческой приро́ды. Оправда́ния нау́ки для нау́ки и искусства для искусства - все нам известные и часто повторяемые - не выде́рживают света здра́вого рассу́дка.

Что мы считаем человеческим досто́инством,[4] т.е. до́лгом и обя́занностью человека? Всё, что уго́дно, за исключе́нием физи́ческого труда́. И вот, что обыкновенно говорится: смешно́ нам, людям культурного мира, с стоя́щими перед ними глубокомы́сленными вопросами, - филосо́фскими, нау́чными, церко́вными, обще́ственными, - нам, мини́страм, акаде́микам, профессора́м, арти́стам, че́тверть часа́ времени которых так до́рого це́нится людьми, тра́тить наше время на дела, которые делают для нас тысячи людей, которые дорожа́т[5] нашим временем?

---

[1] *bow* [2] *perfecting* [3] *attempt* [4] *dignity* [5] *value*

Exercise 9: Translate.

1. The name of Tolstoy - the great Russian writer and thinker - is known to every educated man. He wrote about serious problems of mankind - moral, religious, and ethical (ones). While living on

(continued)

his estate Yasnaya Polyana Tolstoy also wrote his well-known novels - *War and Peace* and *Anna Karenina*.

2. Tolstoy reproached[1] his own class, the educated and the rich Russians, because most of them led an empty life, that is, a selfish[2] and therefore a very boring life. Tolstoy-the-thinker did not always agree with Tolstoy-the-writer. Sometimes, his ideas puzzled[3] his readers - Russians and foreigners alike.[4]

3. Those who remember the protagonist[5] in Tolstoy's third great novel, prince Nekhludov, will understand what Tolstoy expected from his readers: namely, a true understanding of life's purpose and meaning.[6] Tolstoy wants us to follow[7] Nekhludov, this spoilt,[8] rich aristocrat, and to arrive at the same conclusion[9] as he (does).

4. In his so-called popular[10] tales - often short and simple stories - Tolstoy addresses[11] himself to all: young, old, poor, rich, educated and uneducated. He never published[12] them in the magazine "The Contemporary"[13] - the favourite journal of the young generation.

---

[1] *упрека́ть* [2] *эгоисти́чная* [3] *озада́чивать*
[4] *так же как и* [5] *герой* [6] *смысл*
[7] *сле́довать за* + Instrumental [8] *избало́ванный*
[9] *заключе́ние* [10] *наро́дные* [11] *обраща́ться*
[12] *печа́тать* [13] *Совреме́нник*

REMARKS ON THE NUMERALS

Reminders:

a) All numerals - cardinal, ordinal, and collective - are declined.

b) There is a feminine form for "two" - две.

c) Ты́сяча (1,000) is usually treated as a noun and followed by the genitive plural:

Ему дали тысячу *рублей.*

Это моя тысяча *долларов.*

Много тысяч *людей* поги́бло.
-Many thousands perished.

d) In oblique cases, when unqualified by a numeral or a pronoun, 1,000 may be treated as a numeral. It is then followed by a noun in the *plural* of the same case:

К тысяче рублям надо приба́вить ещё две.

Мы говорили *о тысяче рублах.*

Он *тысячу раз* прав.
-He is absolutely right.

NOTE: There are two distinct possibilities in the instrumental case:

Не много можно сделать *с тысячью рублями.*

Не много можно сделать *с тысячей рублей.*

e) Миллио́н and миллиа́рд *(billion)* are nouns and are always followed by the genitive plural:

Миллио́нам *людей* живётся трудно.

Exercise 1:

a) Review the declensions of cardinal numerals given in the Appendix.

b) Pay special attention to the declensions of 40, 90, 100, полтора́/полторы́, and полтора́ста.

A. Cardinal Numerals

1. *Оди́н, одна́, одно́, одни́* are declined in the same way as the pronouns этот/а/о/и and agree in case, gender, and even number with the noun they modify:

Я провёл в городе один месяц/одну неделю/одно лето.

Сколько часов ты купил? - Конечно только одни.

NOTE: In basic counting, раз is used for *'one.'*

Один, одна, одно, одни also have the following additional meanings:

ALONE:

Сергей живёт один.

Анна приехала не одна.

Это дерево не даст плодо́в, если оно растёт одно.

Дети остались одни.

SOME, CERTAIN:

Я знаю одного́ человека, который поможет нам.

Одна дама попросила купить ей билет.

Одни книги были интересные, а другие - нет.

SOMETHING (emphatically):

Я тебе скажу одно́ - держи язык за зуба́ми.[1]

ONLY (mostly in the plural):

Я говорил с одними учителями.

Пришли одни девочки.

SAME:

Мы с вами учились в одной школе.

Я всё читаю одну (и ту же) газету.

Николай каждый день говорит об одном (и том же).

---

[1] *Keep quiet.*

2. Feminine nouns can be formed from certain cardinal numerals:

едини́ца	шестёрка
дво́йка	семёрка
тро́йка[1]	восьмёрка
четвёрка	девя́тка
пятёрка[2]	деся́тка

These nouns usually denote the corresponding figures, but they can also function as shown in the following examples:

Петя получил пятёрку за сочине́ние.
-Peter got an "A" on his composition.

Чтобы доехать до театра, надо сесть на шестёрку.
-colloquial for "Bus #6."

Вот мои ка́рты:

семёрка пик	*-the seven of spades*
девя́тка черве́й	*-the nine of hearts*
восьмёрка треф	*-the eight of clubs*
пятёрка бу́бен	*-the five of diamonds*

NOTE: Со́тня and полсо́тни *(100 and 50 pieces of something)* are used colloquially, especially in money expressions, such as:

Дай мне сотню. *-Give me 100 roubles.*

The masculine nouns деся́ток and пято́к are also used in this fashion, for example with eggs:

пято́к яи́ц *-five eggs*

---

3. *По* is used with cardinal numerals in distributive expressions:

По + 2, 3, 4, 200, 300, 400: use accusative case of the numeral: *Мы получили по два рубля.*

По + all other numerals: use dative case of the numeral: *Мы получили по одному рублю.*[3]

---

[1] Can also mean a carriage drawn by three horses.

[2] Also the highest grade a student can earn.

[3] In spoken Russian, and at times even in the literary language, the accusative is used after these numerals as well, especially 40, 90, 100. After *один* and its compounds, the distributive *по* construction always takes the dative case.

4. Usage of cardinal numerals with nouns and adjectives:

   a. If the numerals два, две, три, четыре (or their compounds[1] полтора́, полторы́, о́ба, о́бе) are in the nominative or *inanimate* accusative case, the *noun* that follows them is in the *genitive singular*, while the *adjective* appears in the *genitive plural.*

      У меня три (nom.) красивых пла́тья.

      Мы посети́ли два (acc.) больших го́рода.

      BUT nouns which are formed from adjectives and follow the numerals 2, 3, 4, оба/обе take the *genitive plural*:

      три молодых *рабочих*.

NOTE: The adjective after these numerals may appear in the *nominative* plural with *feminine* nouns:

   Я прочитал три *интересные* книги.

   Feminine nouns which are formed from adjectives and come after 2, 3, 4, оба/обе may follow the same pattern:

   две *новые столо́вые*.

   b. If the numerals mentioned above appear in *any other case* (including the accusative of *animate* nouns), both the noun and the adjective must be in the required case, and always in the *plural*:

      Вот вам имена трёх лучших учеников.

      Дайте эти деньги двум маленьким мальчикам.

      Я вам покажу двух спосо́бных девочек.

      Мы разговаривали с четырьмя русскими туристами.

      Я вам всё расскажу об обеих наших младших сёстрах.

   c. When the numerals пять and above are in the nom. or acc. case, both the noun and adjective which follow are in the *genitive plural*:

      В доме было шесть больших комнат.

(continued)

[1] 11, 12, 13, etc. are <u>not</u> compounds.

Я прочитала десять то́лстых журналов.

Мы знаем двенадцать русских студентов.

d. If the numerals 5 and above appear in any other case, both the noun and the adjective which follow (and all other modifiers) must be in the required case, and always in the *plural*:

Иван успел прочитать труды всех этих пяти известных писателей.

Самолёт уда́чно приземли́лся с пяти́десятью усталыми пассажирами.

Туристы побывали в пяти интереснейших городах.

NOTE: An adjective or pronoun in the *nominative* or *inanimate accusative* which *precedes* any numeral except 'one' must be in the plural:

Последние три дня были самые трудные.

Эти грустные четыре дня я буду всегда помнить.

Следующие пять недель прошли быстро.

Первые полтора часа казались бесконе́чными.

Remember: If the subject of a sentence is a cardinal number referring to an inanimate object, the verb is normally in the singular and neuter:

Из ста рублей у нас *осталось* только десять.

Прошло двадцать лет.

---

5. *ПОЛ-*

a. The nominative case is combined with the genitive:

полчаса́

полдю́жины

полмину́ты

полстака́на

полго́да

полве́ка - *half a century*

(за) полцены́ - *(for) half the price*

и т.д.

If these nouns expressing measurement are used in the nominative or accusative *singular*, adjectives qualifying them usually appear in the nominative *plural*:

Каждые полгода надо сдавать большой экзамен.

За последние полчаса температу́ра у больного спа́ла.

b. In oblique cases, пол- changes to полу- and the second half of the word is declined regularly. The qualifying adjective agrees with the second half of the compound:

После трудного полуго́да всё пошло хорошо.

Во время первой полуми́нуты все молчали.

c. Memorize the following frequently used expressions:

на полупути	- *half-way*
к полу́дню[1]	- *towards noon*
по полу́дни	- *in the afternoon (p.m.)*

Nouns combining полу- and a noun:

полуо́стров	- *peninsula*
полубо́г	- *demigod*
полукру́г	- *semicircle*
полуме́сяц	- *half-moon*
полуго́дие	- *half-year (6 mo. period)*
полукро́вка	- *half-breed*
полумра́к	- *semi-darkness*

Adjectives with полу-:

полуди́кий	- *half-savage*
полудрагоце́нный	- *semi-precious*
полужи́вой } полумёртвый }	- *half-dead*
полукру́глый	- *semicircular*
полупья́ный	- *half-drunk*

[1] *по́лдень - noon*

6. Nouns formed with cardinal numerals:

одино́чество	- *loneliness*
однокла́ссник/-ница	- *classmate*
единомы́шленник[1]	- *like-minded person*
двойни́к	- *(someone's) double*
дво́йня	- *twins*
двули́чие	- *duplicity*
треть (fem.)	- *one-third*
тро́йня	- *triplets*
Тро́ица	- *the Trinity*
треуго́льник	- *triangle*
пятиле́тка	- *5-year plan*
пя́тница	- *Friday*
шестиле́тие	- *sixth anniversary*
семиле́тка	- *7-year school*
восьмино́г	- *octopus*
двухсотле́тие	- *bicentenary*
десятиле́тие	- *decade, tenth anniversary*
десятиле́тка	- *10-year school*
деся́ток	- *10 (of eggs, potatoes, etc.)*
деся́тка	- *the figure 10; a 10-rouble bill (coll.)*
сороконо́жка	- *centipede*
столе́тие	- *century*
тысячеле́тие	- *millenium*

---

7. The multiplication table:

2 x 2	- два́жды два[2]
3 x 4	- три́жды четыре[2]
4 x 5	- четы́режды пять[2]
5 x 5	- пя́тью пять

---

[1] There are many formations with *един(о)*.
[2] This is a special formation.

6 x 7	- ше́стью шесть
7 x 8	- се́мью восемь
9 x 9	- де́вятью девять
10 x 10	- де́сятью десять

---

8. The formation of adjectives:

a. The cardinal numeral usually appears in the genitive:

двухле́тний ребёнок
двухэта́жный дом *(2-story house)*
трёхлетняя девочка
четырёхлетнее путеше́ствие
пятиле́тнее отсу́тствие
шестиконе́чная звезда́
двадцатитрёхле́тняя девушка
сорокадне́вный пост *(40-day fast)*

b. -х- is sometimes omitted in formations with дву-:

двули́чный	- *two-faced*
двуно́гий	- *two-legged*
двугла́вый орёл	- *double-headed eagle*
двусмы́сленный ответ	- *ambiguous answer*

Note:

одноэтажный дом	- *one-story house*
однообразная тундра	- *monotonous tundra*
девяностолетний	
столетний	
тысячелетний	
(еди́нственный)	- *one and only*

Exercise 2:

a. Study the following sentences.
b. Pay special attention to numerals.
c. Cover the Russian text and reconstruct it.

1. В этом году Иван зарабо́тал не тысячу, а три тысячи рублей. - *This year, Ivan earned not one thousand but three thousand roubles.*

2. Что можно сделать с одной только тысячью долларов? - *What can be done with only one thousand dollars?*

3. Этот дом стоит 25 тысяч долларов. - *This house costs 25 thousand dollars.*

4. Мы должны работать с пятью́десятью́ студентами. - *We must work with 50 students.*

5. У нас в библиотеке не хватает двухста книг. - *In our library 200 books are missing.*

6. Что бы ты сделал с тремя миллионами? - *What would you do with 3 million?*

7. Нью-Йорк в ста милях от нас. - *New York is within 100 miles of us.*

8. Где газеты? Дай мне одну. - *Where are the newspapers? Give me one.*

9. Мы поедем на концерт одни. - *We will go to the concert alone.*

10. Маша получила четвёрку по математике. - *Masha got a B in math.*

11. Дай мне три русских журнала. - *Give me three Russian magazines.*

12. Что случится через тысячу пятьсот лет? - *What will happen in 1,500 years?*

13. Эти трудные два дня скоро пройдут. - *These difficult two days will soon pass.*

14. Отец дал нам по одному́ рублю́. - *Father gave us each one rouble.*

15. Учитель поставил Алексе́ю пятёрку. - *The teacher gave Alexis an A.*

16. Через полтора года он вернётся. - *He will return in a year and a half.*

17. Купи полдю́жину яи́ц! - *Buy half a dozen eggs.*

18. Книга написана о трёхстах престу́пниках. - *The book was written about 300 criminals.*

19. В три часа пополу́дни. - *At 3 o'clock p.m.*

(continued)

20. Мальчики заработали каждый по сто долларов. - *The boys earned 100 dollars each.*

21. Анна приехала с двадцатью двумя большими чемоданами. - *Anna came with 22 large suitcases.*

22. Возьми полторы́ или две с половиной чашки муки́. - *Take one and a half or two and a half cups of flour.*

23. Надо сделать одно - узнать правду. - *One thing must be done - the truth must be found out.*

24. Я переписываюсь с тремя иностранными студентами. - *I correspond with three foreign students.*

25. Мы встретились на полпути́ в Москву. - *We met half-way to Moscow.*

26. Я всё думаю об одном: как разбогате́ть. - *All the time, I think about one thing: how to get rich.*

27. Одни люди думают так - а другие ина́че. - *Some people think in this way, others think differently.*

28. У нас живёт два учёных. - *Two scientists live with us.*

Colloquially:

в два счёта - *in the twinkling of an eye*

смотри в оба![1] - *watch out*

Proverbs:

У семи ня́нек дитя без гла́зу. - *Too many cooks spoil the broth.*

Семь раз примерь - один раз отрежь.[2] - *Look before you leap.*

Не имей ста рублей - а имей двух друзей.

---

[1] Actually: *смотри в оба <u>глаза</u>*.

[2] Lit.: 'Measure seven times before you cut.'

Exercise 3:

Укажите правильную форму:

1. После первого *(half-hour)* оба *(young guests)* разговорились.
2. Расстояния в Сибири измеряются *(in thousands of miles)*.[1]
3. Через три *(difficult months)* всё будет сделано.
4. Иван мечтал о хорошем жалованье - о *(5000 roubles)* в год.
5. Нам принесли десяток *(fresh eggs)*.
6. После *(half a century)* спокойной жизни на юге Иван попал в Сибирь.
7. Чтобы получить *('A')* надо прилежно учиться.
8. Мы с сестрой выиграли каждая *(200 roubles)*.
9. Поезд пришёл *(at 2 p.m.)*.
10. Булочки[2] стоят *(25 cents each)*.
11. Нельзя же работать каждый день *(12 hours)*.
12. Я никак не могу разговаривать *(with 10 people)* зараз.
13. С тех пор прошло уже больше *(1500 years)*.
14. Кто может переписываться *(with 40 friends)*!
15. 2 x 2 = 4.

---

[1] Use the instrumental case. [2] *buns*

B. Ordinal Numerals[1]

Reminders: a) тысячный, миллионный, and миллиардный have the suffix -н-.

b) третий/ья/ье is declined like чей/ья/ьё.

c) In composite ordinals, only the last word takes the form of an ordinal and is declined.

---

[1] Review the fomation.

1. Use of an ordinal numeral in Russian but not in English:

   в тысяча девятьсот пятом году - *in 1905*

   четверть первого - *at a quarter past 12*

   это написано на сорок третьей странице - *on page 43*

   мы приехали в седьмом часу - *we came after 6*

   в сороковы́е годы - *in the forties*

   If it is absolutely clear which century is meant, that portion of the year may be dropped:

   мы приехали в Америку в пятидесятом году - *we came to America in 1950*

   NOTE:

   Иван первый ученик. - *Ivan is the best student.*

   Он мой первый враг. - *He is my worst enemy.*

2. Use of ordinal numerals in date expressions:

   Которое сегодня число́? - Сегодня *шестое* марта.

   Которого числа ты уезжаешь? - Я уезжаю *двадцать третьего* апреля.[1]

3. Nouns formed with ordinal numerals:

   перноку́рсник/-ница - *freshman*

   второку́рсник/-ница - *sophomore*

   третьеку́рсник/-ница - *junior*

   первокла́ссник/-ница - *1st grade student*

   второкла́ссник/-ница

   третьекла́ссник/-ница

   but: пятикла́ссник/-ница

(continued)

[1]*I am leaving on April 23.*

второго́дник/-ница	- *a student who must repeat a year in school*
вторник	- *Tuesday*
четверг	- *Thursday*
четверть	- *a quarter*

---

4. Formation of adverbs:

во-пе́рвых	- *firstly*
во-вторы́х	- *secondly*
в-тре́тьих	- *thirdly*
в-четвёртых	- *fourthly*
вдво́е/вдвойне́	- *twice as much*
втро́е/втройне́	- *three times as much*
два́жды	- *twice*
три́жды	- *three times*

---

5. Expressions to remember:

Первым делом нам придётся узнать, когда поезд идёт.	- *First of all, we will have to find out when there is a train.*
Она уже не *первой мо́лодости*.	- *She is no longer all that young.*
На первое подали щи, а *на второе* - теля́тину.	- *As the first course, cabbage soup was served, and as the 2nd - veal.*
Ребёнку пошёл *пятый год*.	- *The child is going on five.*
Третьего дня погода была тёплая.	- *The day before yesterday the weather was warm.*
Это мы узнали *из третьих рук*.	- *We found this out indirectly.*
Сейчас десять минут *пятого*.	- *It's now ten past four.*

Note:

<u>в</u> первый, второй, ...сотый раз.	- *For the first, second, ...hundredth time.*

(continued)

Colloquially:

с пятого в десятое - *(to tell a story) in snatches*

Proverb:

первый блин ко́мом - *'You must spoil before you spin' (Lit.: 'the first pancake turns out lumpy')*

C. Fractional Numerals

1. These numerals are formed by combining cardinal and ordinal numerals. The *numerator* of a fraction is denoted by a cardinal numeral in the nominative case; the *denominator* is denoted by an ordinal numeral in the genitive plural:

   3/6 - три шесты́х *('parts' -* ча́сти *-is implied)*

2. If the numerator of a fraction is 1, the feminine form is used, to correspond with the implied 'часть.' The denominator is then in the nominative feminine:

   1/5 - одна пя́тая (часть)

3. If the numerator of a fraction is 2, две (fem.) is used:

   2/5 - две пя́тых

4. Both the components of a fractional numeral must be declined:

1/5 -	*Nom.*	одна пя́тая
	Gen.	одной пя́той
	Dat.	одной пя́той
	Acc.	одну пя́тую
	Instr.	одной пя́той
	Prep.	одной пя́той
3/10 -	*Nom.*	три деся́тых
	Gen.	трёх деся́тых
	Dat.	трём деся́тым
	Acc.	три деся́тых
	Instr.	тремя деся́тыми
	Prep.	трёх деся́тых

(continued)

5/6 - *Nom.* пять шесты́х
Gen. пяти шесты́х
Dat. пяти шесты́м
Acc. пять шесты́х
Instr. пятью шесты́ми
Prep. пяти шесты́х

5. The feminine nouns треть *(third)* and четверть *(fourth)* are normally used instead of the regularly formed denominator:

2/3 - две тре́ти

3/4 - три че́тверти

6. Полтора́/полторы́ (fem.) - *one and a half*

Nom.[1] полтора часа, полторы минуты
Gen. полу́тора часов, минут
Dat. полу́тора часам, минутак
Acc.[1] полтора́ часа, полторы́ минуты
Instr. полу́тора часами, минутами
Prep. (о) полу́тора часах, минутах

Оба/обе - *both*

оба мальчика, обе девочки
обоих мальчиков, обеих девочек
обоим мальчикам, обеим девочкам
обоих мальчиков, обеих девочек

D. Collective Numerals

Reminder: The collective numerals are not used with nouns denoting female persons.

1. The collective numerals are limited in number to the following:

двое	се́меро
трое	во́сьмеро
че́тверо	де́вятеро
пя́теро	де́сятеро
ше́стеро	

[1] In the nominative and the accusative, the noun is in the genitive *singular*.

2. The collective numerals are used to denote:
   a. male persons: *двое мужчин*
   b. young animals: *трое котят*
   c. nouns which have no singular:[1] *двое ножниц, четверо сýток*
   d. nouns denoting 'paired' objects: *трое лыж*
   e. pronouns denoting male persons: *нас было пятеро*[2]
   f. independently: *пя́теро ушло*[2]
   g. люди (человек) and дети: *пришло четверо детей; ушло сéмеро людей (человек)*

---

3. If the collective numeral is in the nominative or inanimate accusative, the noun that follows is in the genitive *plural*:

Nom.	трое *товарищей*, двое *суток*
Gen.	троих товарищей
Dat.	троим товарищам
Acc.	троих товарищей, двое *суток*
Instr.	троими товарищами
Prep.	троих товарищах

NOTE: Only двое and трое have soft adjectival endings; the other collective numerals have hard endings.

Nom.	четверо	двое
Gen.	четверых	двоих
Dat.	четверым	двоим
Acc.	четверых	двоих
Instr.	четверыми	двоими
Prep.	четверых	двоих

---

4. Declension of the collective numeral оба/обе:

MASC.:	*Nom.*	оба брата, оба дома
	Gen.	обоих братьев, обоих домов
	Dat.	обоим братьям, обоим домам
	Acc.	обоих братьев, оба дома
	Instr.	обоими братьями, обоими домами
	Prep.	обоих братьях, обоих домах

[1] With these nouns, collective numerals are used only in nom. and acc. In other cases, cardinal numbers are substituted.
[2] Female persons may be implied.

FEM.:	*Nom.*	обе сестры́, обе комнаты
	Gen.	обеих сестёр, обеих комнат
	Dat.	обеим сёстрам, обеим комнатам
	Acc.	обеих сестёр, обе комнаты
	Instr.	обеими сёстрами, обеими комнатами
	Prep.	обеих сёстрах, обеих комнатах

Note especially that if оба/обе is in the nominative or inanimate accusative the noun that follows is in the genitive *singular*.

---

5. Formation of adverbs:

a. Мы пришли вдвоём. *(two together; the two of us)*
втроём
вчетверо́м
впятеро́м
вшестеро́м
всемеро́м
ввосьмеро́м
вдевятеро́м
вдесятеро́м

b. Это стоит вдво́е больше (меньше). *(twice as much/half price)*
втро́е
вче́тверо
впя́теро
вше́стеро
все́меро
вво́семеро
вде́вятеро
вде́сятеро

c. Other expressions with collective numerals:

двоя́ко - *in two (different) ways*
троя́ко - *in threefold manner*

Proverbs:

Бабушка на́двое[1] сказала. - *We shall see what we shall see.*

Се́меро одного не ждут.

---

[1] *ambiguously*

Exercise 4:

a. Study the following sentences.
b. Cover the Russian text and reconstruct it.

1.	Вторая мирова́я война началась первого сентября, тысяча девятьсот тридцать девятого года.	- *The Second World War began on September 1, 1939.*
2.	Первая мировая война началась четырнадцатого августа, тысяча девятьсот четрынадцатого года.	- *The First World War started on April 14, 1914.*
3.	В двадцатые годы много интересного происходило в Советской России.	- *In the 20's, many interesting things were happening in the USSR.*
4.	На сто девятнадцатой странице опеча́тка.	- *On page 119, there is a misprint.*
5.	Я теперь читаю третью главу.	- *I am now reading chapter 3.*
6.	Поезд отошёл в седьмом часу́ вечера.	- *The train left after 6:00 in the evening.*
7.	Джон окончил Гарва́рдский университет в сорок восьмом году.	- *John graduated from Harvard University in 1948.*
8.	Когда Миша был первоклассником, он был первым учеником.	- *When Misha was in the first grade he was the best student.*
9.	Третьего дня был праздник.	- *The day before yesterday was a holiday.*
10.	Лекция началась в четверть седьмого.	- *The lecture began at 6:15.*
11.	Одна треть насле́дства была сразу же истра́чена.	- *One third of the inheritance was spent right away.*
12.	Две восьмых - это то же самое, что одна че́тверть.	- *Two eighths is the same as one fourth.*
13.	Иван пришёл не часом, а полу́тора часами позже.	- *Ivan came not 1 hour but 1½ hrs. later.*
14.	На берегу́ стояло четверо матросов.	- *On the shore stood (a group of) four sailors.*

(continued)

15. Гостей было не двое – а пятеро. – *There were not two guests but five.*

16. Лучше купить не одни, а двое часов – на вся́кий слу́чай. – *It is better to buy not one watch, but two - just in case.*

17. Друзья всю́ду ходили вдвоём. – *The friends went everywhere together (the two of them).*

18. Жизнь стала вдво́е дороже. – *Life has become twice as expensive.*

Exercise 5:

Прочитайте:

1. Первый космонавт Юрий Гагарин совершил свой полёт в космос 12/10 - 1961 года.
2. Русские воева́ли с Наполеоном в 1805 и 1812 годах.
3. Революция произошла в России 7/11 - 1917 года.
4. Московский университет был осно́ван в середине (18) века.
5. Сколько будет 3/5 и 2/10?
6. Сколько получится, если помножить[1] 2/7 на 5/9?
7. Наши места́ в (23) ряду́.
8. Мы приехали в США в (60) году.
9. Сегодня дедушкин (90) день рождения.
10. Ассистенты делали последний - (400) опыт.
11. Я не помню (50) годов.
12. Перед нами возвыша́лся 900-летний за́мок.
13. В (1934) году в Ташкенте произошло землетрясе́ние.[2]
14. Через 1 1/2 недели начнутся кани́кули.
15. Мы не спали 3 суток.

---

[1] *multiply*
[2] *earthquake*

Exercise 6:

Укажите правильную форму:

1. Мы живём в *(52nd)* квартире.
2. *(On page 233)* несколько опеча́ток.
3. Я читаю теперь *(the 40th chapter)* этого романа.
4. Надо принести *(two pairs of scissors)*.
5. Поезд пришёл *(at 20 minutes past 6)*.
6. Придётся выехать *(on April 23)*.
7. К счастью нас было *(a group of five)*.
8. Конечно я знаю *(both sisters and both brothers)*.
9. Я был бы доволен *(with 1/3)* твоих дохо́дов.[1]
10. В этот раз мы заплатили за билеты *(half price)*.
11. Кто-то вырвал[2] *(the fortieth page)*.
12. Невозможно ла́дить[3] *(with both daughters)*.
13. Я тебе это говорю уже *(for the 100th time)*.
14. *(On line 50)* слово, которого я не понимаю.
15. Давай, сыграем *(a second game[4])* в ша́хматы.

---

[1] *income* [2] *tore out* [3] *to get along* [4] *па́ртия*

E. Remarks on the agreement of numeral and predicate

1. If the subject is a cardinal numeral which refers to an *inanimate* noun, the verb is usually in the *singular*:

   Шесть книг *лежит* на столе.

   In the past tense, the neuter form is used:

   Шесть книг *лежало* так.
   Осталось 5 рублей.

   If, however, the numeral refers to an *animate* noun, the *plural* is preferred:

   Три человека *шли* по улице.
   Пять женщин *работали* вечером.

   But:
   У нас *было* три сына.

2. The singular is used with such words as:

лишь только всего[1] почти́	пятьдесят человек *пришло*.
свы́ше бо́лее ме́нее	пятидесяти человек *пришло*.

The singular is also used in the case of a large group of people considered as a *unit*:

5000 рабочих *уча́ствовало* в забасто́вке. - *Five thousand workers participated in the strike.*

NOTE: У меня оставалось два часа (шесть часов) времени до отхода поезда.

---

3. If the subject is a collective numeral, the verb may, as a rule, be in either the singular or the plural:

Трое *ушло/ушли*.

---

4. If a numeral (cardinal or collective) is qualified by an adjective or a pronoun, the verb must be in the plural:

Наши маленькие три дочки хорошо *читают*.

Все четверо *шли* медленно по на́бережной.

Эти талантливые пять студентов *получат* стипе́ндию.

Эти пятеро никуда не *годя́тся*.[2]

---

[1] *altogether; only* [2] *These five are good for nothing.*

Exercise 7:

Read the following passage, paying special attention to the usage of numerals.

Прочитав не менее сорока́ всевозмо́жных книг о клима́тических усло́виях на высоте́ не́скольких тысяч метров, мы, отва́жные пять люби́телей-путеше́ственников - взяли́сь

(continued)

за приготовле́ния всерьёз. Во-пе́рвых, мы изучили расписа́ние поездов. Было решено купить билеты на четырёх часовой скорый, который должен был доста́вить[1] нас к подно́жию Алта́йских гор на другой день в третьем часу пополу́дни. Во-вторы́х, каждый внёс в о́бщую кассу по пятиста рублей. Мы ничуть не сомнева́лись в том, что впятеро́м справимся[2] со всем, что нам удастся заду́манная почти сорокадне́вная экспедиция на одну из вершин Алта́я. Ведь четверы́м из нас было по двадцать лет, а так называемому "главному специалисту-путешественнику" - Мишке - даже за двадцать один! Не да́ром говорится, что к голосу здра́вого смы́сла[3] человек начинает прислушиваться лишь тогда, когда приближается к тридцати годам.

Помню, как в течение трёх суток безостано́вачно обсуждалось, что надо взять с собой и чего не надо брать. Каждому по две пары крепкой о́буви,[4] рюкза́к и все такое. Это я́сно. Но первым делом надо было соста́вить бюдже́т. Если каждый будет обходи́ться[5] четырьмя или пятью рублями в день, то можно будет оста́вить около двух ста восьмидесяти рублей в резе́рве - на всякий случай или - как говорится - на чёрный день. Полторы недели пошло на разговоры. Было решено не заде́рживаться дольше чем до пятнадцатого мая - это должен был быть день отъезда. Мы вдвоём с Иваном разработали маршру́т: сначала от десяти до пятнадцати километров в день, а потом, когда высота́ более восьми ста метров будет дости́гнута, - увидим. Последняя треть подъёма[6] будет самая трудная. Но на двадцатый день, во всяком слу́чае, будем у це́ли. Шестнадцатого мая я начал вести дневни́к и теперь, на сорока втором году жизни, случайно найдя и перечитывая его, могу только удивляться отва́ге[7] пятерых совершенно неподгото́вленных парне́й, думавших только об одном: Добраться до це́ли.

---

[1] *bring* [2] *to manage* [3] *common sense* [4] *footwear*
[5] *manage* [6] *climb* [7] *courage*

Exercise 8: Переведите.

1. The day before yesterday, on April 1, I decided to clean up the attic. First of all, hundreds of books had to be taken out. For this, about 25 boxes were necessary. It was difficult for me to

(continued)

do it alone.

2. We had to read a novel that consisted of 2,350 pages, and I had only ten days left. This meant that I had to read 235 pages a day. But when I had read two-thirds of the novel, only four days had passed. I had read more than twice as much as I had intended to.

3. In order to make the trip to the Caucasus we needed 2,000 roubles. I decided to borrow money from[1] a certain lady with whom we had once worked in the same library. She gave me 200 roubles.

4. In 1975, we once met two Russian scientists who had spent more than five and a half years in Siberia. There they had found remnants[2] of animals that had lived hundreds, maybe even thousands, of years ago.

5. As the first course, hot soup was served.[3] Both girls liked it. They wanted to know what would be served[4] for dessert. But there was no third course and Masha said: "I would have eaten twice as much soup if I had known this."

6. During the earthquake,[5] 3/4 of the city was destroyed in one second.[6]

7. Imagine - the 85-year-old gentleman on the 3rd floor lives with 7 dogs and 5 cats!

8. In many countries, there are still no pensions for 65-year-old people.

---

[1] *у* [2] *оста́нки* [3] *пода́ть* [4] Use the 1-time future tense
[5] *землетрясе́ние* [6] Use the accusative case

CHAPTER 13

TIME EXPRESSIONS AND RELATED CONSTRUCTIONS

A. *День (coll. денёк)*

(в) бу́дний день } рабо́чий день	- *(on) a week day*
(в) день рожде́нья	- *(on) one's birthday*
раз в день	- *once a day*
(в) один прекра́сный день	- *(on) one beautiful day*
днём раньше/позже	- *one day earlier/later*
днём и но́чью } день и ночь	- *day and night; round the clock*
день за днём	- *day after day*
со дня на́ день (мы ждём Ивана со дня на́ день)	- *from day to day; (on) any day*
день деньско́й (coll.)	- *all day long*
изо дня в день	- *day by day; day in, day out*
надня́х	- *(on) one of these days*
в три часа́ дня	- *at three o'clock p.m.*
дня́ми	- *for days*
через день	- *a day later; every other day*
в тот же день	- *on the same day*
тре́тьего дня	- *the day before yesterday*
за день (за день ты не успе́ешь доехать до Чикаго)	- *in one day (you won't make it to Chicago in one day)*
за день до...	- *one day before...*
на сле́дующий день } на друго́й день	- *on the following day*
в былы́е дни	- *in olden days*
(в) по́лдень[1]	- *(at) noon*
пополу́дни (в два часа пополу́дни)	- *afternoon (at 2 o'clock in the afternoon)*

---

[1] genitive: *полу́дня*

ежедне́вно - *daily*

не по дням, а по часа́м (он растёт не по дням, а по часам) - *very quickly*

Adjectives:

дневно́й
каждодне́вный
ежедне́вный
двухдне́вный
трёхдне́вный
четврехдне́вный, и т.д.

NOTE:

трудоде́нь - *a day of work for which one is paid*

Это ясно как Божий день. - *This is crystal clear.*

Надо отложи́ть немного денег на чёрный день. - *It is necessary to put something aside for a rainy day.*

Поговорка: День да ночь - сутки прочь. - *Proverb: Another day has gone by.*

B. Ночь

но́чью - *at night (NOT in the evening!)*

всю ночь - *all night long*

в эту ночь - *this night (adv.)*

в про́шлую ночь - *last night (adv.); during the previous night*

ка́ждую ночь - *every night (adv.)*

за́/за одну́ ночь (Он написал статью́ за (одну́) ночь) - *in the course of one night*

все́нощная - *vespers*

на́ ночь (прими́ лека́рство на́ ночь!) - *(take your medicine before going to bed!)*

в по́лночь - *at midnight*

за по́лночь - *past midnight*

по ночáм } ночáми	- *by night*
ночами	- *for many nights*
нá ночь глядя (coll.) (Куда ты идёшь нá ночь глядя?)	- *(Where are you going now that it will soon be night?)*

Adjectives:

ночнóй
полунóчный

Verbs:

ночевáть/переночевáть	- *to spend the night*

C. Вечер

вечером (coll. - вечеркóм)	- *in the evening*
сегодня вечером	- *this evening (adv.)*
вчера вечером	- *last night (adv.)*
завтра вечером	- *tomorrow night (adv.)*
в восемь часов вечера	- *at eight o'clock p.m.*
под вечер } к вечеру	- *towards evening*
на вечер (остáвь колбасý на вечер)	- *for tonight (leave the sausage for this evening)*
в этот вечер	- *this evening (adv.)*
в тот вечер	- *that evening (adv.)*
по вечерáм	- *in the evenings*
вечер	- *(formal) party*
вечеринка	- *(informal) party*
вечéрня	- *vespers*

Adjectives:

вечéрний

Verbs:

уже вечерéет	- *the day already draws to a close*

D. Утро

у́тром	- *in the morning*
сегодня у́тром	- *this morning (adv.)*
вчера у́тром	- *yesterday morning*
завтра у́тром	- *tomorrow morning*
в семь часов утра́	- *at seven o'clock a.m.*
под у́тро/к утру́	- *towards morning*
за у́тро (ты ничего не сделал за всё утро)	- *in the course of the morning*
на следующее утро / на другое утро	- *on the following morning*
по утра́м	- *in the mornings*
(за)у́треня	- *matins*
у́тренник	- *morning frost*
Посло́вица: Утро вечера мудрене́е.	- *Proverb: Night brings cousel.*

Adjectives:

у́тренний

E. Неделя

раз в неделю	- *once a week*
каждую неделю[1]	- *each week (adv.)*
через неделю	- *in a week; a week later*
в неделю (я зараба́тываю сто рублей в неделю)	- *in a week (I earn 100 roubles a week)*
всю неделю	- *all week long*
на неделе	- *during the weekdays*
на этой неделе	- *this week (adv.)*
на будущей неделе	- *next week (adv.)*
на прошлой неделе	- *last week (adv.)*

---

[1] Remember: *каждую среду / каждую пятницу / каждую субботу* } *я хожу в театр.*

за неделю	- *in the course of a week*
с неделю	- *about a week*
неделю тому назад	- *a week ago*
за неделю до...	- *a week before...*
неделя за неделей	- *week after week*
неделями	- *for weeks*
на неделю раньше/позже	- *a week earlier/later*
еженеде́льно	- *every week, weekly*
страстна́я неделя	- *Holy Week*
Погово́рка: Семь пятниц на одной неделе.	- *Proverb (said if someone keeps changing his mind)*

Adjectives:

двухнеде́льный
трёхнеде́льный
пятинеде́льный, и т.д.

F. Месяц[1]

раз в месяц	- *once a month*
каждый месяц	- *each month*
через месяц	- *in a month; a month later*
в месяц (я тра́чу сто долларов в месяц)	- *in a month (I spend 100 dollars a month)*
весь месяц	- *the entire month*
в этом месяце	- *this month (adv.)*
в будущем месяце	- *next month (adv.)*
в прошлом месяце	- *last month (adv.)*
за месяц	- *in the course of a month*
за месяц до...	- *a month before...*
месяца́ми	- *for months*
на месяц раньше/позже	- *a month earlier/later*
ежеме́сячно	- *monthly*

---

[1] also means 'moon' but not 'full moon':
при месяце - *in the moonlight*

месяц за месяцем	- *month after month*
медо́вый месяц	- *honeymoon*

Adjectives:

ме́сячный
двухме́сячный
трёхмесячный
пятиме́сячный, и т.д.

G. Год

раз в год раз в году́	- *once a year*
в этом году́	- *this year (adv.)*
в будущем году́	- *next year (adv.)*
в прошлом году́	- *last year (adv.)*
за год	- *one year before...*
из года в год год за го́дом	- *year after year*
круглый год	- *all year round*
года́ми (они не виделись годами)	- *for years (they have not seen each other for years)*
в старые годы	- *in olden times*
в мои годы	- *at my age*
шестидеся́тые годы	- *the sixties*
в года́х (он уже в годах)	- *elderly (he is no longer young)*
с годами это пройдёт	- *with time, this will pass*
високо́сный год	- *leap year*
годовщи́на	- *anniversary*
не по года́м (это ему не по годам)	- *(this is not suitable for his age)*
бе́з году неделя[1] (coll.)	- *only a very short time*
за год	- *in the course of a year*

[1]This is used derogatively.

Adjectives:

годово́й (доход)	- *yearly (income)*
годова́лый (ребёнок)	- *a year old (child)*
нового́дний вечер	- *a New Year's party*
ежего́дний	- *yearly*

H. Раз[1]

(один) раз (coll. - разок)	- *one time; once*
на этот раз	- *this time (adv.)*
в первый раз	- *for the first time*
в другой раз	- *another time*
ещё раз	- *once more*
раз за ра́зом	- *again and again; repeatedly*
зара́з / ра́зом	- *all at once*
ино́й раз	- *at times*
какра́з (это какраз то, что нам надо)	- *exactly; just then/now (this is exactly what we need)*
с первого ра́за	- *from the first time on*
не раз	- *repeatedly*
ни ра́зу	- *not (even) once; never*
сра́зу	- *all at once*
вот тебе раз! (coll.)	- *there you are!; really?!*
Посло́вица: Москва не сра́зу стро́илась.	- *Proverb: Moscow was not built all at once.*

---

[1] 'one' when counting.

I. Час

часо́к (coll.) в час дня/ночи }	- *at one o'clock a.m.*
полчаса́	- *half an hour*
второй час	- *past one o'clock*
час за ча́сом	- *hour after hour*
за час	- *in the course of one hour*
за час до...	- *one hour before...*
часа́ми	- *for hours*
через час	- *an hour later*
часом раньше/позже	- *one hour earlier/later*
с ча́су на час (мы ждём его с ча́су на час)	- *any moment (adv.) (we expect him to come at any moment)*
подча́с	- *at times*
сейчас	- *now*
сейчас же[1]	- *immediately*
час о́т часу не легче (coll.)	- *things are getting worse all the time*
неро́вен час	- *one can never be sure*
би́тый час[2]	- *for a whole hour*
в добрый час!	- *good luck!*
через час по столово́й ложке (coll.)	- *very slowly*
часы́	- *watch/clock*
часовщи́к	- *watchmaker*
часовы́х дел ма́стер	- *jeweller*

Adjectives:

часово́й[3]	- *hour-long*
двухчасово́й по́езд	- *two o'clock train*

Verbs:

стоять на часа́х

---

[1] Compare: *я вернусь <u>сию́ же</u> минуту.* [2] Implies a waste of time. [3] *часовой* (noun): *sentry*

Exercise 1:

Переведите на английский язык, а потом снова на русский.

Вот уж я действи́тельно терпе́ть не могу[1] путеше́ствовать с Андреем! Из года в год - всегда повторя́ется одно и то же: в какое бы время поезд ни отходил - днём ли или ночью - он непременно наста́ивает на том, чтобы быть на вокзале по крайней мере за час - а то и за полтора́ часа - до отъезда. Так было и в прошлом году, когда мы с ним собрали́сь ехать в Оде́ссу. Подумайте только - у него было уже всё уло́жено[2] за целую неделю! И ка́к уло́жено! Ведь он часа́ми, обдумывал вперёд, что положить в какой чемодан. Как можно быть таким педа́нтом? Я подча́с совсем его не понимаю. За то время, которое он тратит на все эти приготовле́ния, можно ведь сделать что-нибудь более важное, да и более интересное. И вот еще что - зачем вставать в половине пятого утра, если поезд отходит в девять? До вокзала можно даже пешком добраться в какие-нибудь полчаса́, а если взять такси́, то доедешь в всего-то восемь минут. Ну, зачем же сидеть на вокзале би́тый час?

Помню, как он раз - за месяц до поездки - выучил наизу́сть расписа́ние поездов и потом изо дня в день только и делал, что тверди́л[3] одно и то же: "Только бы не отмени́ли[4] семичасовой поезд! Боюсь, что мы не успеем на утренний поезд и нам придётся ехать на вечернем, и тогда мы будем в Оде́ссе только под самое утро." Час о́т часу он не́рвничал все больше и больше. Наконец мне это надоело и я закричал: "Какая разница - приедем ли мы туда несколькими часами раньше или позже? Ну, будем там в по́лночь - что ж из этого?" Боже мой, после этого он волновался всю ночь и весь следующий день. Только к вечеру, когда Наташа забежала к нам на часо́к, он немного успоко́ился. Скажите, неужели он будет так же вести себя и в свой медо́вый месяц?!

---

[1] *I can't stand*
[2] *packed*
[3] *kept repeating*
[4] *canceled*

Exercise 2:

Вставьте подходящее выражение.

1. Мы работали *(day and night)*, чтобы кончить всё *(by 3 o'clock in the afternoon)*.

2. *(Every night)* наш нача́льник звонил и говорил сердитым голосом: "Я не понимаю, почему вы *(in all these days)* так мало сделали. У нас три сме́ны - *(morning-, day-, and night-shifts)* - и всётаки мы отстаём."[1]

3. *(Last week)*, когда я возвращался с *(day shift)*, я купил *(the evening paper)*. В длинной статье говорилось, что в прошлом - *(year after year)*, урожа́й[2] в нашей стране все ухудша́лся, но что *(this year)* все будет гораздо лучше.

4. Как ты можешь болта́ть глу́пости *(for hours)*?

5. Да, всё будет сде́лано *(in one hour)*. Я уверен, что успею *(in the course of one hour)*.

6. Разве можно научиться говорить по-русски *(in two years)*?

7. Я вернусь *(this very minute)*.

8. Маша боле́ла *(all week)*.

9. Да, Володя скоро приедет. Мы ждём его *(on any day now)*.

10. Директор повторял одно и то же *(day after day)*.

11. Они не разговаривали друг с другом буква́льно *(for months)*.

12. Отец соста́вил завеща́ние[3] *(six months before his death)*.

13. Сегодня суббота - пойдём на *(vespers)*.

14. Хорошо, *(let's spend the night)* здесь.

15. Это лека́рство надо принимать три раза *(a day)*.

16. Я опоздал на службу *(on the very first[4] day)*.

17. Наши соседи живут во Флори́де *(all year round)*.

18. Поезд отходит *(in an hour and a half)*.

---

[1] *we are behind* [2] *harvest* [3] *will* [4] *add же*

(continued)

19. Как вы можете сидеть в библиотеке *(for days)*?
20. Катя приехала *(an hour earlier)* чем я.
21. Мы очень устаём *(in the course of the week)*.
22. Гости приехали *(at noon)*.
23. Было уже очень поздно, когда мы разошли́сь - далеко *(after midnight)*.
24. Брат звонит мне *(every other day)*.
25. Надо позвонить отцу *(on his birthday)*.
26. Мне приходится делать одно и то же *(day after day)*.
27. Как приятно сидеть дома *(in the evenings)*.
28. *(Last night)* я пошёл *(to a party)*.
29. *(Towards morning)* стало прохладно.
30. Мы ходим *(to vespers)* *(once a week)*.

Exercise 3:

Translate.

1. A week ago, Natasha and I were invited to a New Year's party which started already at five o'clock in the afternoon. Althought the host and the hostess were elderly, they danced for hours and drank a lot. This was not quite suitable for their age. At midnight, champagne was served. The next day, I had a headache. Natasha was angry with me all week long.

2. This week, Ann decided to undertake[1] a 3-day trip to the mountains. She came to the airport at 8 o'clock in the morning - exactly one hour before the departure. She was told that there was no morning flight and that she would have[2] to wait. "In how many hours will I be able to fly?" Ann asked. "Wait until noon," was the answer.

3. Grandfather told us that in olden times, there was no eight hour work day. In the twenties,

[1] *отпра́виться на* [2] Use the future.

(continued)

people had to work ten hours a day, six days a week. In the course of his life, many things[3] had changed. No one has to work until midnight unless[4] he wants to.

4. The day before yesterday, I could not sleep all night long. Towards morning, I finally got up. "Next week, or perhaps one of these days already, I will have to see the doctor," I thought. "At my age, I should not suffer from insomnia."[5]

---

[3] *многое* [4] *если...не* [5] *бессо́нница*

APPENDIX

A. *The Declension of Numerals*

1. один, одно, одна, одни:

	Singular			*Plural*
	M	*N*	*F*	*M, N, F*
N	один	одно	одна	одни
G	одного		одной	одних
D	одному		одной	одним
A	один/одного	одно	одну	одни/одних
I	одним		одной(-ою)	одними
P	одном		одной	одних

2. два/две, три, четыре:

	два/две		*три*	*четыре*
	M/N	*F*	*M, N, F*	*M, N, F*
N	два	две	три	четыре
G	двух		трёх	четырёх
D	двум		трём	четырём
A	два/двух	две/двух	три/трёх	четыре/четырёх
I	двумя		тремя	четырьмя
P	двух		трёх	четырёх

3. пять, пятьдесять, пятьсот:

	пять	*пятьдесят*	*пятьсот*
	M, N, F	*M, N, F*	*M, N, F*
N	пять	пятьдеся́т	пятьсот
G	пяти	пяти́десяти	пятисот
D	пяти	пяти́десяти	пятистам
A	пять	пятьдесят	пятьсот
I	пятью́	пятью́десятью	пятью́стами
P	пяти	пяти́десяти	пятиста́х

4. сорок, сто, полтора, полторы:

	сорок	*сто*	*полтора/полторы*	
	M,N,F	*M,N,F*	*M/N*	*F*
N	сорок	сто	полторá	полторы́
G	сорокá	ста	полу́тора	
D	сорокá	ста	полу́тора	
A	сорок	сто	полторá	полторы́
I	сорокá	ста	полу́тора	
P	сорокá	ста	полу́тора	

5. двести, тристи, четыреста:

	двести	*триста*	*четыреста*
	M,N,F	*M,N,F*	*M,N,F*
N	двéсти	триста	четы́реста
G	двухсóт	трёхсот	четырёхсот
D	двустáми	трёмстам	четырёмстам
A	двéсти	триста	четыреста
I	двумя́стами	тремястáми	четырьмястáми
P	двухстах	трёхстах	четырёхстах

6. Collective Numerals:

	оба/обе		*двое*	*трое*	*четыро*
	M/N	*F*	*M,N,F*	*M,N,F*	*M,N,F*
N	óба	óбе	двóе	трóе	чéтверо
G	обóих	обéих	двои́х	трои́х	четверы́х
D	обóим	обéим	двои́м	трои́м	четверы́м
A	оба/ обóих	обе/ обéих	двое/ двои́х	трóе/ трои́х	чéтверо/ четверы́х
I	обóими	обéими	двои́ми	трои́ми	четверы́ми
P	обóих	обéих	двои́х	трои́х	четверы́х

7. девяносто, полтораста:

	девяносто	*полтораста*
	M, F, N	*M, F, N*
N	девяносто	полтораста
G	девяноста	полутораста
D	девяноста	полутораста
A	девяносто	полтораста
I	девяноста	полутораста
P	девяноста	полутораста

B. *The Emphatic Pronoun*

	Singular			*Plural*
	M	*F*	*N*	*M, F, N*
N	сам	сама	само	сами
G	самого	самой	самого	самих
D	самому	самой	самому	самим
A	самого	саму (самое)	само	самих/сами
I	самим	самой	самим	самими
P	самом	самой	самом	самих

C. *The Reflexive Pronoun*

	себя
	M, N, F
N	-
G	себя
D	себе
A	себя
I	собой (собою)
P	себе

D. *Pronouns declined as Adjectives*

The pronouns чей, чья, чье, чьи *'whose'*; ничей, ничья, ничье, ничьи *'nobody's'* are declined as adjectives of the type of волчий, волчья, волчье, волчьи *'wolf's,' 'wolves'.'*

	Singular			*Plural*
	M	*N*	*F*	*M,N,F*
N	чей	чьё	чья	чьи
G	чьего		чьей	чьих
D	чьему		чьей	чьим
A	чей	чьё	чью	чьи/чьих
I	чьим		чьей(-ею)	чьими
P	чьём		чьей	чьих

	Много	*Многие*	*Несколько*
N	много	многие	несколько
G	много	многих	нескольких
D	многому	многим	нескольким
A	много	многие/многих	несколько
I	многим	многими	несколькими
P	многом	многих	нескольиx

E. *The Interrogative and Negative Pronouns*

	Interrogative Pronouns		*Negative Pronouns (with & without a preposition)*	
N	кто	что	никто́	ничто́
G	кого	чего	никого́/ ни у кого	ничего́/ ни для чего́
D	кому	чему	никому́/ ни к кому	ничему́/ ни к чему́
A	кого	чего	никого́/ ни за кого	ничто́/ ни за что
I	кем	чём	нике́м/ ни с кем	ниче́м/ ни с чём
P	ком	чем	ни о ком	ни о чем

NOTE: The negative pronouns *никто 'nobody' ничто 'nothing'* are declined as *кто 'who' что 'what.'*

F. The Demonstrative Pronouns тот (этот), то (это), та (эта), те (эти)

	Singular			*Plural*
	M	*N*	*F*	*M,N,F*
N	тот/то	этот/это	та/эта	те/эти
G	того	этого	той/этой	тех/этих
D	тому	этому	той/этой	тем/этим
A	тот/того	этот/этого	ту/эту	те/тех
I	тем	этим	той/этой	теми/этими
P	том	этом	той/этой	тех/этих

G. The Pronouns весь, вся, всё, все

	Singular			*Plural*
	M	*N*	*F*	*M,N,F*
N	весь	всё	вся	все
G	всего́		всей	всех
D	всему́		всей	всем
A	весь/всего́/всё		всю	все/всех
I	всем		всей(-ею)	все́ми
P	всём		всей	всех

H. The Comparative Degree of Adjectives and Adverbs

Adj.	*Adverb*	*Comp.*	
бли́зкий	бли́зко	бли́же	*closer, nearer*
бога́тый	бога́то	бога́че	*richer*
большо́й		бо́льше	*bigger, more*
высо́кий	высо́ко[1]	вы́ше	*taller, higher*
глубо́кий	глубо́ко	глу́бже	*deeper*
гро́мкий	гро́мко	гро́мче	*louder*
далёкий	далеко́	да́льше	*farther, further*
дешёвый	дёшево	деше́вле	*cheaper, less expensive*
дорого́й	до́рого	доро́же	*dearer, more expensive*

[1] or: *высоко́*

(continued)

вслух - *aloud*

выска́зывание - *pronouncement*

Г

ги́бель - *destruction, death*

глу́пый - *stupid*

гляде́ть/взгляну́ть - *to look, glance*

год - *year*
  не по года́м — *beyond one's years*

го́речь - *bitterness*

го́рький - *bitter*

госуда́рство - *state*

гриб - *mushroom*

гроза́ - *thunderstorm*

губи́ть/погуби́ть: я гублю́, ты гу́бишь - *to destroy, undo*

гуманита́рные нау́ки - *liberal arts*

Д

дальне́йший - *further (adj.)*

да́ром - *free of charge*

деклами́ровать - *to recite*

дневни́к - *diary*

добива́ться/доби́ться + *Gen.* - *to try to achieve/to achieve*

дово́льно - *enough*
  дово́льно хорошо́/пло́хо — *rather good/bad*

дово́льный - *satisfied*

дока́зывать/доказа́ть - *to prove*

долг - *debt, duty*

доставля́ть/доста́вить - *to furnish, deliver*
  доста́вить удово́льствие — *to give pleasure*

досто́ин + *Gen.* - *worthy*

духо́вный - *spiritual*

Е

единственный - *only (adj.)*
ёлка - *fir tree*
естественно - *naturally*
естественный - *natural*
естествознание - *natural sciences*

Ж

жалование - *salary*
жертва - *victim*
жертвовать/пожертвовать + *Instr.* - *to sacrifice*
жестокий - *cruel*
жечь/сжечь: я жгу, ты жжёшь, они жгут - *to burn*

З

заведовать + *Instr.* - *to be the head of, manage*
завидовать/позавидовать + *Dat.* - *to envy*
зависть - *envy*
закон - *law*
закусывать/закусить - *to have a bite*
заслужить - *to earn, deserve*
защищаться/защититься - *to defend oneself*
звук - *sound*
звучать/прозвучать - *to sound*
зло - *evil (noun)*
злой - *evil (adj.)*
злющий - *very evil*

И

известие - *news*
известный - *well-known*
имение - *estate*
иначе - *otherwise*

иной - *different*

исключе́ние - *exception*
    за исключе́нием - *with the exception*

и́скра - *spark*

исполня́ть/испо́лнить - *to carry out, fulfill*
    мне испо́лнилось (10 лет) - *I turned (10)*

иссле́дование - *investigation, examination*

и́стина - *truth*

и́стинный - *true*

К

ками́н - *fireplace*

карзи́на - *basket*

каса́ться/косну́ться + *Gen.* - *to touch, concern*

ката́ться/score ката́ться - *to go riding*
    ...на конька́х - *to skate*
    ...на лы́жах - *to ski*
    ...на саня́х - *to go sledding*

каче́ли - *swing (noun)*

кля́сться/покля́сться - *to swear, take an oath*

кля́тва - *oath*

конёк, коньки́ - *skate (noun)*

копа́ть/закопа́ть - *to dig*

копи́ть: я коплю́, ты ко́пишь - *to save*

кормить/накормить: я кормлю, ты кормишь - *to feed*

коро́ва - *cow*

корь - *measles*

кра́йне - *extremely*

кре́пкий - *strong*

кре́пче - *stronger*

кро́ткий - *meek*

крючо́к - *hook*

Л

ла́вка	- *store, bench*
ла́герь (m.)/лагеря	- *camp*
ла́дно	- *O.K.*
ла́зить/лезть/зале́зть	- *to climb*
лгать/солга́ть: я лгу, ты лжёшь, они лгут	- *to lie*
ле́бедь (m.)	- *swan*
лебеди́ный	- *swan (adj.)*
лев	- *lion*
льви́ца	- *lioness*
льви́ный	- *lion (adj.)*
ле́карь (m.)	- *physician*
лека́рство	- *medicine, drug*
лечи́ть/вы́лечить	- *to treat/cure*
лиса́/лиси́ца	- *fox*
лиша́ть/лиши́ть + *Gen.*	- *to deprive*
лиши́ться (чего-нибудь)	- *to be deprived (of something)*
ли́чность	- *personality*
ложь	- *lie*
люби́тель	- *lover of somthing, amateur*

М

медве́дь (m.)	- *bear*
медве́жий	- *bear (adj.)*
ме́нее	- *less*
тем не ме́нее	*all the same*
ме́ра	- *measure*
мечта́	- *daydream*
мечта́ть	- *to daydream*
мига́ть/мигну́ть + *Instr.*	- *to blink*
ми́лость	- *mercy*
мо́лча	- *silently*

Н

на́бережная - *quay*

надое́дать/надое́сть + *Dat.* - *to be boring*

наизу́сть - *by heart*

направле́ние - *direction*

насле́дство - *heritage*

наста́ивать/настоя́ть на + *Prep.* - *to insist on*

неви́нность - *innocence*

неда́ром - *not in vain*

нездоро́виться + *Dat.* - *not to feel well*

незнако́мец - *stranger*

необходи́мость - *necessity*

необходи́мый - *unavoidable*

неожи́данность - *surprise, unexpected event*

неосторо́жность - *imprudence*

неподходя́щий - *unsuitable*

непреме́нно - *for sure*

неприе́млемый - *unacceptable*

не́сколько - *somewhat (adv.)*

нетерпе́ние - *impatience*

неуда́чник - *unsuccessful person*

неуда́чный - *unsuccessful*

нефть - *oil*

неча́янно - *inadvertently*

нра́вственный - *moral, ethical*

нужда́ - *need*

нужда́ться в + *Prep.* - *to need badly*

ны́нче - *presently*

О

обижа́ть/оби́деть: я обижу, ты обидишь - *to insult, hurt*

обижа́ться/оби́деться - *to feel insulted, hurt*

обладáть + *Instr.* - *to possess*

обмáнывать/обманýть - *to cheat*

óбраз - *image, icon*
    таким óбразом *in such a way*

образовáние - *education*

обращáться/обратúться к - *to turn to*

обращáться с - *to treat*

óбщее - *common (things)*

óбщество - *society*

обя́зан + *Dat.* (+ *Instr.*) - *indebted, to owe*
    он обя́зан ему жúзнью *he owes him his life*

обя́занность - *duty, responsibility*

одáлживать/одолжúть - *to borrow*

одинáковый - *similar*

один и тот же - *the same*
    одна и та же
    одно и то же
    одни и те же

огорчáть/огорчúть - *to sadden*

оживлéние - *animation*

ожидáние - *expectation, waiting*

опечáтка - *misprint*

оправдáние - *justification*

óпыт - *experience, experiment*

осложнéние - *complication*

оснóва - *basis, foundation*

осторóжно - *cautiously*

óстров, островá - *island*

остроýмие - *wit*

остроýмный - *witty*

осуждáть/осудúть: я осужý, ты осýдишь - *to condemn, judge*

отвáжный - *brave*

отвергáть/отвéргнуть - *to reject*

отличáться/отличúться от - *to differ from*

относúться к - *to relate to*

отноше́ние к	- *relation to*
в этом отноше́нии	*in this respect*
отправля́ться/отпра́виться: я отпра́влюсь, ты отпра́вишься	- *to set out*
о́тпуск, отпуска́	- *leave, furlough*
отрека́ться/отре́чься от: я отреку́сь, ты отречёшься, они отреку́тся	- *to renounce*
отрица́ть	- *to deny*
отры́вок	- *excerpt*
о́чередь	- *turn (noun)*
в свою о́чередь	*in his turn*

П

пень	- *stump*
пересмо́тр	- *re-evaluation*
пересчи́тывать/пересчитать	- *to recount*
персона́ж	- *character*
пле́нный	- *captive, prisoner*
плод	- *fruit*
погиба́ть/поги́бнуть	- *to perish*
по́греб, погреба́	- *cellar*
подава́ть/пода́ть	- *to serve (a dish)*
подно́жие	- *foot (of a mountain)*
подоко́нник	- *window sill*
подража́ть + *Dat.*	- *to imitate*
подходи́ть + *Dat.*	- *to suit*
подходя́щий	- *suitable*
пожа́луй	- *perhaps*
поздравля́ть/поздра́вить: я поздра́влю, ты поздра́вишь	- *to congratulate*
пока́ (ещё)	- *while, for the time being*
пока́...не	- *until*
поколе́ние	- *generation*

по́лзать/ползти́/поползти́ - *to crawl*

полива́ть/поли́ть: я полью́, ты польёшь - *to water*

по́лностью - *fully*

положе́ние - *situation*

получа́ться/получи́ться - *to turn out*
  у меня ничего не получи́лось - *I did not succeed; nothing worked out*

по́льза - *usefulness*

по́льзоваться + *Instr.* - *to use, utilize*

поража́ть/порази́ть: я поражу́, ты порази́шь - *to amaze, startle*

по́ртиться/испо́ртиться - *to get spoiled*

портфе́ль (m.) - *brief-case*

поря́док - *order*

посеща́ть/посети́ть: я посещу́, ты посети́шь, они посетя́т - *to visit*

после́дствие - *consequence*

посло́вица - *proverb*

посту́пок - *action*

похожде́ние - *adventure*

пра́вило - *rule*

прави́тельство - *government*

пра́во - *right (noun)*

превраща́ться/преврати́ться в + *Acc.*: я превращу́сь, ты преврати́шься - *to turn into*

предпочита́ть/предпоче́сть: я предпочту́, ты предпочтёшь - *to prefer*

представле́ние - *(theatrical) performance*

представля́ть/предста́вить: я предста́влю, ты предста́вишь - *to present, represent*

престу́пник - *criminal (noun)*

препровожде́ние (времени) - *passing (of time)*

прибавля́ть/приба́вить - *to add, increase*

привéт - *greetings*

привлекáтельный - *attractive*

привы́чный - *habitual*

признавáть/признáть - *to acknowledge*

приключéние - *adventure*

принимáть/принять за + *Acc.*: я примý, ты при́мешь - *to take for*

приобретáть/приобрéсти: я приобретý, ты приобретёшь - *to acquire*

причи́на - *reason, cause*

причёска - *hair-do*

провожáть/проводи́ть: я провожý, ты прово́дишь - *to see of, accompany*

происхождéние - *extraction, background*

проникáть/прони́кнуть - *to penetrate*

прощáться/прости́ться: я прощýсь, ты прости́шься - *to take leave, say good-bye*

пчелá - *bee*

Р

раз - *(one) time*
 не раз - *many times, often*
 ни рáзу - *not once, never*

развращáть/разврати́ть: я развращý, ты разврати́шь - *to corrupt*

раздражáться/раздражи́ться - *to irritate*

раззнакоми́ться - *not to be acquainted any longer*

разли́чный - *different, diverse*

размáхивать + *Instr.* - *to wave*

разýмный - *reasonable, sensible*

рак - *cancer, crayfish*

распространя́ться/распростани́ться - *to spread*

расстоя́ние - *distance*

рассу́док	- *intellect, reason*
режиссёр	- *(theatrical) director*
репети́ция	- *rehearsal*
речь	- *speech*
ро́дственник	- *relative (noun)*
рожде́ственская ёлка	- *Christmas tree*
руба́шка	- *shirt*
руби́ть/сруби́ть: я рублю́, ты ру́бишь	- *to cut down (trees)*
ры́бная ло́вля	- *fishing*
ры́нок	- *market*
ряд	- *row*
ряд (предложе́ний)	- *a number of (suggestions)*

С

самостоя́тельность	- *independence*
самостоя́тельный	- *independent*
сва́дьба	- *wedding*
сжига́ть/сжечь: я сожгу́, ты сожжёшь, они сожгу́т	- *to burn (something)*
си́ла	- *strength*
скаме́йка	- *bench*
сла́бость	- *weakness*
сла́бый	- *weak*
сла́вный	- *nice (usually said about people)*
сле́дует из этого следует...	- *it is necessary* *it ensues from this that...*
служи́ть	- *to serve, hold a job*
слу́чай во вся́ком слу́чае	- *chance, event, happening* *in any event*
сме́лый	- *brave*
со́бственный	- *own*
соверше́нный	- *perfect, absolute*
соверше́нство	- *perfection*

со́весть	- *conscience*
совреме́нник	- *contemporary (noun)*
содержа́ние	- *contents*
сожале́ние	- *regret, pity*
к сожале́нию	*unfortunately*
создава́ть/созда́ть	- *to create*
сомнева́ться	- *to doubt*
сомне́ние	- *doubt*
сою́зник	- *ally*
спосо́бный	- *capable*
справедли́вость	- *justice*
сра́внивать/сравни́ть	- *compare*
ссы́лка	- *exile*
ста́вить спекта́кль	- *to direct a performance*
ста́лкиваться/столкну́ться с	- *to confront with*
стра́нствовать	- *to wander, travel*
стремле́ние	- *aspiration*
судьба́	- *fate, destiny*
су́тки	- *24-hour period*
существо́	- *being, creature*
существова́ние	- *existence*
существова́ть: я существу́ю	- *to exist*
су́щность	- *essence, core*
в су́щности	*in reality*
сце́на	- *stage*
счита́ть за + *Acc.*	- *to consider*

T

таре́лка	- *plate*
творе́ц	- *creator*
твори́ть	- *to create*
те́ло	- *body*
терпе́ние	- *patience*
това́р	- *merchandise*
толпа́	- *crowd*

торговáть - *to trade*
　　торгóвые делá　　*commerce, business*

торжествó - *triumph*

торопи́ться: я тороплю́сь, ты торóпишься - *to hurry*

тóчный - *exact*

травá - *grass*

трéбование - *demand (noun)*

трéбовательный - *demanding*

тропи́нка - *path*

тянýться - *to stretch*

У

убеждéние - *conviction*

уважáть - *to respect*

уважéние - *respect*

удавáться/удáться: - *to succeed*
　　мне удаётся
　　мне удавáлось
　　мне удалóсь
　　мне удáстся

удáча - *good luck, success*

уклáдывать/уложи́ть - *to pack*

украшáть/укрáсить: я укрáшу, ты укрáсишь - *to decorate*

услóвие - *condition*

устá - *mouth (poetic)*

устáлость - *weariness*

устарéть - *to become antiquated, archaic*

утешáть/утéшить - *to comfort*

уточня́ть/уточни́ть - *to specify*

ухудшáться/ухýдшиться - *to become worse, deteriorate*

Х

хозя́йство - *household*

худóжественный - *artistic*

худо́жество - *art*

худо́жник - *artist, painter*

Ф

факти́чески - *actually*

Ч

часть - *part*

части́чно - *partially*

челове́чество - *humanity*

че́стность - *honesty*

честь - *honor*

че́стный - *honest*

чу́ждый - *alien*

чужо́й - *foreign, not one's own*

Ш

шу́ба - *fur coat*

SELECTED ENGLISH-RUSSIAN VOCABULARY

A

(to) act	- де́йствовать: я де́йствую поступа́ть/поступи́ть: я поступлю́, ты посту́пишь
(to) add	- прибавля́ть/приба́вить: я приба́влю, ты приба́вишь
(to) admire	- восхища́ться/восхити́ться + *Instr.*
advice	- сове́т
(to) advise	- сове́товать/посоветовать
air	- во́здух
among	- среди́ + *Gen.*
animal	- зверь,-я,-и,-ей
anthropologist	- антропо́лог
(to) arrive	- прибыва́ть/прибы́ть: я прибуду
art	- иску́сство
article	- статья́
as if	- как бу́дто
attention *to pay attention*	- внима́ние обраща́ть/обрати́ть внима́ние: я обращу́, ты обрати́шь
attic	- черда́к

B

(to) bake	- печь: я пеку́, ты печёшь, они пеку́т
bell	- звоно́к
(church) bells	- колокола́, колоколо́в
bill	- счёт
bored (with)	- (мне) надоеда́ет, надоеда́ло, надое́ст
boring	- ску́чный/ску́чно
borrow	- ода́лживать/одолжи́ть
box	- я́щик, коро́бка *(small)*

bracelet - брасле́т, брасле́тка

bun - бу́лочка

C

cake - пиро́жное, торт

cause - причи́на

(to) cause - причиня́ть/причини́ть

ceremony - церемо́ния, обря́д

change - переме́на

(to) change - меня́ть/измени́ть

(to) change clothes - переодева́ться/переоде́ться: я переоде́нусь

(to be in) charge - заве́довать + *Instr.*

chemical (adj.) - хими́ческий

China - Кита́й

Chinese (adj.) - кита́йский

Chinese (noun) - кита́ец, китая́нка

(to) clean up - убира́ть/убра́ть: я уберу́, ты уберёшь

comfort - утеше́ние

(to) comfort - утеша́ть/уте́шить

comfortable - удо́бный

complain of - жа́ловаться на + *Acc.*

condition - усло́вие

consideration - соображе́ние
take into consideration принима́ть/приня́ть во внима́ние

consist of - состоя́ть из

contemporary (adj.) - совреме́нный

contemporary (noun) - совреме́нник

count on - рассчи́тывать на + *Acc.*

convinced - убеждён

D

danger - опа́сность

dark - тёмный

darkness	– темнота́
decision	– реше́ние
(to) defend	– защища́ть/защити́ть: я защищу́, ты защити́шь
dessert	– десе́рт, сла́дкое
(to) destroy	– разруша́ть/разру́шить
destruction	– разруше́ние
difficulty	– тру́дность
dirt	– грязь
dirty	– гря́зный
doubt	– сомне́ние
doubtlessly	– бессомне́нно

E

earthquake	– землетрясе́ние
educated	– образо́ванный
education	– образова́ние
education (bringing-up)	– воспита́ние
elderly	– пожило́й
(to) envy	– зави́довать + *Dat.*: я зави́дую
envy	– за́висть
eternal	– ве́чный
eternity	– ве́чность
experiment	– экспериме́нт
expression	– выраже́ние

F

(to) fall	– па́дать, упа́сть: я упаду́, ты упадёшь
(to) fall asleep	– засыпа́ть/засну́ть
(to) fall in love	– влюби́ться: я влюблю́сь, ты влю́бишься
favorite	– люби́мый
(to) feel	– чу́вствовать себя
(to) feel (something)	– чу́вствовать: я чу́вствую

feeling - чу́вство
fiancé - жени́х
fiancée - неве́ста
fight - дра́ка, ссо́ра
(to) fight - дра́ться/подра́ться
ссо́риться/поссо́риться
flight - полёт
floor (1st, 2nd, etc.) - эта́ж
force - си́ла
(to) force - заставля́ть/заста́вить: я заста́влю, ты заста́вишь
(to) forgive - проща́ть/прости́ть: я прощу́, ты прости́шь
freedom - свобо́да

G

generation - поколе́ние
(to) give away - выдава́ть/вы́дать: я вы́дам, ты вы́дашь
God - Бог
My God! Бо́же, мой!
grateful - благода́рный

H

headmaster - дире́ктор
historical - истори́ческий
honey - мёд
horror - у́жас

I

impression - впечатле́ние
influence - влия́ние
(to) influence - влия́ть/повлия́ть на + *Acc.*
institution - учрежде́ние
instruction - преподава́ние
instructions - инстру́кции

intellectual (adj.)	- интеллектуа́льный, у́мственный
intellectual (noun)	- интеллиге́нт
(to) intend	- намерева́ться
intention	- наме́рение
(to) interrupt	- перебива́ть/переби́ть: я перебью́

J

judge	- судья́
(to) judge (to) condemn	- суди́ть: я сужу́, ты су́дишь /осуди́ть
just	- справедли́вый
just now	- то́лько что
justice	- справедли́вость

K

kitten	- котёнок, котя́та, котя́т
knee	- коле́но,-а,-и
knee high	- по коле́но

L

lately	- за после́днее вре́мя
law	- зако́н
lawless	- беззако́нный
lawyer	- адвока́т
look	- вид
(to) look (good, sick, etc.)	- вы́глядеть: я выгляжу, ты выглядишь

M

merchant	- купе́ц
manners	- мане́ры
memory	- воспомина́ние, память
mad (angry)	- серди́тый
mad (insane)	- сумасше́дший

medicine (drug) - лека́рство
mediocre - посре́дственный
mankind - челове́чество
modest - скро́мный
modesty - скро́мность

N

namely - а и́менно
need - нужда́
(to be in) need - нужда́ться в + *Prep.*
nephew - племя́нник
niece - племя́нница
nurse (med.) - медсестра́

O

offense - оби́да
(to take) offense - обижа́ться/оби́деться: я оби́жусь, ты оби́дишься
orthodox - правосла́вный
orthodoxy - правосла́вие
own - со́бственный
(to) own - име́ть, облада́ть + *Instr.*

P

patience - терпе́ние
patient (adj.) - терпели́вый
pension - пе́нсия
(to) pick - собира́ть/собра́ть
pity - жа́лость
(to) pity - жале́ть/пожале́ть
pocket - карма́н
point - то́чка
point of view - точка зре́ния
pride - го́рдость
proud - го́рдый

purpose - цель, намéрение

R

reason (cause) - причи́на

reason (mind) - ра́зум

reality - действи́тельность
    in reality фактúчески

(to) reject - отка́зываться/отказа́ться от

(to) remind - напомина́ть/напо́мнить + *Dat.*

responsibility - отвéтственность

rule - пра́вило

rule (government) - правлéние

(to) rule - управля́ть + *Instr.*

S

(to) share - дели́ться/поделиться + *Instr.*

similar to - похо́жий на + *Acc.*, одинаковый

sin - грех

(to) sin - греши́ть/согрешить

sinful - грéшный

snowstorm - метéль

society - о́бщество

spend (money) - тра́тить/истра́тить: я тра́чу, ты тра́тишь

spend (time) - проводи́ть/провести́: я провожу́, ты прово́дишь /я проведу́, ты проведёшь

stamp - ма́рка

(to) stamp one's foot - то́пать/то́пнуть ного́й

storm - бу́ря

(to) succeed - (мне) удаётся, удава́лось, уда́стся

success - уда́ча, успéх

stupidity	- глу́пость

T

taste	- вкус
(to) taste	- про́бовать/попро́бовать: я про́бую
thinker	- мысли́тель
(to be) tired of (bored with)	- (мне) надоеда́ет, надоеда́ло, надое́ст, будет надоеда́ть
trust	- дове́рие
(to) trust	- доверя́ть + *Dat.*
truth	- пра́вда, и́стина

U

unexpected	- неожи́данный
unexpectedly	- неожи́данно
unfortunate	- несча́стный
unfortunately	- к несча́стью

V

view	- вид
viewpoint	- то́чка зре́ния
vowel	- гла́сный

W

witch	- ве́дьма
work (of art)	- произведе́ние

FOR NOTES